DU MÊME AUTEUR

Du monde entier

ALONA KIMHI

LILY LA TIGRESSE

roman

*Traduit de l'hébreu
par Laurence Sendrowicz*

GALLIMARD

Titre original :

לילי לָה טיגרֶס

LILY LA TIGRESSE

À Efrat Shenhav et Galith Ben Simhon
dans un grand rugissement

PREMIÈRE PARTIE

NINOUCH

J'ôte le bouchon du flacon de cristal et en verse le contenu dans la baignoire qui se remplit lentement. Dans la transparence de l'eau, le violet foncé des cristaux de sel vire au lilas clair. Des particules élémentaires se détachent puis s'accolent. Transparence et couleur. Écoulement et stase.

Maintenant, l'odeur. Le secret de la perfection du Tout réside dans un dosage pointilleux des composants. Je verse les petites bouteilles d'huiles essentielles les unes après les autres. Surtout ne pas les agiter, se contenter d'observer les lourdes gouttes qui tombent d'elles-mêmes, telles des larmes de bonheur, et compter — trente de chaque : gling, gling, gling, bergamote et fleur d'orange réveilleront les terminaisons nerveuses et, afin de calmer l'excitation, j'ajoute dix gouttes d'huile de roses qui enveloppera ce poison picotant d'une fine pellicule de douceur femelle.

Personne n'arrivera à me convaincre que la mousse n'est qu'un produit de cosmétique. C'est un accessoire rituel, païen, fait pour rappeler à toute femme que prendre un bain, c'est retourner à l'écume originelle des vagues d'où a éclos la Vénus qui existe en elle. C'est pourquoi j'ajoute aussi de ce gel onéreux de Guerlain, ne quitte pas des yeux le flux qui le frappe jusqu'à ce que, sur toute la surface, se dessine un ciel d'aube printanière — de doux nuages qui laissent apparaître, dans leurs déchirures, des morceaux de violet.

Je me déshabille avec plaisir. Chaque partie de mon corps a subi aujourd'hui un traitement qui lui donne droit à ce bain. J'ai passé de longues heures entre les mains miraculeuses de Marlène qui a enlevé, arraché et rasé chaque poil mal placé, en commençant par quelques rebelles plantés sur mes orteils et en finissant par la manifestation de notre nature animale au niveau des aisselles et du maillot. Des masques et des crèmes à la formule magique ont été appliqués sur mon visage — algues marines, poudre de perle, cellules de placenta de rhésus. De joyeuses microparticules se sont frayé un chemin jusqu'aux cellules de mon épiderme où elles ont engendré de véritables métamorphoses. Pendant ce temps, l'aide sourde-muette de Marlène s'est occupée de mes pieds et de mes mains, m'a limé les ongles qui se sont retrouvés sous un vernis couleur cerise mûre, tandis que le dernier de mes muscles évacuait toute crispation.

Je fais durer le dernier instant, avant d'entrer en contact avec l'eau. De la haute fenêtre, un vent de fin de journée me caresse la nuque. Du salon s'élève l'opus 100 de Schubert et recouvre les bruits de la rue de sa mélancolie nordique. Un verre de porto dans lequel se suicident lentement des glaçons est posé sur le rebord de la baignoire. C'est le moment, la seconde, j'inspire avec la plus grande des précisions et je me plonge tout entière.

14

112 kilogrammes de femme.

Mes seins obéissent au commandement universel de l'eau et se redressent, deux îles jumelles, avec les tétons en postes d'observation aux contours généreux, qui remuent légèrement comme des corps indépendants aspirant à se détacher pour partir à la dérive vers d'hypothétiques grands espaces. Amikam, toujours fidèle à son affection pour la culture hellénique, les appelait Charybde et Scylla. Son membre était bien sûr le navire d'Ulysse et sa volonté celle des dieux, capable de transformer le basalte de deux rochers menaçants en un tissu humain doux et ondoyant.

Moi, j'étais le pouvoir exécutif, le vent qui venait en renfort. Je me saisissais de ces tendres îles, les rapprochais l'une de l'autre, les écrasais de mes mains comme si c'étaient deux balles en caoutchouc utilisées contre le stress, pendant que le navire, piégé dans la vallée, se pressait en avant et en arrière, se frottait contre leurs parois dociles. Entre mes seins dormira mon amour. Au début lentement, puis de plus en plus vite, tandis que je fuyais l'imagerie mythologique au profit de la réalité qui reprenait ses droits. Le navire était redevenu un sexe d'homme qui remuait entre deux gros seins, sortait vers mon menton puis disparaissait. Coucou, Lily, coucou, et ainsi de suite jusqu'à ce qu'Amikam lâche sa semence accompagnée d'une longue plainte qui montait en voix de tête. Alors, vite vite, il marmonnait mon nom jusqu'à ce que la dernière goutte soit éjectée puis, déjà vidé mais encore haletant, il restait à genoux au-dessus de moi, me fixait avec concentration de son regard plat — le regard du vainqueur épuisé après le combat et qui examine le cadavre de son ennemi. Moi, pendant ce temps, j'accomplissais le rite érotique dont le but était d'exprimer la quantité de plaisir que j'avais ressentie : j'étalais le liquide mâle sur chaque sein, m'amusant à passer un doigt mouillé et langoureux autour de mes mamelons.

Ainsi, la bouche légèrement ouverte, les yeux lourds et à moitié fermés, je remarquais (toujours avec un pincement au cœur) que le membre rougeaud de mon champion avait, pour cet assaut, entamé sa phase de repli — son humidité commençait à se coaguler et il reposait, tout riquiqui, au centre du bas-ventre de son propriétaire qui en avait déjà récupéré les pleins pouvoirs. Oh, illusoire intimité des jeux érotiques, ce n'est pourtant pas toi que je recherchais en agissant ainsi.

Saisie d'une nostalgie imprécise, je sens le clic délicieux de mon bouton de mise en marche, quelque part dans les profondeurs de l'entrejambe. C'est du passé, ça appartient à un temps révolu. Trop tard, le corps, trompé par la mémoire, s'est déjà éveillé à cette autre vie. Même dans l'eau, je peux sentir la chaleur qui émane de ma peau, l'accélération de mes battements de cœur, la sècheresse soudaine de mes lèvres qui s'ouvrent pour aspirer un peu plus d'air et soutenir ma respiration qui s'est précipitée. Mieux vaut se soumettre que de s'opposer à la volonté de l'action.

Je m'assieds, décroche d'un geste expert, presque mécanique, le pommeau de la douche, dévisse le rond qui sépare l'eau en dizaine de petits jets, le pose à côté du verre de porto, ouvre les robinets du chaud et du froid jusqu'à obtenir la chaleur familière, exacte. Je ne suis qu'efficacité, n'ai pas la patience de m'attarder en préliminaires. Tout ce que je veux, c'est me débarrasser de la grossière demande de ce corps, lui lancer la livre de chair dont il a besoin et pouvoir ensuite laisser mes pensées vagabonder librement dans l'espace indépendant qui est le leur. La température, la pression de l'eau, tout y est. Dernier contrôle sur le terrain... et le pommeau plonge dans le bain, le jet s'affaiblit aussitôt et s'abandonne à son rôle d'amant occasionnel. Je vérifie juste la sensation sur l'intérieur de ma cuisse, puis de là, j'incline délicatement le courant vers l'endroit auquel il est destiné. Hummm, presque parfait !

Une dernière rectification, le professionnalisme d'un accordeur de piano minutieux, juste pencher l'objet encore un peu vers la droite. Pas mal. Pas mal du tout. À propos, il est important de veiller à ne pas toucher le point par trop sensible, le centre des terminaisons nerveuses qui rendrait ce moment trop intense et annulerait toute possibilité d'évolution dynamique — laquelle est la condition *sine qua non* pour un orgasme total et précis. Dans ce genre de situations, la distance entre plaisir et torture ne tient qu'à un fil.

Tout est prêt. L'angle, la pression et maintenant — qu'on éteigne les lumières dans la salle ! Ne me reste plus qu'à me renverser en arrière et à laisser le petit drame entre eau et corps se jouer tout seul. Schubert.

Il n'y a rien que je déteste autant que les sautes d'humeur caractéristiques aux artistes ou aux adolescents, c'est pourquoi j'essaie de colmater la brèche qui s'est ouverte dans mes méninges cet après-midi à cause d'un incident ridicule — une pluie impromptue, de ces dernières averses de fin avril sales et brèves, qui m'a mise dans tous mes états, m'a plongée dans une espèce de bouillonnement obscur induit par une angoisse mauvaise, inexpliquée. J'ai été submergée par un flot de souvenirs du passé qui a profité de cette ouverture pour s'engouffrer dans mon cerveau, un flot entrecoupé cependant par l'examen fiévreux de mon présent et la tentative, hautement raisonnable, d'attraper par la queue ce bouillonnement, signe avant-coureur (sait-on jamais) de quelque chaos spirituel en préparation et qui, assurément, ne tarderait pas à envahir ma vie matérielle.

Allongée les jambes écartées, langoureuse, sans volonté ni fantasmes sensuels, je revois, sous mes yeux clos, la première fois où je me suis donné du plaisir à l'aide du plus clair des liquides. Un épisode si renversant qu'il m'a coûté deux incisives et au cours duquel, mystérieusement mais de mon total plein gré, rien à dire là-dessus, a été tranché mon avenir professionnel.

C'est dans le même appartement, celui que j'habite actuellement, dans la même salle de bains, au milieu de la même tuyauterie non apparente, que s'est déroulée ma première et primaire rencontre avec ma féminité — car cette rencontre est-elle autre chose que le premier orgasme ? (Et là, je m'inscris en faux contre tous ceux qui veulent marquer le début de la féminité par l'apparition des règles ou encore le premier rapport.)

Oui, là, dans l'appartement de grand-mère Rachélé, mue par l'élan intuitif du scientifique, j'ai procédé à une audacieuse expérimentation de l'anatomie féminine et de ses capacités. Si surprenante et inattendue fut la sensation qu'un spasme involontaire traversa mon corps de part en part, projeta ma tête contre la porcelaine rose ornée de myosotis, de telle sorte que lorsque, sans réfléchir, je tournai le visage, je me pris le robinet de plein fouet. Dans les incisives. Par chance, seul le coin d'une petite dent se cassa mais, quelques mois plus tard, mes parents remarquèrent que mes deux incisives noircissaient.

Je fus aussitôt conduite au cabinet du docteur Dorian Boyanjo, le dentiste de la famille. Généralement je ne le voyais qu'une fois par an pour un contrôle de routine qu'il concluait systématiquement (la tension qui marquait le visage de mes parents dans l'attente du verdict asséné avec un « r » roulé venu droit des faubourgs de Timisoara s'évanouissait enfin), « des dents perfecto, sans le moindre défecto ».

(Au fil du temps, mes parents lui accordèrent une

telle confiance qu'ils me laissèrent seule avec lui et en profitèrent pour aller à la banque ou à la poste. Du coup, le dentiste modifia quelque peu le caractère de sa consultation : il se rapprochait de moi en chuchotant, « maintenant, on ouvre une grande grande grande bouche », et commençait par poser un bras sur mes seins précocement développés et arrondis, comme chez toutes les fillettes potelées. Ensuite, il se penchait en avant afin de mieux pénétrer les mystères de mon gosier béant. Une fois, il prit même son courage à deux mains et en glissa une sous ma jupe, qui rayonnait des couleurs gaies de crème glacée à la mode dans les années quatrevingt, pour écraser ma vulve — protégée par ma petite culotte de coton — comme si c'était une moitié d'orange à presser.)

Quant à moi, je sortais toujours mortifiée de son cabinet parce que je n'avais pas eu droit à un soin nécessitant l'utilisation de tout le matériel rutilant rangé sur la tablette en inox qui se tendait vers moi tel le doigt de Dieu dans la chapelle Sixtine. Le contre-angle, le détartreur, les curettes, la sonde parodontale — que de noms délicieux ! Heureusement, l'optimisme à toute épreuve dont j'étais déjà dotée au sortir de l'enfance et qui m'aide, aujourd'hui encore, à tracer mon chemin dans la vie, me persuadait que mon heure viendrait. Et voilà qu'effectivement était venu cet instant tant espéré, l'instant où je m'étais moi-même transformée en cas médical à part entière et où, tête bien penchée en arrière, j'ouvrais grand la bouche afin d'aider le docteur Boyanjo à examiner ma paire d'incisives, sacrifiées sur l'autel de mon initiation aux plaisirs de la chair.

« Tu as reçu un coup ici ? » s'enquit le brave dentiste qui éteignit l'aveuglante lampe halogène et me permit de fermer la bouche. Je n'osais pas lever les yeux vers mes parents assis côte à côte sur une chaise dans un coin de la pièce, mais je pouvais facilement deviner leur visage inquiet, virant au gris, et leur dos raide. Avec les années, ils avaient fini par se ressembler. Un couple de cabots vieillissants, petits et décharnés. Mon père portait un pantalon de costume sombre, usé par les lessives mais parfaitement repassé, maintenu à l'aide d'une ceinture en skaï beige à boucle en nickel doré, et y avait glissé une chemise d'été bleu ciel à rayures, boutonnée jusqu'en haut, dont les manches courtes lui arrivaient au coude. Elle semblait trop grande pour lui, cette chemise, comme tous ses vêtements d'ailleurs. À côté, ma mère en parfaite jumelle, vêtue d'une robe à fleurs sombre, « estivale » elle aussi et qui, comme toutes ses robes, avait été fabriquée par une couturière avec des tissus de coton « vaporeux » achetés rue Nahalat-Benyamin. Ils étaient là, assis, comme s'ils sortaient tous les deux des chaînes de production d'une usine de poupées qui se vendaient par deux, une espèce de version juive et adulte de Ken et Barbie.

« Peut-être quelqu'un a battu toi, peut-être toi tombée et pas faire attention ? Une chose comme ça pour arriver, il faut un coup très fort », continuait à m'interroger le docteur Boyanjo. Je jetai un œil vers mes parents et sentis un pincement au cœur devant la terreur qui, à chaque nouvelle hypothèse, glaçait un peu plus leurs visages, eux aussi similaires — petits et ridés comme un couple de chimpanzés.

« Comment peut-on tomber sans s'en rendre compte ? »
intervint mon père, mais ma mère s'empressa de le faire
taire en posant une main crispée sur son genou : elle
craignait que l'agressivité de la question ne contrarie le
docteur Boyanjo au point qu'il me refuse les faveurs de
son traitement, comme il les aurait certainement refu-
sées à quelque braqueur de banque blessé au cours d'un
forfait.

« Je ne suis ni tombée ni rien, répétai-je pour la
énième fois.

— Dommage que toi pas vouloir dire. Ça peut aider
pour les soins », mentit Boyanjo. Bien qu'à cette lointaine époque je ne fusse pas autant au fait de la science
dentaire que je ne le suis aujourd'hui, mon instinct me
souffla de continuer à secouer la tête de droite à gauche
dans un « non » entêté et impénétrable.

« Ça va être deux couronnes devant, annonça alors
triomphalement le dentiste. Maintenant, toi venir plusieurs fois : d'abord on fait traitement radiculaire, après
je montre à toi la situation — peut-être je taille ou
peut-être je fais faux moignons, ensuite je prendre les
empreintes pour le technicien, et alors encore une fois,
deux fois on fait essayage avant je colle.

— Et ça va nous coûter combien ? » demanda mon
père. Cette fois, ma mère ne l'arrêta pas, malgré le reproche latent qui pointait dans sa question et aurait pu
énerver leur interlocuteur. Les dépenses imprévues faisaient peur à mes parents. Certes leurs maigres économies,
automatiquement prélevées sur leur salaire, n'étaient des-
tinées qu'à moi, mais ils pensaient à de grandes écoles
d'enseignement supérieur (aussi peut-être à un petit

appartement) qui me permettraient d'entrer dans ma vie d'adulte en fille de nantis. Dépenser cet argent consacré pour un traitement dentaire alors que je n'avais que treize ans n'était pas du tout dans leurs intentions financières. Si mes célèbres dents me trahissaient, à quoi devraient-ils faire face ultérieurement ? Tous deux étaient des enfants de rescapés de la Shoah, et celui qui a vu le gouffre de ses propres yeux aura toujours l'angoisse, au fond de lui, que cette vision ne revienne.

Le chemin du retour, nous l'avons fait en silence, nous traînant dans la poussière de la rue Ben-Yehouda, avec les taxis collectifs de la ligne 4 qui nous crachaient dessus leur souffle empoisonné. Moi, d'un pas fier, je devançais mes parents de quelques mètres. Eux marchaient épaule contre épaule, mon père s'imposant un rythme plus lent afin d'accorder ses pas à ceux de ma mère, qui, pour cause de pieds plats, souffrait toujours quand elle devait marcher.

Non seulement leur inquiétude mais surtout leur perplexité — inspirée par le manque de confiance dont j'avais fait preuve en refusant de leur divulguer comment mes dents avaient été cassées — me désolaient au plus haut point, mais j'étais bien décidée à supporter stoïquement cette distance qui s'installait à présent entre nous. Je continuai à avancer devant eux, le dos drapé dans une fausse vexation à imputer à leur suspicion. Mais mon cœur ! Mon cœur explosait d'une joie triomphante, d'un presque bonheur, parce que maintenant j'allais enfin avoir droit aux soins, longs et compliqués, du docteur Boyanjo. Ainsi pourrais-je connaître et comprendre le métier qui me captivait plus que tout, un métier qui peut-être pourrait m'aider à percer le mystère de ma naissance, voire m'éclairer sur la manière dont je devrais continuer à vivre pour le restant de mes jours. Car n'avais-je pas moi, Lily, jeune fille normalement constituée, porté sur mes tendres épaules le poids d'avoir été le premier et l'unique bébé en Israël à être né avec toutes ses dents de lait ?

J'ai toujours gardé avec moi, dans une chemise en carton, les coupures de presse qui annoncèrent au monde entier ce phénomène unique et hors du commun. Quelques courtes colonnes découpées dans les dernières pages du *Yédiot haHaronot* et du *Maariv*, accompagnées de photos floues : un nouveau-né si petit qu'on le croirait encore mouillé des humeurs de sa naissance, mais qui révèle, en pleurant, une dentition digne d'un enfant de quatre ans. Je suis maintenue en l'air par mon père et ma mère, on dirait un trophée de tennis en double qu'ils venaient de remporter, leur sourire est figé mais plein de ferveur, tandis que ma cuisse est pincée par une main mystérieuse qui me fait rugir pour que j'exhibe le miracle.

Dans une enveloppe séparée, une enveloppe honteuse, étaient conservées les pages du magazine féminin *Pour la femme* avec une interview de ma mère, si impudique qu'elle en avait fait une dépression nerveuse. La pauvre avait répondu à des questions trop détaillées sur sa vie de couple. Le fait qu'on m'ait caché cet article dans mon enfance m'a bien évidemment poussée à le savoir par cœur. Pendant de longues années, jusqu'au jour où elle quitta la maison, chaque fois que cette antique interview était mentionnée, ma mère rougissait et se confondait en excuses qu'elle entrecoupait d'accusations, toutes dirigées vers feu Mounia Schneidermann — à l'époque directeur artistique du théâtre yiddish dans lequel mes acteurs de parents travaillaient.

Il y avait une autre enveloppe encore, lourde celle-là, qui contenait un article scientifique tiré d'une revue de dentisterie en serbo-croate. Sur une double page s'étalait, allez savoir pourquoi, la photo du médecin-chef de la maternité de Tel-haShomer, le docteur Rozen, coiffé d'une kippa — détail qui assombrit la joie de mes parents, pris entre des sentiments contradictoires : contents certes, ils craignirent un texte antisémite qui expliquerait le miracle de mes dents par quelque pathologie juive.

Je n'exagérerais pas si je disais que durant toute mon enfance, l'intérêt public, pas toujours très respectable, pour mes dents n'a jamais tari, si bien que mes parents — moi aussi au fil des années — crurent que j'avais été marquée par un signe dont l'origine était à chercher dans les sphères transcendantales de la condition humaine.

Or ma mère a toujours fondé son assurance sur des conseils demandés aux autres. Elle n'économisa donc pas ses efforts pour élucider le mystère : elle embrassa la main de rabbins et de sages de tout le pays, alla s'allonger sur la tombe de prophètes au pied du mont Miron, se délesta de pas mal d'espèces sonnantes et trébuchantes chez Rashida de Yafo, la voyante qui lisait dans le marc de café, et chez Sylvia, l'Argentine de Bat-Yam qui communiquait avec l'autre monde en prenant un verre duralex et en traçant les lettres de l'alphabet sur un rouleau de bristol. À l'unisson, toutes ces voix me prédisaient monts et merveilles, mais comme il est dit dans la chanson des Rolling Stones, ma mère n'arriva pas à trouver satisfaction. Elle ne cessait d'aller consulter des nouveaux pseudo-savants, des sorciers ou des kabbalistes, et chaque fois ressortait déçue par la modestie de leurs prédictions : aucun n'arrivait à dépasser la vision respectable du mari avec enfants, argent et voyages. Aucun ne remarquait l'ambition qui couvait en elle, bien cachée derrière sa terne apparence. Car dans ses rêves elle me voyait vêtue d'une robe de velours jaune, une fourrure de chinchilla aussi légère que la brume posée sur mes épaules dénudées, un diadème en béryl cernant mon front, les joues rouges après une merveilleuse soirée de première, acceptant avec un sourire épuisé mais aux dents étincelantes (évidemment !) plus de bouquets de fleurs que ne pouvaient en contenir des bras humains, profondément enfoncée dans le fauteuil en velours à la Louis XIV de ma loge du National Theater ou de la Comédie-Française.

Mon père, comme tous les hommes, appréhendait la vie d'une manière plus rationnelle et prenait garde à ne pas se faire piéger par la métaphysique douteuse de sa femme. Il croyait en une théorie scientifique élaborée par ses soins pour les besoins de la cause, selon laquelle l'apparition précoce de mes dents n'était autre que le prologue à toute une symphonie de mutations surnaturelles qui se développeraient en moi ultérieurement et seraient sans aucun doute si remarquables qu'elles dameraient le pion à l'évolution du reste de l'humanité. Car si cette enfant a été précoce avec ses dents, qui pourrait prédire les autres choses précocement développées tout en dedans d'elle ?

À la différence de mon égoïste de mère, dans le fantasme de papa vibrait aussi une petite fibre patriotique : il aimait mélanger le privé et le public et, dans son imagination, me voyait comme une des personnalités qui apporteraient respect et gloire à l'Histoire du peuple juif. Certes, comme tout parent moderne, il contestait les projets de maman en assurant que peu importait ce que je choisirais, ce qu'il voulait, c'était mon bonheur et mon épanouissement personnel, mais dans son for intérieur lui aussi caressait l'espoir de me voir rejoindre la grande famille du théâtre — un art qu'il plaçait au-dessus de tous les autres.

« Pourquoi es-tu obsédée par cette satanée Comédie-Française ? reprochait-il à maman quand elle se laissait aller à divaguer tout haut. Pourquoi l'envoyer chez les goys, ce n'est pas bien, ici ? »

Lorsqu'elle protestait en affirmant qu'intuitivement elle sentait que l'essence de ma personnalité lui rappelait celle de Sarah Bernhardt, papa bouillait et disait que justement à cause de cela, je me devais de devenir la Sarah Bernhardt israélienne, que je serais la vigne dont les antiques graines avaient été plantées dans la boue et les crottes de bique du shtetl, mais dont les fruits se cristalliseraient en un Hamlet sans prépuce sur les planches de notre théâtre national.

Il n'est donc pas difficile de comprendre la déception de mes parents lorsque, avec le temps, ils constatèrent que mon évolution se faisait totalement normalement, au même rythme que les autres enfants de mon âge.

Restait bien sûr un espoir quant à mon talent d'actrice, mais dans ce domaine aussi, la déception grossissait à chaque pas. Bien sûr, j'avais la chance d'avoir un visage agréable et qui, dès l'enfance, rayonnait de cette douce lumière qui vient contrebalancer de violents désirs sous-jacents (expression caractéristique de la beauté des femmes juives et qui n'a pas d'égale pour incarner les héroïnes tragiques), mais, malgré tout le respect que je dois au métier de mon père et de ma mère, malgré le nombre incalculable d'heures que j'ai passées en coulisse et dans les salles de répétition, malgré les centaines de spectacles auxquels j'ai assisté, chuchotant le texte du bout des lèvres en même temps que les protagonistes sur scène, mon émerveillement resta toujours celui du spectateur, du critique, bref, de l'éternel observateur extérieur.

Ultérieurement, il apparut même qu'à part un beau visage aux yeux mouillés, mes caractéristiques naturelles brillaient justement par une totale inadéquation à ce métier qui m'était prédestiné. Les caprices de la génétique ne me laissèrent même pas hériter des modestes talents qui permettaient à mes parents de s'agripper aux planches — une oreille absolue pour ma mère, un sens du rythme et du mouvement pour mon père, et pour tous deux l'extraordinaire précision avec laquelle ils savaient amener la chute de n'importe quelle blague, ou encore le naturel avec lequel ils pouvaient lancer les répliques les plus grandiloquentes. J'ai été privée de la capacité à rappeler sur commande des sentiments ou des souvenirs du passé, à m'enivrer du public, à sentir monter en moi l'adrénaline à la tombée de la nuit. Oh, Lily, Lily ! Oui, tout cela me faisait cruellement défaut.

Qu'ils fussent professeurs de danses de salon, de danse classique, de déclamation ou de chant, tous finissaient par convoquer mes parents au bout de quelques cours et, d'une voix retenue, payaient leur tribut à l'honnêteté en refusant de continuer à prendre leur argent pour rien.

Je me dois de souligner qu'il n'y avait pas la moindre mauvaise volonté dans mes échecs théâtraux. Mon amour pour papa et maman était grand et pur, et je ne désirais rien davantage que de les satisfaire et de combler leurs espérances. Mon manque de talent s'imposa à moi avec la même nonchalante cruauté qu'il s'imposa à eux. Aujourd'hui encore, j'ai le cœur serré en me revoyant debout sur une chaise devant des invités, à essayer de tirer de ma gorge ne serait-ce qu'un peu de musicalité en interprétant *A yiddishe Yingelé*. Que de nuits ai-je passées à me tourner et me retourner dans mon lit, rendue insomniaque par trop de honte et de culpabilité, incapable de chasser le fantasme d'un avenir différent, les rêves d'autres métiers qui me prenaient en traître dans mon demi-sommeil — des métiers pour lesquels, je peux le dire maintenant, je n'avais pas de meilleures dispositions que pour l'art dramatique.

Mais ce qui prédominait, c'était la brûlure de l'affront. Un affront que m'avait fait ce destin moqueur en m'offrant des dents à la naissance, tel un amant menteur tout dégoulinant de promesses. Jamais je n'ai cessé d'espérer — le visage toujours tourné vers un avenir meilleur et inondé de lumière. Mais, parfois, la fatigue triomphait de ma joie de vivre innée et de mon attentisme acquis, si bien que tandis que notre petite famille marchait sous le soleil ardent de Tel-Aviv et que mes parents comptaient l'argent qui allait être englouti dans la réparation de mes dents cassées, mon cœur exultait : finis, finis les rêves immatures dont le principal objet était de combler l'incertitude et les espoirs déçus, finie l'angoisse des minuscules seconds rôles au cas où, malgré tout, j'aurais réussi à me frayer un chemin dans le labyrinthe des théâtres. Finis aussi les plans sur la comète dans lesquels j'apparaissais en conductrice de camion poubelle, femme flic, top-modèle, pompier téméraire ou secrétaire dans une base de l'armée de l'air (oh, le fantasme du pilote en combinaison tachée d'huile d'avion qui courait vers moi sur les dunes de sable doré et me soulevait dans les airs vers le soleil, vers le bleu infini du ciel de Suez !).

À présent, je savais qui je voulais vraiment être et donc qui — conséquence directe — j'étais vraiment. Je voulais m'occuper de dents. Par tous les moyens. Sous tous les angles. Je ne suis ni mesquine ni titilleuse. Quelle aveugle avais-je été ! Sourde à ma voix intérieure ! Car ils étaient là tout le temps, partout, les sourires étincelants des bébés, Garbo qui riait tête inclinée, le cri de la parturiente durant l'effort, le râle de l'agonisant, la grimace triomphante du sprinter olympique qui déchire de sa poitrine le ruban d'arrivée.

À partir de maintenant et pour l'éternité, le lion rugissant que j'avais gravé sur mes armoiries personnelles aurait des dents. Le mystère de ma naissance et de mon étrange particularité avait enfin trouvé son explication, magique et pleine de promesses d'avenir, même si, jusqu'à présent et malgré tous les efforts déployés, cette explication avait farouchement refusé de surgir. Du coup, cette fameuse bizarrerie pathologique n'était plus uniquement un sujet captivant pour les voisins, les scientifiques et les pseudo-érudits. Non, ma vie était devenue une continuité, une suite logique, un enchaînement élégant et irréversible de cause à effet.

Bien évidemment, je ne pouvais pas partager avec mes parents la découverte que je venais de faire. Comment leur enlever le peu d'espoir qui leur restait de me voir me frotter les mains en essayant désespérément d'enlever les taches de sang indélébiles de la Lady meurtrière ou, en Cressida, avouer à Troïlus, « Prince, voilà bien de tristes mois, où je rêve de vous nuit et jour ».

C'est pourquoi j'ai continué à marcher avec, derrière moi, mes parents, devant moi, l'avenir tel un trait parfait à l'horizon. J'avais mal au ventre à cause des quatre beignets à la confiture de prunes maison que j'avais avalés ce matin-là, et le poids du secret que j'avais à porter toute seule dans une solitude rayonnante écrasait mes épaules. Mais je savais. Oui je savais, exactement comme quelqu'un qui vient d'avoir une illumination religieuse ou une révélation mystique — de ces certitudes qui restent secrètes et ne sont connues que de ceux qu'elles traversent. D'ailleurs, le prince Siddhartha lui-même n'est-il pas resté dans une solitude aussi totale que celle de l'arbre sous lequel il s'est assis quarante jours et quarante nuits, jusqu'à ce que se révèle à ses yeux intérieurs la nature de Bouddha qu'il avait en lui ?

Je repositionne le jet d'eau entre mes cuisses. Le dernier accord de l'*andante con moto* s'éteint et cède la place à un *scherzando* léger et entraînant. D'une main experte, je réduis la distance qui me sépare du pommeau et le guide en cercles délicats de plus en plus petits, jusqu'au minimum. Maintenant, il faut localiser un point, parfait, s'y arrêter et attendre. Le piano de Rubinstein, bienveillant et terrestre, se mêle à cet acte d'amour entre eau et chair. Dans le badinage entre violon et violoncelle, ce sont les derniers vêtements qui sont ôtés. Elle est légèrement ivre, lui brûlant de désir. Arthur se précipite derrière eux avec des doigts émus et pleins de fougue qui m'éveillent comme s'ils couraient sur moi, sans l'intermédiaire des touches.

Mon bassin se contracte vers l'intérieur et vers le bas, vers un seul et unique point — l'œil du cyclone. Dernière ligne droite sur l'autoroute de la jouissance. Reléguant les visions d'enfance auxquelles je me suis abandonnée quelques minutes auparavant, j'essaie de me suggérer une image qui enrichira et tonifiera ces instants d'extase, mais c'est trop tard — la seule chose que j'arrive à voir, c'est un moulage de mâchoires en plâtre qui a jauni avec le temps. Il s'agit de mes propres mâchoires représentées là, exactement comme elles étaient à mes treize ans et qui furent immortalisées en ce moulage réalisé par le docteur Boyanjo pendant qu'il travaillait sur mes couronnes historiques. Maman l'avait gardé emballé dans un sac en plastique au fond de son tiroir à soutiens-gorge et, de temps en temps, je l'en tirais pour l'observer avec curiosité et répugnance.

Et voilà que maintenant ce moulage dégoûtant scintille devant mes yeux, supplante mes tentatives affolées pour imaginer l'haleine exhalant le tabac de quelque mystérieux inconnu, les yeux café noir de Johnny Depp, ou même, je suis déjà prête à n'importe quelle concession, le navire merdique d'Ulysse traversant le détroit de mes seins. Mais mes efforts restent vains et tandis que mes reins, comme on dit en littérature, se contractent en spasmes involontaires et que je jouis dans un râle essoufflé, mon imagination rebelle ne me montre toujours que ces mêmes mâchoires jaunies. Grandes ouvertes, comme si elles imitaient, dans une raillerie grotesque, la crispation qui tord ma bouche en ce moment.

Ah, ah, ah, aaaaaahhhhh !

Je retrouve lentement ma respiration. Une douce langueur prend possession de mes membres. Un court silence. Tout de suite après, c'est l'ouverture paisible et joyeuse de l'*allegro moderato*. Je peux ouvrir les yeux et fermer le robinet.

Je m'assieds, revisse le rond du pommeau que je remets en place, rince mon visage moite avec l'eau du bain, prends une gorgée de porto.

Incontestablement, quelque chose me tourmente aujourd'hui. Une tension aux contours imprécis se promène dans mon corps comme une drogue qu'on m'aurait subrepticement injectée. Ça a commencé alors que j'étais en chemin pour l'institut de beauté de Marlène. Tout à coup, comme ça, en plein mois d'avril, le ciel est devenu gris et nuageux. Au bout de quelques minutes, il s'est carrément brisé sur les rues de Tel-Aviv en une averse tiède, tardive, tel un invité paumé débarquant après la fête. Étonnés, les passants ont pressé le pas, certains ont couru se réfugier dans des entrées d'immeuble ou sous les stores inclinés des magasins, mais moi, une étrange envie m'a justement clouée sur place, j'ai levé la tête vers ce ciel pâteux et laissé la chaude pluie poussiéreuse me laver et mouiller mes vêtements. Tandis que j'étais comme ça debout, une espèce d'angoisse obscure s'est insinuée en moi, l'intuition qu'il allait se passer quelque chose, une catastrophe peut-être ou un changement terrible et inimaginable, quoi qu'il en soit, j'ai tout de suite compris que cela remettrait toute ma vie en question, que je devrais la reconsidérer exhaustivement, sans concessions ni complaisance, avant qu'il soit trop tard — trop tard pour quoi, je me le demande bien. D'autant que ce qui affolait confusément mon cœur a refusé de se clarifier, seul le besoin pressant de procéder, sans plus tarder, à un inventaire complet a continué à me tarauder, même après que la pluie se fut arrêtée avec autant de soudaineté qu'elle avait commencé, et que le soleil fut revenu brûler les bords des nuages qui se désagrégeaient dans l'or annonciateur de ce printemps un peu en retard.

Mais les soins prodigués par les mains de Marlène et de son apprentie sourde-muette n'ont pas réussi à me libérer des restes de cette étrange angoisse, injustifiée, qui m'a finalement poussée à examiner chaque recoin de ma conscience. Peut-être avais-je oublié quelque chose ? Dire que même la masturbation ne m'a pas apporté l'apaisement escompté ! Ce n'est d'ailleurs pas pour rien que ce mot sert de métaphore à tout acte stérile et improductif, malgré son côté apparemment indépendant qui te permet de danser ta vie sans avoir d'homme accroché à ton revers.

En de tels moments, même moi, qui pourtant adhère totalement à la vision de la femme en tant qu'entité autarcique, tombe d'accord avec Ninouch, qui, lorsque j'ai essayé de lui montrer comment se faire du bien à l'aide d'un gentil flexible de bain, a réagi à mes « alors ? C'est comment ? Et maintenant ? » en fixant de ses yeux vagues mon carreau en céramique fendu (oui, oui, celui aux myosotis) et en me donnant des réponses tout aussi laconiques que mes questions, « c'est chaud. Mouillé. Sais pas. Ça gratouille. Bon, assez, j'en ai marre, Lily. On peut arrêter ? À quoi ça sert ? ».

C'est vrai — à quoi ça sert ?

Évidemment, Ninouch n'est pas une référence en matière de libido féminine. Chez elle, les plaisirs de la chair qui arrivent à la toucher se résument à un discret curage de nez, puis, les crottes une fois récupérées et soigneusement roulées entre le pouce et les autres doigts, à les envoyer sous le canapé. Elle aime aussi sucer bruyamment des Rochers en regardant la télévision. N'est-ce pas une des nombreuses facéties du destin, que d'avoir justement octroyé à une femme comme Ninouch un aspect dont le pouvoir de séduction est capable d'éveiller le désir chez n'importe quel individu croisé en chemin, sans que ce désir ne trouve ne serait-ce qu'une petite note d'écho en elle. Même Léon, malgré toute son arrogance, a un jour lâché qu'il n'avait pas besoin de mettre de glaçons dans son whisky vu qu'il lui suffisait d'y plonger le nez de Ninouch, mais il s'était aussitôt rétracté et avait justifié la froideur de sa belle par une tension artérielle très faible : Léon, comme il sied à tout adepte de la perfection absolue, aime qu'on le considère comme un des représentants de cette même perfection sur terre.

À nouveau la question — à quoi ça sert ? Question à laquelle je réponds par un oracle formaté : à étouffer le cri du corps. Pourtant je sais que ce n'est pas le cri du corps que je dois étouffer mais un autre, mille fois plus percutant, celui que l'on ne peut pas entendre à l'oreille nue, qui a la puissance de sons électroniques, dont la fréquence ne peut être captée par l'ouïe humaine mais que l'on ne peut absolument pas ignorer : le cri suprême de l'âme. Comment l'étouffer, celui-là ? Comment pourrais-je décrisper le rictus de ses lèvres béantes ? Je vous adjure, filles de Jérusalem, si vous trouvez mon bien-aimé, que lui direz-vous ?

Que je suis malade d'amour.

Si simple et si terrible.

Qu'il est étrange de constater que l'absence d'un amant hypothétique est aussi douloureuse que l'absence d'un amant bien réel ! Je suis sûre que cela n'arrive que parce que le besoin d'amour est primaire et fondamental, la preuve la plus valable qui puisse nous être donnée non seulement de l'existence de Dieu, mais d'une chose plus importante : de l'hypothèse que nous avons été créés à son image. Il y a, dans l'opposition fort à la mode aujourd'hui, qui dresse le besoin d'aimer contre la volonté de se libérer d'autrui, une erreur de logique, une erreur philosophique, c'est la conséquence erronée d'un individualisme porté aux nues, les reliefs d'offrandes sacrifiées aux dieux païens du moi. De l'idolâtrie. De la masturbation.

Cette lutte, la lutte contre l'amour, est un péché envers l'essence même de ta propre humanité. Car qu'est-ce que l'amour sinon l'expression suprême de la capacité de l'homme à surmonter sa nature première, égoïste, animale ?

L'amour. Rien que d'y penser, j'ai la poitrine qui se soulève puis replonge dans la mousse en un profond soupir, lourd de tristes regrets. Parfois, j'ai l'impression que mon cœur ne bat qu'à une seule cadence : quand ? quand ? quand ? induisant le rythme de mon existence qui n'est qu'expectative. On ne connaît pas l'avenir, mais il faut y aspirer. Alors je le veux, je le veux de toutes les forces du vouloir que je peux mobiliser. Obsédée pour toujours, empoisonnée par ce besoin, empoisonnée par cette pensée de quand ? quand ? quand ?

Mais, hélas, mille fois hélas ! nous, les êtres humains dans le besoin, n'avons pas de réponse. Il y a autant de scénarii possibles que de demandeurs. Certains disent : ça viendra quand ton esprit sera prêt pour lui. D'autres : quand se présentera la bonne personne. Mais moi je crois que l'amour est versatile, aussi imprévisible que les muses, et qu'il choisira, lui et lui seul, à quel moment montrer son visage rayonnant. Quant aux pitoyables tentatives des mortels pour décrypter les lois qui le régissent, elles le font simplement bâiller.

Ma conclusion à moi, c'est qu'il faut toujours être sur le qui-vive. À chaque instant. C'est pourquoi aujourd'hui, et même si nous n'allons finalement qu'au cirque, je me rassemble, les sens aux aguets, comme le fait la tigresse juste avant de se lancer dans le cerceau de feu.

Mais la soirée ne fait que bourgeonner, je peux donc m'abandonner à l'eau, à Schubert et à la brûlure de la boisson alcoolisée sur ma langue jusqu'à l'arrivée de Ninouch ou plutôt devrais-je dire jusqu'au scintillement de Ninouch, tant elle ressemble aux éléments célestes nocturnes. Nous prendrons le bus qui nous emmènera jusqu'au parc des Expositions, là où le cirque a planté son gigantesque piquet phallique.

Je me soulève prudemment pour jeter un œil à ma

montre sur le rebord du lavabo. Le danger avec Ninouch, c'est qu'elle a tendance à arriver en retard. Non pas par mauvaise éducation ou caprice de star, ce qui justement lui conviendrait à merveille, non, si Ninouch a tendance à arriver en retard, c'est à cause de son compagnon, Léon. Et malgré la thérapie qu'il suit pour essayer de surmonter sa jalousie maladive, il est en général assailli par les soupçons dès que son aimée quitte le domicile, si bien qu'avant qu'elle n'ait pu franchir le seuil de leur penthouse, il lui inflige la torture d'un interrogatoire en règle, ou pire encore selon elle, il la supplie de lui donner la chaleur et l'amour sans lesquels sa vie ne vaut pas d'être vécue.

Léon peut aussi, parfois, user de pressions physiques qui vont de modérées (gifles, coups de poing, bousculade) à totalement incontrôlées (coups de pied au ventre ou au visage, tête projetée contre le mur, utilisation d'objets lourds). Il lui arrive de la tabasser tellement que tout le maquillage qu'il lui achète au duty free se révèle incapable de masquer ses lèvres fendues, ses yeux au beurre noir ou encore le cartilage aplati de son nez.

Le problème est bien plus complexe qu'il n'y semble au premier regard : Ninouch fait partie de ces gens que l'on qualifie dans la littérature de « souffreteux ». Elle est en effet atteinte d'une maladie orpheline, appelée par les professionnels syndrome d'Ehlers-Danlos dont les symptômes sont multiples, certains ont déjà fait leur apparition et se sont intégrés à sa vie, d'autres ne se manifesteront que plus tard, dans les circonstances que lui réserveront les turbulences de son destin.

Sa maladie l'a handicapée dès sa plus tendre enfance :

un de ses signes étant un faible tonus musculaire, Ninouch bébé ne pouvait ni se retourner dans son lit ni s'asseoir, encore moins crapahuter puis ensuite marcher, elle fut donc diagnostiquée comme atteinte d'une forme étrange de retard, moteur et mental. Sa défunte mère lui avait même raconté que, bébé, elle ressemblait à une espèce de bout de chiffon, et que, lorsqu'on la soulevait, sa tête et ses membres pendouillaient sans la moindre résistance, comme si son corps était un croisement génétique entre un être humain et un saule pleureur. Aujourd'hui, elle lutte contre cette déficience en effectuant quotidiennement des exercices de raffermissement musculaire — mélange de yoga, danse classique, stretching, tai-chi et méthode Feldenkrais, une recette sportive concoctée et affinée au fil des années par l'intéressée elle-même et qui est devenue une obligation.

Sa peau, fine et transparente, d'un contact souvent bizarre et assez désagréable, est élastique, trop élastique, et s'étire très facilement à cause de la grave anomalie du collagène qui est à la racine de son mal. Si Ninouch se blesse, ce qui arrive fréquemment, sa plaie, fût-elle minime, refuse de se refermer. Sa peau se couvre de marques violettes même à la suite de coups relativement légers. Il suffit de lui serrer trop fort le bras pour qu'y apparaissent aussitôt cinq bleus, comme si elle avait été torturée. Les cicatrices qui en résultent sur sa peau restent épaisses et proéminentes, mais heureusement, elle n'a pas trop de traces de ce genre : les violences de Léon lui laissent principalement des séquelles internes. En revanche, chaque fois que, par inadvertance, elle se coupe avec un couteau en préparant une salade ou bien qu'elle se pique avec la pointe de ses ciseaux à ongles, eh bien, ces petits bobos saignent pendant au moins une heure, et il est inutile de mettre la plaie sous l'eau froide ou de la serrer dans une bande de gaze. Ses os sont friables et se cassent facilement — depuis que je la connais, elle a eu trois plâtres : deux aux doigts, un au bras droit.

Mais le symptôme le plus étrange de sa maladie est l'extrême flexibilité de ses articulations : elle a la souplesse d'une contorsionniste et des capacités physiques généralement exploitées par les grands illusionnistes, surtout les maîtres de l'évasion tel Houdini. Elle peut plier les mains vers l'avant et vers l'arrière comme si elle n'avait pas d'articulation du tout. Parfois (si elle est d'humeur), elle me distrait — et me choque ! — en exécutant des numéros de cirque tel un chimpanzé savant : elle allume et fume une cigarette avec ses orteils, passe ses jambes autour de son cou, tord son corps en un nœud humain impossible à défaire, se couche sur le ventre et arque son dos de telle sorte que son pubis finit par toucher son crâne, tandis que ses jambes, écartées de part et d'autre de sa tête, dansent une espèce de kazatchok. En ce qui me concerne, je ne peux m'empêcher de la regarder avec un mélange d'émerveillement et de dégoût ; à la fois amusée et mal à l'aise, je lui demande d'arrêter ce jeu pervers, mais elle arrive toujours à me dérider par un au revoir avec les pieds, en faisant semblant de se curer le nez avec un gros orteil à ongle transparent ou en bougeant les oreilles d'avant en arrière avec une expression de perplexité volontairement idiote... jusqu'à ce que je me laisse gagner par une hilarité incontrôlable. Alors ne me reste plus qu'à lancer sur elle un numéro de *Pour la femme* que je pique systématiquement au cabinet du docteur Rickliss, ou les coussins brodés qui ornent le canapé de mon salon — notre lieu de prédilection quand nous nous retrouvons.

Inutile d'insister sur le fait qu'avec de telles données initiales, mieux aurait valu pour Ninouch se mettre en ménage avec quelqu'un qui aurait eu une conception des rapports physiques entre hommes et femmes, comment dire, plus pacifiés, mais — c'est bien connu — ceux qui nous blessent sont souvent ceux qui nous aiment le plus. J'avoue que je suis toujours aussi étonnée de la force et de la complexité du sentiment qu'éprouve Léon envers Ninouch. De son côté, elle affirme que c'est la seule et unique fois de sa vie qu'on l'aime avec une profondeur aussi abyssale, avec autant de dévouement et de responsabilité.

Si l'on s'entête à trouver une explication psychologique, on peut dire que c'est parce que sa vie n'a été qu'une longue succession d'exploitation et de tortures qu'elle ne se débarrasse pas de cet homme, mais la véritable raison de la résignation avec laquelle elle accepte d'être ainsi maltraitée par son compagnon est ailleurs. Ninouch a un secret : elle ne peut vivre que dans le champ illimité du présent. Pour elle, le passé étant une suite en noir et blanc de souvenirs fanés et le futur totalement absent de son système de pensée, elle se trouve incapable de projeter, craindre, espérer, aspirer ou entretenir des rêves. Et ce champ illimité du présent, ce champ dans lequel elle passe ses jours et ses nuits, se résume dans le simple fait d'exister, de respirer, de se mouvoir.

Il n'est ni bon ni mauvais. Il est, c'est tout. Je sais qu'il n'y a rien de nouveau à cette conception, mais dans son cas à elle, il ne s'agit aucunement d'une théorie philosophique qui se serait forgée après des années de recherches et de questionnement sur la signification du bonheur — c'est juste un processus intelligent d'auto-défense.

Ninouch est ma meilleure amie. À vrai dire, ma seule amie.

Notre amitié est née à la clinique dentaire du docteur Israël Rickliss, où je travaille comme hygiéniste — bien que notre première rencontre (dont je préférerais oublier les circonstances, si ce n'est que, comme toujours avec les histoires auxquelles l'oubli sied, elles se sont incrustées dans ma mémoire en véritable marque de Caïn) remonte à deux ans auparavant, un épisode consternant qui me revenait souvent à l'esprit jusqu'au jour où je me suis de nouveau retrouvée en face d'elle : elle était venue au cabinet accompagnée de Léon qui voulait lui faire poser des couronnes en porcelaine dans toute la bouche, ce dont, les dieux de la dentisterie m'en sont témoins, elle avait grandement besoin. Même le regard d'Israël Rickliss, pourtant riche de trente ans d'ennui professionnel, se figea à cause de l'immense effort qu'il dut faire pour dissimuler le dégoût qui l'assaillit lorsque la jeune femme ouvrit la bouche et dévoila deux rangées de dents pourries quasiment jusqu'à la racine, d'une coloration qui allait du brun noir au gris perle, tordues, déformées et effrayantes, presque la barrière d'épieux devant les portes de l'enfer.

Le fait que cette bouche avait été placée dans un

visage slave à peau transparente, dont les yeux et même les narines étaient dessinés avec la légère inclinaison qui transforme la simple beauté en muse pour des Pouchkine ou des Lermontov, conférait une dimension métaphysique à ce dégoût. Les caprices de la nature se révélaient là dans toute leur terrible splendeur, et un long moment, nous sommes restés muets, jusqu'à ce qu'enfin le docteur brise le silence, « ah-ah, ça va coûter très cher ».

Et Léon de répondre aussitôt, comme s'il n'attendait que ces paroles, « je vous donnerai tout ce que vous demanderez. Je veux le meilleur, le plus cher et le plus moderne, parce que la femme que j'aime n'en mérite pas moins ».

Je ne cessais de regarder Ninouch en me demandant si elle se souvenait de notre première rencontre, mais elle me rendit un regard plat, sans la moindre lueur indiquant qu'elle me reconnaissait. Israël termina de prendre des radios de sa bouche, et je profitai de ce que sa secrétaire fût en train de convenir avec Léon d'une longue série de rendez-vous, pour attirer la jeune femme dans mon cabinet de travail.

« Vous vous souvenez de moi ? Vous me pardonnez ? » lui demandai-je avec des yeux suppliants.

Elle m'offrit son sourire pourrissant, « tout cela est mort, maintenant je suis heureuse », dit-elle avant de m'effleurer la main, marquant ainsi le début de notre union sacrée.

Pendant plusieurs mois j'ai tout de même continué à craindre qu'elle n'ait gardé un certain ressentiment envers moi, jusqu'à ce que je me rende compte que sa mémoire, intégrée à son existence comme ses cheveux ou ses ongles, n'avait, tout comme eux, pas de nerfs et n'éprouvait ni peines ni plaisir. Elle était amputée de toute capacité à donner du sens ou à tirer des conclusions.

Avec un soupir désolé, je me sépare de la bonne odeur qui refroidit dans la baignoire et m'enveloppe dans une serviette rêche de propreté. Mon corps est à nouveau submergé par le besoin d'un autre contact. Chaud. Humain. Un contact qui pénétrerait dans le sang par les pores de cette peau maintenant débarrassée de la poussière et de la sueur, rendue plus réceptive encore au flux cosmique du désir et à ses vibrations véhiculées par la pollution urbaine. Ninouch tarde, évidemment, et je vais être obligée de me passer de ses judicieux conseils quant au choix de ma robe.

Mon corps plantureux déborde comme celui d'une antique déesse de la fécondité. Je dois reculer d'un pas pour que toutes mes rondeurs se reflètent dans l'étroit miroir accroché dans l'armoire, et repousse un petit pincement au cœur — les paroles d'Amikam, la fatale nuit où il m'a annoncé qu'il avait décidé d'annuler notre mariage et de rompre.

Aujourd'hui encore j'ai honte en me remémorant comment, secouée d'amers sanglots, je me suis traînée à ses pieds sur le carrelage de l'appartement que le kibboutz avait mis à sa disposition, entre ces murs couverts de masques africains et de tapis afghans, ces étagères ployant sous les livres des Éditions Am-haOved, ces statuettes en ivoire et ces cendriers faits en mains empaillées de gorilles malchanceux. Je me suis répandue en promesses de régimes, d'opérations de rétrécissement des intestins, d'anneau gastrique ou d'occlusion de mâchoires, oui, dans ce cas, pourquoi n'accepterait-il pas d'attendre encore un peu, mais il avait secoué la tête avec des « peut-être, Lily, peut-être qu'alors... », tout en sachant aussi bien que moi que par nature, mon corps résisterait à toute ingérence extérieure, qu'aucun jeûne ne l'aiderait à perdre ses excédents, comme si, tout au fond de lui-même, quelque chose de secret, d'obscur, tendait à grossir, à s'épaissir à l'infini et se dressait, têtu, contre toutes mes tentatives de réduction.

Lorsque je réfléchis aujourd'hui à ces événements, il me semble avoir été davantage frappée de stupeur par le renversement des goûts esthétiques d'Amikam que par son rejet de ma personne. Rien n'ébranle plus qu'un changement subit, même s'il n'est autre que l'émergence d'une ancienne détresse dont tu n'avais pas voulu voir les signes avant-coureurs. Car qui d'autre qu'Amikam justement profitait de ce corps tendre et féminin jusqu'au bout des ongles, un corps qui se présentait à lui tel un territoire supplémentaire à conquérir chaque fois qu'il revenait de ses longues périodes militaires et prenait d'assaut mes arrières.

Je me souviens encore des efforts que je faisais pour tourner sur le côté ma tête qui s'écrasait dans l'oreiller et sentir la douce odeur de sueur mêlée d'huile à fusil que dégageait son uniforme. J'arrivais par la même occasion à saisir du coin de l'œil les deux feuilles de figuier de ses galons tant convoités et qui l'avaient enfin promu lieutenant-colonel de réserve.

Mon homme ne m'avait jamais donné de détails sur la nature des missions de la célèbre unité de tankistes basée au sud de Ramallah qu'il commandait quand il reprenait du service, mais je savais que ce coït anal qui préludait immanquablement à ses jours de permission était directement lié à une intense activité militaire dont il ne divulguait rien à personne, pas même à la femme qui l'aimait plus que tout.

Je lâche un soupir où se mêlent nostalgie et résignation. Passe une main légère sur mon cou, mon ventre. La peau encore chaude est gorgée d'eau, idéale pour être enduite de crème hydratante — les molécules revivifiantes seront piégées par les cellules et rendront à mon épiderme un aspect frais et aussi rose qu'une joue de bébé. Le choix de la crème au thé vert d'Elisabeth Arden est parfait, elle n'est ni épaisse ni grasse, son odeur chaude, sucrée et uniforme ne s'imposera pas mais au contraire s'alliera parfaitement à l'odeur naturelle de mon corps déjà imprégné des huiles de bain. Je pose un pied sur le tabouret, commence à étaler la crème dans un mouvement de haut en bas, la fais pénétrer par petites tapes dans l'opulente courbe de mes hanches, masse en cercles réguliers et patients la peau d'une cuisse, une peau légèrement rugueuse dans sa partie extérieure mais douce et fragile à l'intérieur, là où le moindre effleurement l'éveille. Des jambes imparfaites certes, mais féminines, façonnées dans des proportions classiques et dont la longueur compense un peu la lourdeur naturelle de ma silhouette.

Que les dieux de l'Israël-attitude m'en soient témoins — j'ai cru en Amikam plus qu'en n'importe lequel de mes amants précédents, j'avais en cet homme une confiance si absolue qu'à aucun moment je n'aurais pu douter de lui. Je le voyais comme un être dont la profondeur venait justement de cette indéfectible simplicité israélienne, incarnée par le kibboutz dont il était issu et auquel il appartenait encore (bien qu'il travaillât « à l'extérieur »), par le quotidien *haAretz*, par la salade de crudités coupées menu mais sans oignons, par des dents jaunes et solides, par des idées politiques claires, par des opinions arrêtées sur les questions de morale individuelle et générale, et surtout, surtout, par la certitude absolue sur son identité, son appartenance à ce pays, son droit à chaque centimètre carré de cette terre. Même son sperme avait le goût et l'odeur de l'engrais sur la terre meuble et mouillée par l'incessant ballet des robinets d'arrosage automatique.

Et puis, il faisait partie de la noblesse. D'ailleurs, chaque fois qu'il se blessait ou se griffait, j'avais un sursaut d'étonnement parce que la couleur de son sang était rouge et non rayonnant du bleu de sa condition.

Amikam était en effet issu d'une longue lignée de la race des seigneurs : son grand-père, Nahtshé Lumière-de-Chaldée (Bernowitch) avait combattu dans les rangs du Palmah ; le frère de son grand-père, l'oncle Yoram (Shourik) Lumière-de-Chaldée, était membre des Unités de combats maritimes ; son père, Daniel (Dan-Dan) Lumière-de-Chaldée, était l'un de ces valeureux guerriers qui avaient escaladé de leurs dernières forces le mont du Temple, ce fameux jour historique situé quelque part au mois de juin 1967.

Et tous ces poils ! La barbe qui lui ombrageait déjà les joues quelques heures à peine après le rasage du matin, les poils des aisselles doux et embroussaillés en longs fils toujours humides de sueur mâle sucrée et poivrée, les mamelons cachés sous le foisonnement dense et généreux qui lui recouvrait le poitrail et se raréfiait en descendant vers le bas-ventre puis explosait à nouveau dans toute sa gloire sur le pubis, enveloppant son membre viril d'un buisson sauvage, tout de menaces et de promesses.

Et les jambes ! J'ai du mal à me retenir de les appeler — comme on disait chez nous — des *fiselekh*. Il avait les jambes courtes et solides d'un défenseur de football. Même collées l'une à l'autre, elles laissaient en haut un petit espace violet à travers lequel on aurait facilement pu faire passer un bébé ou un labrador, puis s'arquaient comme celles des cavaliers professionnels. C'est qu'il montait à cheval, mon Amikam. Il n'a jamais loupé une occasion d'enfourcher Tsila, une superbe jument arabe, la fierté de l'écurie du kibboutz, un animal à la robe marron et aux chevilles fragiles qui trépignait d'impatience sous son poids jusqu'à ce qu'il renvoie d'un geste nonchalant le responsable des lieux, Yéhiel le boiteux, et parte, dans un galop soutenu, sur les chemins de la plantation d'avocats. Et il montait ainsi : sans selle, le torse presque plaqué au dos de l'animal, uni à lui tel un sublime centaure, me laissant dans la cour avec les gars du kibboutz qui suivaient d'un regard envieux les mouvements de croupe de la jument et de son cavalier. Tout dans sa gestuelle, dans sa manière de respirer, dans chacun des gènes, chacune des cellule du corps d'Amikam Lumière-de-Chaldée clamait : voilà, ça, c'est un homme !

Je termine l'hydratation de mes jambes et passe au ventre. Ton ventre est un tas de froment, sur la vie du Seigneur, un tas de vie. Un ventre mou, un peu flasque, rebondi, avec un nombril enfoncé, qu'on dirait directement copié de l'*Enlèvement des filles de Leucippe* de Rubens. Enveloppe trompeuse faite de muscles, de graisse et de peau qui recouvre le secret de tous les secrets de l'être, l'incubateur divin où se forme la vie. Quelqu'un pourra-t-il enfin m'expliquer pourquoi Amikam l'intelligent, l'expérimenté, le si plein d'humour a refusé de lire sur le braille de mon corps cet archétype éternel et a préféré y voir un défaut esthétique et superficiel, alors que ce n'était qu'une question de mode ?

Oui, Amikam était, sans nul doute, la dernière personne que j'aurais pu soupçonner de se plier à la pensée unique qui veut que les femmes soient minces. Car qui, sinon lui, marchait fièrement à mes côtés, passant autour de mes épaules un bras puissant, couvert d'une claire toison brûlée par le soleil de Ramallah, quand nous franchissions la grille pour rejoindre la verte pelouse soignée qui entourait la piscine.

Même derrière ses Ray-Ban, on pouvait sentir l'éclair amusé de ses yeux tandis que son regard coulait sur les seins pendouillants des filles du kibboutz. Ensuite, dans un léger geste expert, il dégoupillait la bouteille de lait protecteur indice 45 et commençait à étaler le liquide sur la peau claire de mon décolleté, glissant de temps en temps un doigt dans la fente de mes seins.

Quelle virilité, absolue, héréditaire, conquérante, bouillonnante, dominante.

Qui aurait cru, qui aurait pu voir l'avenir avec suffisamment d'acuité pour penser que cet homme annulerait notre mariage à cause des kilogrammes que j'aurais dû perdre pour pouvoir me fourrer dans la robe de mariée qu'il m'avait ramenée d'un quelconque Degriff de Johannesburg, une ville où il se rendait souvent dans le cadre de ses fonctions de spécialiste international d'irrigation ?

Je dois maintenant étaler la crème sur mes épaules et mes seins, je m'y attelle sans envie, avec un professionnalisme indifférent et efficace — le souvenir drainé par ces gestes est trop déstabilisant, j'en termine vite et c'est presque avec soulagement que je referme le tube et le repose sur la commode.

Tout est vivant et coloré sous mes yeux. La robe à fermeture Éclair bée sur le canapé, on croirait qu'elle enveloppe un vrai corps, plus mince que le mien, un corps de femme transparente, Ophélie agonisante emportée par les courants violents du fleuve et qui aurait les bonnes mensurations, un quarante-quatre maximum.

Alors que moi, son reflet déformé et énorme, je suis là à essayer d'attraper les jambes courtes et fortes d'Amikam qui se dresse au-dessus de moi dans son boxer bleu, visage, nuque et bras plus foncés que le reste du corps (toujours ce cruel soleil de Ramallah), Amikam dont la bouche articule sans trêve l'insupportable phrase, « peut-être, Lily, peut-être qu'alors... Mais pour l'instant, c'est hors de question ».

J'avais beau savoir son refus définitif (ses yeux s'étaient assombris de ce vide qui nous emplit dans ces instants de rupture où nous coupons notre vie de celle de l'autre), j'avais beau avoir tout à fait conscience que je me comportais d'une manière repoussante, annihilante, totalement contraire à la stratégie classique qui régit les rapports entre les hommes et les femmes, et que, par là, je transformais mon vain combat en réalité tangible, j'ai continué mon cirque, m'agrippant aux chevilles osseuses de mon commandant en chef, invoquant le plus rebattu et le plus désespéré des arguments, « mais je t'aièèèèèèèème ! ».

C'est uniquement grâce au soutien et au dévouement de Ninouch que j'ai réussi à remonter la pente après cette douloureuse rupture, à apprendre à jouir de ma nouvelle condition de femme seule.

Je comprime mon ventre et mes seins dans un ensemble culotte-soutien-gorge noir, glisse mes bras dans les manches de la robe de velours qui, sous la lumière, s'anime joyeusement de son pourpre foncé, je la descends sur mes hanches, mes fesses, me tourne à droite puis à gauche devant le miroir et soudain une grande satisfaction m'envahit : la manière dont cette robe tombe sur moi masque la vulnérabilité de mon corps, le transforme en quelque chose de protégé, de fort, voire même d'agressif. Qui attire l'attention et inspire le respect.

Dehors il fait totalement noir et Ninouch n'est toujours pas là. Pas de doute, notre sortie de ce soir n'a pas eu l'heur de plaire à Léon. Bien sûr, nous aurions pu éviter de lui communiquer l'information, mais une des étranges caractéristiques de Ninouch est sa désolante incapacité à inventer un mensonge productif. Non pas que Ninouch soit une personne particulièrement intègre. Oh non, loin s'en faut.

La spécificité de son histoire personnelle a contribué à développer en elle une morale qui se trouve quelque part entre Nietzsche et l'anarchie : voler des bijoux pour les offrir — aucun problème ; subtiliser de petites sommes d'argent du portefeuille de Léon ou piquer des sous-vêtements en soie et du maquillage dans les grands magasins — c'est quasiment une seconde nature chez elle ; falsifier une signature sur des chèques, partir du restaurant sans payer, emprunter des objets pour une durée indéterminée uniquement parce qu'elle sent qu'elle les appréciera plus que leurs propriétaires — pourquoi se priver ?

Elle est d'une extrême dextérité et arrive même à vider un sac à main Gucci fermé par une fermeture Éclair et un cadenas. Ce n'est que récemment qu'elle s'est décidée à combattre sa propension à ne voler que pour l'élégance du geste. Elle est le maître du leurre et du détournement d'attention, mais toujours attachée au dérisoire. Faire de la rétention d'informations alors que tout l'entourage devient fou à force d'essayer de résoudre un mystère, Ninouch à votre service ! Et elle n'a pas son pareil pour oublier, totalement ou partiellement, des renseignements de sa biographie indispensables pour qu'une assistante sociale ou un partenaire puisse construire d'elle une image cohérente.

Mais mentir de manière efficace — c'est-à-dire exprimer avec des mots quelque chose qui ne correspond pas à la réalité objective —, là, le problème de mon amie va bien au-delà du simple manque de talent, c'est de l'ordre du handicap.

À une question comme « alors qu'est-ce que vous allez faire ce soir ? » que Léon aura posée distraitement et calmement puisqu'il sait qu'en général quand nous passons une soirée ensemble, nous restons chez moi, Ninouch n'a pas la capacité de répondre en toute simplicité et avec un regard limpide, « je vais chez Lily. Nous allons regarder pour la troisième fois *Breaking the waves* de Lars von Trier, un film qui raconte l'amour absolu d'une femme pour son mari ».

La seule option dont elle dispose est de marmonner de sa voix russe, « nous sommes de sortie, nous allons au cirque. C'est Lily qui invite ».

Je suis presque prête. Mon choix en chaussures est certes plus réduit que celui d'Imelda Marcus, mais j'appartiens à cette engeance complexe de femmes qui préféreront crever de faim plutôt que de faire des concessions sur la qualité de ce qu'elles mettront aux pieds. Et d'ailleurs, quel mal à cela ? Ou, pour sortir de son contexte une phrase que répétaient mes parents : pourquoi est-ce que je travaille si dur ?

Mes pieds aux ongles rouge sang peuvent se targuer d'un bon 41 mais ils sont aussi blancs que les pieds d'une gamine capricieuse. Je les glisse précautionneusement dans des chaussures plateforme de chez Stéphane Kelian, fais quelques allers et retours dans ma chambre à coucher afin de tester cette œuvre terminée qu'est mon moi public — exactement comme l'acteur teste sa voix avant d'entrer en scène en se tapotant la poitrine et en lançant des « ma me mi mo mu » nasillards.

Il ne faut surtout pas mépriser les affres de la jalousie. Et encore moins les êtres qui sont tombés sous son joug, manipulés telles des marionnettes par les mains de ce monstre à œil vert. Si la manière dont Léon exprimait sa jalousie n'était pas aussi écrasante, j'aurais même pu res-

56

sentir à son égard une certaine compassion que je remise pour l'instant dans le petit recoin de mon cœur qui lui est réservé.

Car qui mieux que moi connaît la torture de l'amour bafoué ! L'odeur de shampooing inconnu qui émanait des cheveux mouillés d'Amikam chaque fois qu'il revenait de chez son ex-femme était aussi pestilentielle que les volutes de soufre qui s'élèvent des marais de l'enfer. Cependant, concernant ce très important sujet, je suis une partisane absolue de la retenue et du sang-froid. La douleur, la colère et l'humiliation, de même que tous les autres atomes qui constituent la molécule de jalousie, sont du poison à l'état pur, et il faut se garder de les laisser envahir notre vie affective. Dans l'esprit de la femme totalement dévouée à la célébration de sa sexualité, il ne peut y avoir de place pour les maux d'une jalousie archaïque. J'ai donc appris à la tuer dans l'œuf, et seule l'accélération de mon cœur témoignait parfois de ces blessures narcissiques occasionnées par les tromperies réelles ou imaginaires de mon lieutenant-colonel.

Il faut cependant signaler que Léon n'a aucune des aspirations dont je viens de parler, il est même imperméable à toute idée révolutionnaire qui appellerait à faire table rase du passé et du bourgeois au profit du neuf et du libéré.

Léon est jaloux. Jaloux dans le sens le plus ringard du terme. À sa décharge, on peut dire que sa jalousie ne vient pas d'une tendance à être lui-même un coureur de jupons persuadé que tout le monde est mû par les mêmes élans que lui. Léon est d'une fidélité à toute épreuve. Évidemment, inutile de jouer les hypocrites, il ne tombe pas les femmes comme des mouches, aucune d'elles ne le trouble en essayant de le séduire, mais la fidélité étant tout de même une qualité fort rare, je préfère ne pas pinailler et lui en rendre grâce, indépendamment de toute conjoncture objective.

Les raisons de sa jalousie sont, en revanche, beaucoup moins nobles que sa propension à la fidélité : on pourrait bien sûr prétendre que cette jalousie vient de ce qu'il suppose *a priori* que toute la gent masculine partage avec lui la certitude que Ninouch est la créature la plus désirable du monde à qui personne ne peut résister. Ce serait une raison touchante, mais elle ne s'applique qu'aux amoureux naïfs et, en ce qui concerne Léon, ce n'est pas sérieux : ce qu'il craint par-dessus tout, c'est que Ninouch, vu sa simplicité d'esprit et son besoin viscéral de chaleur humaine, ne soit prête à accepter n'importe quelle proposition malhonnête pourvu qu'on y mette les formes.

Là, je dois avouer qu'il n'est pas loin de la vérité. Il y a quelques jours à peine, j'avais laissé mon amie à côté d'une colonne Morris pendant que je nous achetais des glaces Ben & Jerry's, eh bien, à mon retour, je n'en suis pas revenue : elle était en pleine négociation avec une bande de soldats en permission débarqués de Bat-Yam qui lui proposaient de faire la bringue avec eux toute la nuit moyennant un cachet d'ecstasy et un repas au Grill Tikva.

Comme je l'ai dit, Léon sait exactement à qui il a affaire et s'efforce de ne pas laisser Ninouch se balader toute seule. Dans cette optique d'ailleurs il encourage notre amitié. Ma présence responsable aux côtés de son élue peut lui assurer par exemple qu'elle refusera de donner du plaisir oral à la première équipe d'ouvriers en bâtiment croisée à l'angle des rues Melchett et Bar-Ilan, juste parce qu'ils le lui auront gentiment demandé.

Et là, je suis obligée de m'interroger sur le poids des instincts premiers que l'on retrouve encore dans l'animal récupéré et domestiqué qu'est l'*Homo sapiens* : grâce à de mystérieuses antennes, les hommes sentent que Ninouch — est Ninouch. Aussi froide et retenue soit-elle quand elle déambule dans les rues de notre ville poussiéreuse, les intéressés savent tout de suite qu'il s'agit d'une créature faible et exploitable à souhait. Un être blessé, qui, à l'intérieur, n'est qu'une plaie béante. Et ils sentent cette odeur de sang invisible, ils la sentent comme si on leur avait mis sous le nez, dans un restaurant de luxe, un bon steak saignant de viande vieillie à point. Oui, dans le cas de Ninouch, cette reconnaissance mutuelle entre bourreau et victime serait un formidable exemple à donner en cours d'anatomie mentale.

Cela dit, mon amie ne se vit jamais comme une exploitée. En ce qui la concerne, toute rencontre avec autrui est un marché où chacune des deux parties trouvera son compte — ce qui rend Léon encore plus fou. Imaginer Ninouch capable de se donner de son plein gré allume en lui de noirs puits de colère et d'angoisse.

Au début de leur relation, avant qu'il ne découvre l'amoralité passive de Ninouch, il lui faisait plutôt confiance, misant sur tous les avantages qu'elle retirait de l'amour qu'il lui portait. Il ne pouvait absolument pas imaginer qu'une femme saine d'esprit accepterait de risquer son bonheur et sa sécurité pour permettre à deux ouvriers du Ghana rencontrés dans la rue de tirer un coup. Avec le temps, il découvrit que Ninouch répondrait systématiquement aux propositions amicales qu'on lui ferait comme la joycienne Molly Bloom avait répondu à la proposition en mariage — oui je veux bien oui.

Cette consternante découverte déclencha un mini-scandale où se mêlèrent alternativement coups, larmes, longues discussions nocturnes, menaces et explications didactiques sous regards tendres. Au terme de cette odyssée où furent clarifiées les lois de leur vie commune, Ninouch jura sur tout ce qu'elle pouvait encore jurer (fort peu de chose, mesdames et messieurs, fort peu) qu'elle se conduirait, à partir de maintenant, avec la retenue et la pudeur seyant à une femme mariée. Mais hélas c'était trop tard : la jalousie de Léon, libérée de son cachot souterrain, avait fait irruption dans sa vie rationnelle et affective, noyant toute parcelle encore saine.

Il en fut le premier traumatisé. Jamais, par le passé, se décriait-il, il n'avait été jaloux. Pendant ses vingt-sept ans de mariage avec Marie-Anne — ou, comme il préférait l'appeler affectueusement, son « idiote de *shikse* » — il n'avait ressenti la moindre morsure de jalousie. À tel point que, inquiet de se démarquer ainsi psychologiquement du genre humain, il avait poussé sa pauvre femme — laquelle était comme lui dotée d'une fidélité sexuelle innée — à accomplir toutes sortes d'actes censés éveiller en lui le tressaillement tant espéré. À l'époque, il l'avait carrément forcée à coucher avec son associé Moses Zwangenbaum, l'homme avec qui il avait ouvert son premier salon de beauté à Miami. Il l'avait aussi traînée dans des clubs échangistes et pour ses quarante ans, il avait organisé une grande fête et loué les services d'un Apollon bronzé aux cheveux décolorés qui, après avoir jailli de l'immense gâteau à la crème avec pour tout vêtement un morceau de tissu tigré à la Johnny Weissmuller autour des hanches, s'était jeté sur la *shikse* ahurie.

Mais toutes ces tentatives, comme le raconta Léon à Ninouch qui bien sûr me le raconta, se soldèrent par de cuisants échecs : l'adultère commandité avec Moses Zwangenbaum n'éveilla en lui qu'un sentiment de culpabilité envers son associé. Dans les clubs échangistes, il restait assis à s'ennuyer tout en sirotant une canette de Coca light et en regardant sa femme se donner à des inconnus sans arriver à pêcher avec son hameçon affectif autre chose que des réflexions sur la laideur et la fragilité du corps humain en général et du corps féminin en particulier. Quant aux mémorables quarante ans de sa femme, il avait terminé la fête dans la cuisine de sa villa, à quatre heures du matin, liquidant le reste des sushis kasher en compagnie du Tarzan du gâteau qui lui faisait part de ses projets d'avenir : changer de métier et devenir guérisseur spirituel à la tibétaine.

Je termine de me coiffer. Des dizaines de pinces sont plantées dans la cascade de ma chevelure brune pour la maintenir en une construction complexe qui laisse savamment échapper quelques mèches sur mon front et ma nuque, dans une négligence toute calculée.

Pauvre Léon ! Qui aurait pu imaginer que ce tumulte sentimental qu'il appelait de toute son indifférence affective transformerait sa vie en enfer ? Mais voilà, alors que cet être cultivé et parfaitement autonome entrait dans le crépuscule de sa vie, avait surgi en lui une entité chaotique, dionysiaque, avide d'union absolue — et c'était elle qui, présentement, retardait mon amie et se désespérait d'apprendre qu'effectivement oui, sous son nez, il y avait un monde secret, inaccessible et intouchable, où l'être humain n'appartient qu'à lui-même.

J'essaie de penser à autre chose qu'à ce qui est sans doute en train de se passer entre Ninouch et Léon, en procédant à un examen minutieux de mon sac à main. Tout est en place — l'argent liquide, les lunettes de vue, le poudrier et mon lip gloss.

Je contrôle aussi les deux billets. Ce soir, c'est la dernière du cirque en Israël, la représentation commence à vingt heures trente.

Je venais d'éviter sa claque sur les fesses dans l'étroit couloir qui mène aux toilettes de la clinique, lorsque le docteur Israël Rickliss m'a tendu ces billets d'un air un rien dédaigneux, « tiens, Lily, c'est une attachée de presse à qui j'ai arraché une dent en SOS qui m'a envoyé ça », et de rejeter mon refus poli par un, « allez, prends, Adina n'aime pas ce genre de choses à cause de ce qu'ils font subir aux animaux, et moi, ça m'ennuie. Si c'était un bon ballet de Batshéva ou que sais-je encore — mais me retrouver là-bas à me presser au milieu de toute la faune de banlieue, *too much* pour moi ». Sur ces mots, il m'avait laissée passer, non sans m'avoir d'abord gratifiée d'un pincement sur la joue, marque de la familiarité de nos rapports.

J'aurais bien sûr pu refuser, mais j'ai tout de suite

imaginé le visage mou de Ninouch s'éclairer et revêtir une expression d'excitation enfantine lorsque je lui annoncerai une soirée au cirque. Elle, qu'un milk-shake bu dans un café du bord de mer ou une comédie romantique vue dans un cinéma l'après-midi mettait tout en joie, considérait le cirque comme le summum du plaisir esthétique et de l'émotion qu'un être humain puisse ressentir. Que ce soit à cause de son étrange maladie ou pour d'autres raisons liées à son pays natal, le cirque était son Arcadie privée, sa véritable destinée — ratée —, une région de l'existence inaccessible mais où sa maladie congénitale devenait un avantage, absolu et salvateur.

J'ai donc pris les deux billets et les ai fourrés dans mon sac.

On pourrait évidemment placer mes relations avec mon employeur sous le signe d'un interminable harcèlement sexuel, mais ce serait une manière réductrice d'analyser la situation. Il est vrai que le bon docteur profite de toutes les occasions qui lui sont données — et qui ne manquent pas — pour se frotter furtivement à moi, me coller par-derrière, parfois m'attraper les seins soi-disant pour rire, mais grâce au tact qui me caractérise, à mon sens de l'humour bouillonnant et mon savoir-faire social et diplomatique, j'arrive à me tirer de ces tensions incessantes sans heurter son amour-propre, que ce soit en tant qu'homme ou que patron. Qu'est-ce que le harcèlement sexuel sinon le résultat d'un pinaillage physique prétentieux et certainement pas politiquement correct : franchement, si mon dentiste avait été un peu plus jeune et un peu plus beau, je me serais allègrement donnée à lui, droit sur son fauteuil de soins ultramoderne.

« Et puis je considère le docteur Rickliss », c'est mon invariable réponse chaque fois que Ninouch me demande pourquoi je ne le repousse pas avec plus de fermeté, « comme ma Lolita à moi, il est la réincarnation du docteur Boyanjo. Il en est la réplique, de même que Lolita était celle d'Annabelle, la gamine que Humbert avait aimée adolescent, quelque part sur les plages du sud de la France. » Ninouch glousse, bien que cette plaisanterie soit déjà usée jusqu'à la corde tant elle a servi dans notre mythologie personnelle.

« Et surtout », je fronce les sourcils avec un grand sérieux, « je t'ai déjà expliqué cent fois, Nina, que selon la législation du pays dans lequel tu as choisi d'immigrer, les hygiénistes n'ont pas le droit d'ouvrir un cabinet indépendant. J'espère, bien évidemment, que notre syndicat s'activera pour changer cet état de fait car... », et là, c'est Ninouch qui s'exclame joyeusement, « les hygiénistes n'ont rien à y perdre à part le dentiste ! »

Mais je ne me laisse pas contaminer par sa futilité, mon métier et moi ne faisons qu'un et ce n'est pas un sujet de plaisanterie. L'être humain peut parfois se permettre un minimum d'autosuffisance.

« Et n'oublie pas que chez lui, j'ai une abondante clientèle et que je me fais du fric. »

À ce stade, Ninouch soupire et hoche la tête avec compréhension. « Fric » conjugué à « clientèle » est son sésame ouvre-toi, l'argument massue qui règle tout.

Je jette encore un coup d'œil à l'onéreuse Breitling qu'elle a piquée pour moi à Léon. Huit heures et quart.

Une dernière hésitation avant de composer son numéro de téléphone — mieux vaut ne pas attiser la colère du bonhomme quand elle est seule avec lui. Peut-être arriverons-nous à temps pour la seconde partie du spectacle et pourrons-nous envoyer du balcon nos vibrations de sympathie vers les merveilleux fauves.

La voix de Ninouch me répond avec cette brièveté inexpressive qui, aux yeux des gens, la fait passer pour quelque peu autiste.

« Vas-y sans moi, Lily, je ne peux pas sortir maintenant. »

Évidemment. C'était à prévoir, pourtant j'en suis toute retournée et c'est presque mécaniquement que je me retrouve dans la rue. Mieux vaut aller n'importe où plutôt que de devenir folle d'inquiétude à la maison. Si seulement elle me laissait intervenir ! Mais peut-être a-t-elle raison, finalement. Comment prétendre débarrasser la vie humaine (comment ça, la vie humaine, la vie de Ninouch) de sa totale subjectivité ? Et puis, pour quelqu'un qui a perdu sa mère, émigré en Israël, subi l'inceste, connu les fugues, le vagabondage, le trottoir, les réseaux de prostitution, la soupe populaire et les jardins publics, tout cela à même pas vingt-cinq ans — Léon est peut-être effectivement le repos. Et même si, selon certaines idées reçues, elle souffrirait d'une quelconque maladie mentale, elle a gardé une âme d'une intacte pureté angélique.

Un taxi s'arrête à ma hauteur dans un crissement de pneus.

« Vous allez où ? » La tête de la femme qui me regarde par la vitre du conducteur m'aide à prendre ma décision :

« Au cirque, parc des Expositions. » Je me presse à l'intérieur, mes yeux heurtent la nuque oxygénée de la conductrice qui allume le compteur. Un lien oculaire ténu s'établit entre nous par rétroviseur interposé. Elle n'est pas jeune et semble épuisée, pourtant, fidèle aux exigences de sa fonction, elle essaie d'engager la conversation, il paraît que ce cirque c'est quelque chose, mais elle n'y va pas, avec ses cinq mômes, ça fait cinq billets, plus encore un pour elle, un coup à vous laisser sur la paille.

J'opine poliment, je n'ai pas envie de parler, je veux continuer à essayer d'ordonner mes pensées autour de Ninouch, de me calmer. Je ne me suis toujours pas débarrassée de l'influence déstabilisante de l'averse qui a lavé les rues de Tel-Aviv en cette mi-avril et m'a plongée dans une introspection méticuleuse — peut-être trouverai-je en moi la raison de l'anxiété inexpliquée qui coule dans mes veines et réveille mes vieux souvenirs.

Son instinct féminin lui permet de capter ma réticence et elle se tait, augmente le volume de la radio, fixe la route. Malgré mon agitation, j'ai du mal à contrer ce besoin, inhérent à chacune d'entre nous, de jauger toute autre femme croisée en chemin. Les ongles de ses mains posées sur le volant sont trop soignés par rapport à sa coiffure négligée. Longs et carrés, couverts d'un vernis nacré. Une vague d'empathie effleure ma joue — oh, nous, masses féminines laborieuses, prolétariat de la beauté, qui ne renonçons jamais à notre lot de splendeur universelle.

Il est évident que Léon a des atouts. Il a recueilli Ninouch. L'a emmenée chez lui — elle, avec sa solitude, sa faiblesse d'esprit et ses dents pourries. L'a extraite des mains de Tchinguiz Magometov, dit la Boucle. Des mains de Norman. Des mains de son beau-père et d'une longue liste d'inconnus, rencontrés dans le passé ou à venir, prêts à tenir pour elle le rôle de maître ou de bourreau.

Il faut prendre en considération que les intentions de Léon sont extrêmement sérieuses. Juif de Miami, Floride, il a trouvé, après la mort de sa goy de femme, le réconfort en retournant à ses sources. Certes, ce n'est plus un gamin, il avance allègrement — ou plutôt faudrait-il dire qu'il dégringole — vers la cinquantaine, mais on sait bien que les hommes sont d'éternels enfants dont l'âge bonifie le côté puéril, façonne l'intelligence, fait fleurir la personnalité tel un arbre planté au milieu des courants. Reste certes la trahison du corps, seul élément du puzzle humain qui ne s'améliore guère avec le temps mais, comme je l'ai souligné auparavant, la libido de Ninouch n'est pas plus profonde que la plaque de neige dans laquelle Amundsen a planté le drapeau norvégien. En ce qui la concerne, peu lui importe si elle partage sa couche avec Adonis ou un condensé de Quasimodo et de l'homme-éléphant. D'ailleurs, des hommes aussi méritants que Socrate ou le président Lincoln étaient connus pour leur laideur, non ?

Alors qu'il était en quête d'une nouvelle spiritualité pour remplir sa vie, ce sont ses insistants souvenirs datant de l'époque où, enfant, il faisait partie du Bneï-Brit, qui ont décidé Léon à immigrer en Israël. Nouvelle vie, nouvelle femme — cette fois issue de son peuple —, tels étaient ses vœux, et il se rua dessus avec une obsession maladive. Là, il faut préciser que le fait que Ninouch n'était pas (pas même par le moindre de ses gènes) plus juive que feu Marie-Anne lui fut soigneusement caché.

Sa richesse, Léon la tirait du brevet qu'il avait déposé pour son Lady-little-schinken-friend, un panty électrique qui permettait à ces dames de se débarrasser de leur cellulite. Son idiote de *shikse*, bénie soit sa mémoire, avait d'ailleurs été victime d'un des premiers stades d'expérimentation de l'appareil, alors qu'il fallait encore relier celui-ci à une prise électrique : la pauvre Marie-Anne périt carbonisée dans la salle de bains de leur petit château qui se découpait, tel un rocher ornemental, sur le bleu du golfe de Floride.

Depuis, les pantys avaient subi de multiples améliorations, et aujourd'hui, l'appareil était alimenté par une batterie, ce qui permettait à ses utilisatrices, tout en maigrissant, de se déplacer librement et avec davantage de sécurité. Le principe du panty est qu'il vibre à une fréquence vertigineuse sur les fesses et les hanches de la personne qui le porte, obligeant la graisse indésirable à rendre les armes. Que ce soit pour cette raison ou pour d'autres, plus douteuses, les femmes du monde entier achètent ce Lady-little-schinken-friend à raison de huit par minute selon les rapports de Léon, si bien que l'argent, telle une source de plus en plus puissante, coule à flots dans ses comptes en banque.

Malheureusement, de tant de richesse — Ninouch ne jouit que dans une moindre mesure. En effet, Léon préfère ne pas lui donner d'argent « vivant », tant il craint que, si un jour sa blanche colombe réussit à économiser suffisamment, elle ne soulève ses fesses squelettiques et ne s'envole pour toujours.

La nouvelle dentition a été la seule chose qu'il lui a offerte avec une prodigalité sans bornes. Pour le reste, Ninouch doit adresser des demandes mouillées de larmes ou s'en remettre au bon vouloir et au bon goût de son parrain.

Léon est une personne de goût. Son appartement, aussi vaste et lumineux qu'un palais vénitien, est rempli de meubles, de tapis, de tableaux et autres objets d'art. Ses armoires sont bourrées d'une garde-robe haute couture, avec sous-vêtements en soie, costumes et chaussures cousus main. Les tiroirs des commodes débordent de bijoux — anciens et modernes —, de montres Patek Philippe et Cartier incrustées de diamants, de gourmettes en platine, de chevalières achetées pour des fortunes dans des musées et de lourds briquets en or massif, fabriqués par des maîtres orfèvres. Les rayonnages de la salle de bains croulent sous le poids de dizaines de flacons, bouteilles, pots de crème et parfums concoctés par les meilleurs laboratoires cosmétiques et dermatologiques du monde. Mais hélas, tous les produits de beauté artificiels ne font que souligner la laideur innée du pauvre Léon.

Car qu'est-ce qu'il est laid, ce Léon ! Avec ou sans Socrate, Léon est aussi laid que le dernier des crapauds. Et comme il est, lui, un vrai esthète, c'est-à-dire un homme qui vit selon son œil, il subit cette laideur comme une malédiction. Penser que chaque seconde de sa vie est un enfer cuisant — à cause de sa taille riqui-qui, de son gros visage raviné, de ses yeux sans cils et de sa peau couverte d'eczéma et de psoriasis — me remonte un peu le moral. Malheureusement, je sais aussi que c'est justement à cause de cet enfer qu'il s'agrippe tant à Ninouch, à sa beauté empoisonnée. Comme si cette beauté avait une vertu contaminatrice, qu'elle était contagieuse, et que, s'il restait à côté suffisamment longtemps, elle finirait pas déteindre sur lui et le sauver.

Quelque chose, à l'extérieur du véhicule, attire mon attention. Nous sommes dans une rue à sens unique et, à mon humble avis, nous roulons dans la direction opposée à celle où je veux aller. Je cherche le regard de ma conductrice dans le rétroviseur auquel est suspendu un lapin en peluche rose qui se balance au rythme de notre progression. Elle réagit par un léger froncement de sourcils en point d'interrogation.

« Vous êtes sûre qu'on va dans la bonne direction ?

— Ma biche, dit-elle avec autant d'assurance que d'indifférence, je fais le taxi depuis dix ans dans cette ville.

— Alors pourquoi ai-je l'impression d'aller dans la direction opposée ?

— Vous venez de répondre vous-même. Vous avez dit : "l'impression". Croyez bien que j'ai pris le chemin le plus court. Simplement, comme je tourne toute la journée, je sais exactement ce qui se passe à chaque heure. Et c'est toujours mieux d'éviter les bouchons, non ? Surtout qu'en ce moment Balfour est en travaux, la chaussée est ouverte — toute la rue est fermée à la circulation. Ils doivent poser des tuyaux ou quelque chose comme ça, des vrais enculés, ces gars de la mairie. Pourquoi, vous êtes pressée ? »

Je jette un coup d'œil inutile à ma montre. Aucun doute, j'ai loupé la première partie.

« Je ne veux pas arriver en retard, c'est tout.

— Vous n'avez qu'à prévenir celui avec qui vous avez rendez-vous que vous aurez quelques minutes de retard, pas la peine qu'il s'inquiète. Vous voulez mon portable ?

— Non, merci. » Et je ne sais pas ce qui me donne envie de remettre les choses à leur place avec précision et franchise, mais j'ajoute, « surtout que je n'ai rendez-vous avec personne ».

Elle n'attendait que ce genre de confidence stupide de ma part.

« Vraiment ? Quel dommage ! Vous allez toute seule au cirque, une jeune fille comme vous ? »

Et voilà que mon féminisme revanchard me pousse un peu plus avant dans cette vaine conversation, « pourquoi ? Vous pensez que les jeunes filles ne doivent pas sortir seules ?

— La vérité ? Non. C'est chiant de sortir seule. Après, on n'a personne avec qui partager ce qu'on vient de vivre.

— Moi, ça ne me fait pas chier. Je pense qu'une femme peut et doit sortir seule.

— Quoi, vous êtes féministe ?

— Parfaitement. D'ailleurs, j'étais censée sortir avec une copine, mais elle m'a fait faux bond à la dernière minute. »

Je détourne le regard, refusant de continuer cet

échange par trop indiscret ou de me mettre à défendre ma vision du monde. Il y a quelque chose de révoltant chez les femmes qui vous lancent le mot « féministe » comme si c'était synonyme d'une attitude agaçante, ringarde, critiquable. Je préfère regarder à nouveau par la fenêtre du taxi qui roule à une incroyable lenteur.

Ninouch avait été envoyée à Léon — c'est ainsi qu'ils se rencontrèrent — par son dernier employeur, Tchinguiz Magometov, dit la Boucle, un homme dans la fleur de l'âge, au nez aristocratiquement busqué et au bassin étroit, dont la souplesse de chat sauvage éveillait le désir chez les femmes et le respect chez ses subordonnés.

C'était d'ailleurs à ce fameux bassin somptueux qu'il devait (entre autres) son surnom de « la Boucle », et même la petite bedaine de la taille d'une demi-pastèque qui commençait à poindre au-dessus de son jean n'arrivait pas à entamer son charme. Conscient des avantages que lui avait donnés dame nature, Magometov prenait toujours soin de porter une large ceinture en cuir fermée par une lourde boucle sur laquelle était gravé pas moins que le noble oiseau, emblème de l'Amérique — l'aigle chauve. La ceinture soulignait toute l'énergie contenue dans l'étroit bassin musclé de son propriétaire, tandis que la boucle en était devenue le symbole — un fétiche, un objet de culte, un masque rituel au regard vide.

La deuxième raison qui avait valu son surnom à Magometov était l'utilisation, connue de tous, qu'il faisait de cette ceinture chaque fois qu'il pensait devoir rappeler à telle ou telle personne que, malgré ses bonnes manières et sa douce voix, il était et restait le Dieu vengeur et bienveillant, maître de son univers.

La Boucle dirigeait une entreprise juteuse aux activités fort inattendues pour un petit pays qui ne comptait qu'un nombre restreint de consommateurs potentiels. Et si la première putain et le premier voleur hébreux marquent le signe évident — pour le meilleur et pour le pire — de la métamorphose des Juifs en peuple, l'initiative de Magometov nous a carrément promus, du moins dans ce sens-là, au rang de la plus moderne des nations de l'Occident éclairé.

Si l'on considère les spécificités de l'entreprise que dirige la Boucle, son nom : « Club privé de remise en forme », peut sembler un rien trivial, d'autant qu'il l'a implantée dans un quartier où l'on trouve pléthore d'établissements similaires, à la fois par le nom et par la nature des prestations. Mais cela n'est qu'une apparence. En réalité, cet endroit est un lieu unique, qui n'a pas son égal dans tout le Moyen-Orient — comme la Boucle aimait à le rappeler autant à ses employés qu'à ses clients lors de leur première rencontre. Et la localisation dans un quartier populaire, rue Ben-Avigour, n'était qu'un leurre. Innocemment installé au deuxième étage d'un bâtiment industriel qui abritait aussi une boulangerie, une ferronnerie, une usine de fil à coudre et un éditeur de documentation professionnelle, le bureau de la Boucle, ainsi que l'appartement qui lui était attenant, ne semblait être qu'un banal réseau de demoiselles.

Cela dit, il est important de souligner que ce modeste appartement était lui aussi en activité — Tchinguiz

Magometov n'étant pas homme à jeter l'argent par les fenêtres. Dans le petit « salon » situé derrière le bureau, il y avait toujours deux filles originaires des pays de l'Est qui pouvaient emmener tout client en manque d'imagination dans un cagibi en placo et lui offrir le service demandé à un prix tout à fait raisonnable. Mais ceux qui étaient un tant soit peu au parfum — et Ninouch, elle, était parfaitement au courant des affaires de la Boucle — savaient que la principale occupation de ces filles était surtout le secrétariat : Tchinguiz croulait sous le travail, et il avait toujours besoin qu'on lui tape une lettre à l'attention d'un de ses trois avocats, ou qu'on lui organise son agenda professionnel.

De plus, dès qu'elles en avaient le temps, les filles, qui répondaient aux prénoms de Julia et Oksana, vidaient et remplissaient les quatre machines à laver placées sur le balcon arrière de l'appartement. Cette lessive, des petites culottes en dentelle noire ou rouge, des combinaisons et des pantys synthétiques imitation soie, des bas en nylon ou à résille, des baby-dolls, des porte-jarretelles, des strings, des gaines, des soutiens-gorge et autres éléments intimes de garde-robe, regroupait les tenues de travail de toutes les femmes qui servaient la Boucle dans ses multiples activités. À la différence des draps de lit tachés de sperme, de sang, de vomi ou d'urine qui étaient envoyés le lundi et le jeudi dans une blanchisserie normale travaillant avec Tchinguiz sur une base forfaitaire, les tas bigarrés confiés aux bons soins de Julia et Oksana appartenaient à la catégorie des « délicats », c'est-à-dire des pièces que l'on ne pouvait pas laver à plus de trente degrés, qu'il fallait sécher à l'envers, à l'ombre et surtout ne jamais essorer !

Le bureau était modestement meublé, même selon les critères prolétariens de Ninouch à cette époque : une vieille table de travail tout de même assez large, sur laquelle s'empilaient des papiers et surtout des factures, avec, à son extrême droite, deux cendriers en verre bon marché, toujours débordants de mégots de Winston light particulièrement longs : la Boucle redoublait de vains efforts pour avoir un mode de vie sain, entêtement qui se résumait principalement au fait de ne fumer qu'à moitié ses soixante cigarettes quotidiennes. Plus d'une fois, il s'était d'ailleurs plaint à Julia et Oksana qu'un tel gâchis, pour lui source de contrariété inutile, effaçait les bienfaits sanitaires qu'il retirait en réduisant ainsi sa consommation de tabac.

À l'extrémité gauche de la table était posé un standard téléphonique désuet couleur ivoire, mais la majorité de ses affaires, Tchinguiz les dirigeait de main de maître en jonglant avec ses quatre téléphones portables, sans compter un cinquième, réservé, celui-là, aux seuls membres de sa famille proche, c'est-à-dire à sa femme — elle aussi prénommée (nouvelle facétie du destin !) Nina —, ses quatre enfants, sa vieille mère et ses deux frères et associés, dignes représentants de son entreprise dans la banlieue de Haïfa et à Beershéva, capitale du Néguev.

Le seul détail dénotant éventuellement un certain luxe était la chaise ergonomique de style American Confort sur laquelle s'installait Tchinguiz Magometov pendant ses nombreuses heures de travail. Ce caprice était en l'occurrence une nécessité car, malgré son célèbre port altier, la Boucle souffrait de maux de reins chroniques, et il n'était pas rare de le trouver allongé sur sa chaise, qui grâce à une poignée spéciale se transformait en canapé d'une place (exactement comme le vantait la publicité dans les journaux), avec Oksana ou Julia, qu'il guidait de ses indications et ses grognements d'encouragement, en train de lui masser le bas du dos.

Mis à part cette unique gâterie, Tchinguiz veillait à une atmosphère spartiate : ayant passé son enfance et son adolescence sous le régime soviétique, il savait que pour vivre sainement rien ne valait la modestie, aussi bien dans les rapports avec les autorités qu'avec soi-même — et il y veillait tout autant qu'à la réduction de sa consommation de nicotine.

Ainsi se présentait la vitrine de la vie et de l'œuvre réelles de la Boucle, paresseusement bercée par le terrible chahut de la rue industrielle et de l'autoroute Ayalon qui passait à proximité. Cependant, une fois par mois, les choses changeaient du tout au tout, et son modeste bureau se transformait en un fébrile QG. Derrière les fenêtres fermées et les stores baissés, tandis que les deux vieux climatiseurs remplissaient la pièce de leur ronronnement aussi feutré et caressant que celui des moteurs du *Nautilus*, Tchinguiz en personne tenait le rôle du vif et calme capitaine Nemo. Ces jours-là, comme le racontait Ninouch en fronçant sévèrement les sourcils, on travaillait jusqu'aux petites heures de la nuit. Oksana et Julia délaissaient leurs divers massages ou lessives, mobilisées pour préparer le café, vider les cendriers, courir à l'épicerie ou au Grill Ayala, et encore pour toutes sortes de menues courses dont Magometov avait besoin en ces heures d'intense activité.

Ces jours-là correspondaient à l'arrivage des nouvelles, des filles qui avaient été ramassées dans tout le territoire du royaume soviétique aujourd'hui en décomposition. Le terrain de chasse des lestes agents de la Boucle allait de Riga à Tchernovitch, de Erevan à Kharkov, de Tachkent à Odessa. Ils passaient des annonces dans les journaux locaux, organisaient des rencontres, achetaient des billets de train et d'avion, versaient des pots-de-vin et faisaient des faux papiers, les marchés se concluaient par une poignée de main et la livraison mensuelle était prête à partir. À leur arrivée en Israël, les demoiselles passaient une sélection très pointilleuse devant la Boucle. Pour l'occasion, ce dernier dérogeait à son habituelle autocratie et demandait conseil à ses deux frères — Tolik et Yaakov, directeurs de ses autres succursales dans le pays.

Pour tout ce qui touchait au travail, Magometov était un grand professionnel et veillait jalousement à sa crédibilité : si on découvrait sur le corps d'une nouvelle une cicatrice qui avait échappé aux yeux de ses agents, une tache de naissance dont la taille dépassait celle du bouchon d'une bouteille de Snapple, des poils autour des mamelons ou des seins asymétriques, son prix passait automatiquement des six mille dollars habituels à trois mille. Par deux fois, me rapporta Ninouch, l'acheteur ne s'était même pas rendu compte de tel ou tel défaut de son acquisition, mais le boss avait lui-même mis un point d'honneur, avec une étonnante naïveté, à le lui montrer et à lui proposer une réduction.

Rien d'étonnant donc à ce que Tchinguiz Magometov ait, sur le marché du sexe, la réputation d'un excellent homme d'affaires, qui avait intériorisé le plus profondément possible le principe selon lequel toute entreprise fructueuse reposait sur le fait que le client était roi. Depuis que je la connais, Ninouch s'évertue à chercher une définition adéquate qui rendrait compte de la globalité de l'œuvre de la Boucle : investisseur ? entrepreneur ? grossiste ? affairiste de génie ? Aucun qualificatif ne la satisfait et elle a sans doute grandement raison. À une période, elle opta pour le terme « import-export » si ce n'est que, de l'avis général, cela ne donnait qu'une définition partielle et passait à côté de l'essentiel — mais Ninouch et les mots ont toujours fait deux.

Quoi qu'il en soit, et cela tout homme d'affaires d'envergure le sait, une entreprise qui n'évolue pas et ne grandit pas est vouée à l'échec. Le mouvement, l'élan, voilà le principal. Tchinguiz était donc la dernière personne qui se serait reposée sur ses lauriers en se satisfaisant du titre de meilleur importateur. Tout d'abord, en bon père de famille, il gérait lui-même deux appartements dans un vieil immeuble situé au coin de deux artères, Ibn-Gvirol et Yehouda-haLevi. Dans chaque appartement habitaient quatre filles qui recevaient des clients sur place ou partaient travailler « en extérieur », selon des invitations téléphoniques et moyennant un règlement en liquide ou par carte de crédit. On y préférait les touristes, mais hélas, dans ce domaine comme pour le reste du marché, c'était la crise, d'autant que même les plus courageux et les plus fervents des Juifs de la diaspora reculaient devant les conséquences de la seconde Intifada — fût-elle bien loin de Tel-Aviv — et préféraient éviter le pays cher à leurs ancêtres. Les filles se voyaient donc obligées de serrer les fesses et de se rabattre sur la population autochtone. C'est là, dans l'un de ces deux appartements, que Ninouch avait débuté la longue route à rebondissements qu'elle avait suivie au service de la Boucle.

Contrairement aux autres filles, Ninouch n'était pas de la marchandise fraîchement débarquée des pays de l'Est. Elle avait immigré très jeune en Israël, goutte salée dans la grande marée d'immigration du début des années quatre-vingt-dix, avec une famille en perpétuel remodelage et qui se composait à ce moment-là de son beau-père, sa belle-mère et ses demi-frères. Son ancienneté lui donna un avantage sur ses collègues de travail : elle savait se repérer sur le terrain et parler la langue sacrée.

La mélodie fortuite qui présida à sa rencontre avec la Boucle fut relativement banale si l'on prend en considération l'originalité de nos deux protagonistes. Voilà le scénario :

Milieu de journée d'été brûlante. Elle est assise sur un banc du jardin haPaamon à Jérusalem et trempe un petit pain tressé dans un pot de Nutella (qui fond au soleil) acheté avec ses derniers sous après l'arrestation de Norman, son irresponsable parrain du moment.

La station-essence devant le jardin. Il gare sa voiture, et, en père dévoué, emmène le plus jeune de ses fils — Tomer Magometov — faire ses besoins derrière un buisson, tout près du banc où elle est assise. Les autres membres de la famille — Nina Magometov et les trois

Magometov juniors, Mikhaël, Raphaël et Nathanel — sont restés dans la BMW blanche et profitent de la climatisation.

Ce fut le jeune Tomer Magometov qui, le premier, remarqua Ninouch. Le charme opéra instantanément et le gamin courut vers elle avant même que son père n'ait eu le temps de lui essuyer les fesses avec une lingette humide Johnson et Johnson. Il essaya de rattraper son rejeton et c'est ainsi que, dans l'air en fusion de ce mois de juillet, ils se heurtèrent tous les deux aux contours de diamant du menton de Ninouch, à la buée glacée de ses yeux et au mouvement liquide de ses bras mous : une beauté posée sur le banc, tel un porte-monnaie rempli de billets de banques, laissé là par un dieu distrait — or Tchinguiz n'était pas homme à laisser les porte-monnaie traîner dans les jardins publics, aussi métaphoriques fussent-ils.

Elle offrit au gamin un bout de son petit pain dégoulinant de Nutella, des regards furent échangés et suivis de quelques mots anodins et la rencontre se conclut par la carte de visite de « Tchinguiz Magometov — importateur » qui fut glissée à côté du pot de chocolat liquéfié. Sur l'envers de cette carte avait été griffonné le numéro de téléphone secret, celui exclusivement réservé à la famille.

Ninouch repoussa le rendez-vous décisif de deux jours qu'elle passa à traîner dans le quartier piétonnier du centre-ville, à mendier devant le grand magasin Mashbir à côté de l'arche en pierre sur laquelle sont gravés les mots « Talita Koumi » et à essayer d'attendrir de ses yeux humides le plongeur du restaurant Pink qui finit d'ailleurs par lui offrir un demi-litre de soupe de goulash acide et des restes de pain et de crudités. La nuit, elle revenait sur son banc du jardin haPaamon. Elle avait cette étrange fidélité des gens sans toit ni racines qui la poussait à toujours regagner son point de départ et à contracter des habitudes en un temps record. Et si elle avait tant repoussé l'appel téléphonique providentiel, c'était parce que, grâce à diverses techniques développées et améliorées au fil des années, elle avait réussi à cacher au regard aiguisé de son sauveur sa dentition dévastée qui, aucun doute là-dessus, avait de quoi faire fuir le plus fougueux des admirateurs. C'est du moins ce qu'elle croyait jusqu'au moment où, incapable de résister à son besoin de trouver une protection, un refuge et une appartenance, elle monta dans le bus pour Tel-Aviv.

« Ouvre la bouche, Koukla », lui demanda Magometov. Lorsqu'elle s'était assise en face de lui, de l'autre côté de la grande table de travail, elle avait plongé son regard dans les beaux yeux de son interlocuteur, priant pour que la force de ce qui s'établirait entre eux arrive à le distraire de ses lèvres serrées qui donnaient des réponses laconiques à des questions tout aussi laconiques. Elle obéit et ouvrit la bouche, fermant les paupières pour ne pas voir comment s'évanouissaient son repas chaud et le lit aux draps propres auxquels elle aspirait tant.

Plus tard, elle découvrit que Magometov avait eu conscience du problème dentaire de sa nouvelle recrue au premier regard — décisif — échangé dans le jardin haPaamon. C'est ce qu'il lui révéla en sortant du laboratoire situé dans le quartier haTikva, le jour où il lui paya un dentier bon marché, des fausses dents récupérées chez un vieux client décédé et réajustées, par les soins d'Anatoli le technicien dentaire, à la bouche de Ninouch. Elle ne devait se servir des deux gencives jaunissantes sur lesquelles étaient plantées des dents en albâtre très droites et manquant totalement de naturel que pour ses rendez-vous avec ses clients. Le reste du temps, elle pouvait s'en dispenser, y compris quand elle rencontrait son esthète de patron — bien que, outre un très enviable sens des affaires, il pût se targuer d'un sens du Beau extrêmement développé. Le couplage de ces qualités formait d'ailleurs la base de son succès professionnel

Un type, dont la voiture est arrêtée à notre hauteur au feu rouge, fait signe à ma conductrice de baisser sa vitre. Elle tend sa tête blonde et échange quelques mots avec lui.

« Il est arrivé quelque chose ? »

Je n'ai posé la question que par politesse. Je me fiche complètement de ses problèmes.

« C'est la merde, oui, répond-elle. J'ai ma roue arrière crevée. Je sentais que quelque chose clochait. Vous ne vous en êtes pas rendu compte ? »

Je profite de l'occasion pour une petite pique :

« Non, je me demandais juste pourquoi nous roulions si lentement.

— Pardon, la lenteur, c'est uniquement parce que je suis très à cheval sur la sécurité routière, me lance-t-elle sans ciller. Si vous voulez, vous pouvez descendre et arrêter un autre taxi, moi, faut que je change mon pneu. »

Après avoir clamé haut et fort que je comptais parmi les grandes militantes du mouvement de libération des femmes, abandonner une congénère en souffrance — et encore dans une situation considérée par définition comme masculine — est impossible. D'autant que j'ai encore du temps avant le début de la seconde partie du spectacle.

Elle monte sur le trottoir le plus proche. Nous sortons de la voiture et je lui propose mon aide alors qu'elle est déjà en train de fouiller dans son coffre ouvert.

« Surtout pas, ma biche, répond-elle. Je le fais de la main gauche et les yeux fermés. Peut-être juste, oui, tenez-moi la torche pendant que je tourne la manivelle du cric, parce que j'y vois que dalle tellement il fait noir ici. »

Je passe un doigt sur la carrosserie afin de m'assurer qu'elle n'est ni poussiéreuse ni couverte de suie, ce qui est fréquent dans cette ville... et effectivement, je sens une épaisse couche de crasse urbaine sur le capot, apparemment des restes de ce qui nous est tombé dessus avec la dernière ondée, celle qui dérange les demoiselles à âme sensible, leur fait remonter la boue des souvenirs du fond de la conscience, les oblige à une introspection, sourcils haussés et regard inquisiteur chargé de doutes.

Une étrange sérénité m'envahit, de celles que l'on ressent dans de telles situations, lorsque la tension se relâche pour laisser la place à un calme qui n'est autre que la résignation bouddhiste face à une réalité que l'on ne peut pas changer. J'ai raté tous les coches. Maintenant, j'ai le temps d'examiner mon histoire et celle de mes proches autant que je le souhaite.

La vie sous le règne de la Boucle s'avéra extraordinairement confortable. La vive affection qu'il avait ressentie envers Ninouch dès le premier regard le guidait dans toutes ses décisions la concernant. À aucun moment par exemple, il n'envisagea de la revendre à un client. Il l'installa tout de suite dans l'un des deux appartements chics qu'il possédait. Elle remplaça Olitchka Bondertchok, une fille qui avait terminé son contrat et économisé suffisamment d'argent pour se retirer et retourner auprès des siens à Lvov, en Ukraine.

Très bien tenu, l'appartement dans lequel habitait Ninouch avait été refait à neuf pour en mettre plein la vue à moindre coût : les grands carreaux étaient en faux marbre, la tuyauterie complètement pourrie et sur le plafond s'étalaient des taches d'humidité jaunâtres. Mais tous ces problèmes se masquaient facilement grâce à un éclairage adéquat et mûrement pensé : les lumières étaient toutes commandées par des variateurs d'intensité si bien qu'en pianotant discrètement, cette ruine nouveau riche se transformait en luxueuse caverne à plaisirs.

Les conditions de vie y étaient excellentes — la blanchisserie, comme je l'ai dit plus haut, était prise en charge par le bureau, les factures payées, des budgets spéciaux pour achats de tenues de travail alloués mensuellement sans rapport direct avec les bénéfices réels dégagés par chacune des locataires. Deux Philippines venaient tous les matins et, avec une impressionnante célérité, remettaient les lieux en ordre et leur redonnaient un aspect agréable après les ébats nocturnes. Une fois par mois, les filles avaient droit à une visite chez Tamazi Mananashvili, un jeune gynécologue qui avait presque terminé sa troisième année de médecine à l'université de Tbilissi. Toutes les deux semaines se présentait aussi dans l'appartement une certaine Mme Suzie qui venait en bus de Bat-Yam spécialement pour arracher tous les poils en trop, reconstruire les ongles et enlever les peaux mortes des plantes de pied après les avoir fait ramollir dans une bassine d'eau savonneuse tiède. De plus, les filles avaient le droit d'économiser l'argent qu'elles gagnaient ou encore de l'investir — dans le seul but de le faire fructifier et de récupérer, le moment venu, une grosse plus-value. Elles devenaient ainsi les petites associées de la Boucle, ou, si l'on y tient, ses actionnaires.

Aujourd'hui encore, quand mon amie se remémore cette période, un léger sourire — chose rare chez elle — tend ses lèvres. Dans l'appartement, elles recevaient la télévision par câble, et Ninouch regardait beaucoup National Geographic ou la chaîne de la mode. Ses trois autres colocataires se montraient charmantes et généreuses, et elle était ravie de veiller à leurs petits besoins, tels que leur vernir les ongles des orteils ou leur décolorer les racines sombres des cheveux (lorsque celles-ci repoussaient, elles mettaient en péril leur allure slave), aller leur chercher des magazines russes au kiosque ou des pitas dégoulinants de tehina au Royaume des Falafels d'à côté. Le samedi, elle leur préparait un petit déjeuner à la russe : salade de tomates et concombres à la crème, pommes de terre cuites dans leur peau et morceaux de hareng au vinaigre de cidre sur lesquels étaient déposées de juteuses rondelles d'oignons. En contrepartie, les filles avaient appris à considérer sa faiblesse mentale peut-être pas vraiment avec compréhension mais en tout cas avec sympathie, d'autant plus que ce trait de caractère atténuait un peu ses charmes — compensant ainsi la cruauté de sa beauté. Parfois, elles s'amusaient à maquiller et à coiffer Ninouch tel un mannequin dans une vitrine de luxe, et à la fin elles contemplaient en silence le résultat de leur travail jusqu'à ce que l'une d'elles craque et laisse échapper dans un lourd soupir, « *boje moï, nou i kakaïa koukla* (mon Dieu, quelle poupée !) ».

Mais ces jours heureux passèrent rapidement. Le dentier acheté au rabais par la Boucle ne répondit pas aux attentes. Ninouch avait beau parler peu et s'efforcer de ne pas ouvrir la bouche sauf pour dire à combien s'élevaient ses faveurs ou pour prodiguer du plaisir oral, les dents bon marché ne cessèrent de handicaper sa progression dans cette nouvelle voie professionnelle.

Étant donné qu'il s'agissait de services de luxe, les prix que demandait la Boucle étaient astronomiques, et les clients, aussi satisfaits pussent-ils être, se sentaient en droit d'exiger le top du top. Et voilà comment Ninouch, après qu'elle eut, par inexpérience, mordu à plusieurs reprises le plus sensible des membres de ses clients, perdu son dentier pendant une légère collation commandée au service des chambres ou au cours de baisers fougueux, se vit convoquée dans le bureau de la Boucle. Celui-ci la regarda longuement après avoir posé son menton viril sur ses mains.

« Tu ne dois pas pleurer, Koukla », déclara-t-il en voyant des larmes grosses comme des pois chiches se livrer à une course de vitesse pour traverser les joues et tomber en premier dans le décolleté plat de Ninouch. « Les gens sont des porcs. Des ordures. De la crasse. Ce qui ne me dérange pas, puisque c'est grâce à ça que je gagne ma vie. Ils ne comprennent pas qu'un défaut dans un visage comme le tien — c'est une bénédiction. Ils n'ont aucune grandeur d'âme. Aucune vision profonde de la réalité. Ils ne cherchent que la médiocrité. C'est donc ce qu'ils auront. Voilà cent shekels pour le taxi. Va chez moi, à Yéhoud. Je vais envoyer quelqu'un prendre tes affaires dans l'appartement. Les filles les emballeront. Un instant, qu'est-ce qui t'arrive, viens ici Koukla, viens faire un gros bisou à papa Tchinguiz qui t'aime très très fort. »

C'est donc sans le vouloir que Ninouch fit sa reconversion professionnelle et troqua le plus vieux métier du monde pour un autre, lui aussi riche d'une longue et respectable tradition : elle devint domestique chez les Magometov, ou, comme Nina Magometov préférait le formuler en français, son *au pair*.

Nina Magometov avait des mouvements vifs, étonnants, pleins de vitalité, une démarche énergique et des yeux que Ninouch aimait qualifier d'yeux de matador. Tout cela, mon amie le remarqua dès leur première entrevue, tandis que sa nouvelle patronne, rapide et sauvage comme un courant d'air, la promenait de pièce en pièce à travers sa villa à deux étages, ouvrant et refermant des portes, grimpant d'un pas léger les escaliers jusqu'au deuxième, là où se trouvaient les chambres à coucher.

Avant d'avoir épousé la Boucle, Nina travaillait comme technicien supérieur dans le bâtiment, mais après s'être

90

mariée et avoir immigré en Israël, elle avait abandonné la vision soviétique désuète qui prônait la double servitude, à l'intérieur et à l'extérieur de la maison, pour ne se consacrer qu'à la gestion de cette entité complexe et compliquée à laquelle le postmodernisme n'a toujours pas trouvé de remplaçant convaincant : la famille nucléaire.

De formation scientifique, Mme Magometov avait mis en place un système précis et organisé. Elle avait accouché de ses fils à intervalles réguliers de deux ans. Après avoir donné naissance au petit Tomer, elle était arrivée à la conclusion qu'elle avait épuisé le sujet procréation et que l'heure était maintenant au développement et à l'amélioration de ce qui existait déjà.

Comme pour beaucoup de ses compatriotes, la perestroïka lui avait ouvert les yeux et permis d'adopter de nouvelles valeurs. Et c'est le sourire fier et les yeux chocolat embrumés, qu'elle avait suivi la métamorphose de son mari, qui, de petit importateur bilieux de tongs, jouets et paillasses fabriqués en Chine, s'était épanoui en homme d'affaires de grande envergure. Elle croyait sincèrement qu'un des avantages de la pensée libérale qui accompagnait notre entrée dans le vingt et unième siècle était qu'elle permettait une résurgence de vieilles idées, surtout celles que l'émancipation des femmes avait battues en brèche.

« Nul ne me contredira, lançait-elle avec fougue lors de dîners entre amis, si j'affirme que d'avoir voulu effacer de notre vie ses côtés traditionnels n'a fait que la rendre plus terne et la vider de sa culture. Car, n'en déplaise aux féministes aussi intraitables que ringardes qui aboient à s'en dessécher le gosier contre la pornogra-

phie ou les soins esthétiques — il y a une femme efficace derrière chaque réussite masculine. »

Tandis que cette phrase était prononcée, Nina et la
Boucle ne manquaient pas d'échanger un regard de
connivence qui soulignait la réussite de leur propre vie
de couple et éveillait chez les convives assis autour de la
table une admiration teintée de jalousie.

« Chacun doit s'investir dans le domaine où il excelle,
concluait-elle invariablement. L'être humain est un animal hiérarchisé. Cette exigence d'égalité, même en tant
qu'utopie, ne sert qu'à épuiser l'âme, à ouvrir la porte à
tout un tas de malentendus et à vous plonger dans une
frustration perpétuelle. »

« L'être humain est un animal hiérarchisé », conclut
Nina Magometov après avoir fait avec Ninouch le tour
du propriétaire et lui avoir expliqué ses droits et devoirs. Elles s'installèrent ensuite dans la cuisine aménagée et rutilante, toute d'inox et de marbre noir, où elles
prirent un nescafé Maxwell House. « Dès que l'on intègre ce fondement de la nature humaine, tout devient
simple. »

Depuis qu'elle avait cessé de mettre des bébés au
monde, Nina Magometov s'était inscrite à plusieurs
cours de l'Université pour Tous, notamment en études
de genre, de philosophie et d'histoire des idées. Elle
semblait avoir un peu moins que ses trente-huit ans,
malgré sa tendance toute féminine à un certain alourdis-
sement au niveau des hanches.

Ninouch la contemplait, fascinée. Sa nouvelle patronne avait une peau à reflets d'huile d'olive de qualité,
un nez aquilin très fin et une bouche dont la lèvre supé-

rieure bien dessinée était ornée par l'ombre d'un duvet aussi délicat que les feux du crépuscule. Elle portait un onéreux survêtement Nike et lorsqu'elle sourit, Ninouch eut le temps de repérer, en bas à droite, la dent en or qui se cachait entre ses molaires. Nina Magometov leva la main vers sa nuque et envoya par-dessus son épaule une vague de cheveux brillants et épais, dont la coloration brune masquait les premiers fils blancs. Avec des gestes rapides et précis, elle se fit une tresse un peu lâche.

« Tout est clair ? » s'enquit-elle.

Ninouch opina énergiquement.

Bien que Tchinguiz Magometov ne soit pas homme à se laisser facilement étonner, mon amie, pendant tout le temps où ils se côtoyèrent, ne cessa de l'étonner. Que ce soit quotidiennement, à l'époque où elle travaillait pour lui à temps plein ou ensuite, lorsqu'elle remplit d'autres fonctions, il se trouva chaque fois surpris par un nouvel aspect, totalement inattendu, de sa personnalité. La chose le ravissait à tel point qu'il aimait parfois, dans un lyrisme qui lui ressemblait peu, se l'imaginer en matriochka renfermant une autre matriochka, puis d'autres de plus en plus petites, jusqu'à ce qu'il ne reste d'elle qu'un minuscule morceau de bois coloré et indivisible.

« Et que se passera-t-il quand il ne restera qu'un minuscule morceau de bois ? lui demanda Ninouch le jour où il lui avait fait profiter de ce compliment imagé.

— Eh bien, je te jetterai à la poubelle, Koukla », répondit-il... puis il se hâta d'ébouriffer les cheveux de sa protégée afin qu'elle comprenne qu'il blaguait et qu'il avait une foi indéfectible en son utilité sans cesse renouvelée.

Nous avançons enfin à une vitesse normale et ne sommes même pas arrêtées par les feux, qui obéissent tous à la mystérieuse logique de la vague verte. Peut-être a-t-elle raison, ma conductrice, peut-être effectivement comprend-elle mieux que moi les secrets de la circulation dans cette ville.

« C'est gentil d'être restée, un autre passager se serait tiré. Les gens, ils ont pas deux sous de patience, toujours pressés, à courir allez donc savoir où. »

J'en profite pour préciser, « c'est uniquement parce que vous êtes une femme. Si vous aviez été un homme, j'aurais tout de suite changé de taxi ». Voilà, qu'elle ait honte de son dédain pour mon engagement féministe.

« Franchement, c'est super. Et maintenant, on est sur la voie royale, dans neuf minutes montre en main, vous y serez, à votre cirque. »

Je me cale contre le dossier. Ferme les yeux, détendue. Maintenant j'ai le droit de me relâcher, de me reposer, de ne plus surveiller cette femme et ses manœuvres douteuses. Elle n'osera plus faire la maligne avec moi. Rien n'est aussi efficace que la gratitude pour interpeller le bon côté de chaque être humain. D'ailleurs, voilà qu'elle vient de changer de station radio, passant de la Voix de l'Armée avec ses chansons exécrables à la Voix de la Musique — petit geste qui exprime sa bonne volonté.

À l'instar de tous les débuts difficiles, celui de Ninouch chez les Magometov fut semé d'embûches. Bien que dénuée de la moindre prétention architecturale, la demeure de la famille était vaste, agréablement divisée en petits espaces dont Ninouch devait assurer le nettoyage et le rangement quotidiens, sous la souveraine houlette de sa nouvelle patronne.

Au rez-de-chaussée se trouvaient d'un côté le salon, intégralement meublé par l'importateur Castiel et fils, une salle à manger de chez Habitat et la luxueuse cuisine italienne. À l'autre extrémité du couloir, il y avait encore un salon, à l'atmosphère marocaine cette fois, avec canapés bas et coussins recouverts de housses en tissus de Damas ou en velours dans les tons dorés, turquoise et pourpres. Cette pièce exotique comprenait aussi un téléviseur à écran géant, une belle collection de films de cinéma russe en DVD et en cassette, et tout un home cinéma.

Mais ce dont les Magometov retiraient le plus de fierté était leur installation de karaoké qui comptait un grand nombre de chansons de variétés ou de pop russes à la mode, cela allait des standards d'Alla Pougatcheva jusqu'aux versions remixées de tubes internationaux tels que *Diva* ou la *Maccarenna*. Là s'organisaient parfois de joyeuses soirées d'improvisation musicale — le chant était le talon d'Achille de Nina Magometov, elle profitait de n'importe quelle occasion pour se lancer, s'emparer du micro avec un professionnalisme digne d'admiration, remuer sensuellement ses plantureuses hanches tandis que, sur le grand écran, des couples d'amoureux s'amusaient sur la plage ou dans un champ de blé, et que défilaient, en dessous, les paroles de tel ou tel tube.

Au premier étage se répartissaient les quatre chambres à coucher des petits Magometov ainsi que le dressing d'hiver. Au dernier étage, se trouvaient la chambre à coucher de Nina et Tchinguiz avec ses douces teintes pastel, la buanderie et une petite pièce baptisée « bureau », dans laquelle personne n'avait jamais travaillé. C'était là que Nina la pragmatique entreposait toutes sortes d'objets auxquels elle n'avait pas trouvé d'utilisation mais qu'elle ne pouvait se résoudre à jeter à la poubelle, car cela aurait été en contradiction avec son éducation teintée d'austérité soviétique. C'est ainsi qu'au fil des années s'étaient entassés là les cadeaux mal venus qui ne correspondaient pas aux goûts des maîtres des lieux, des services entiers pas même déballés ou des draps fleuris démodés, ainsi que de vieux jouets, des chaussures et des vêtements en bon état qui peut-être un jour pourraient servir etc., ou encore des objets d'art ayant perdu leur attrait — un torse d'Apollon en plâtre, des copies de vases grecs que Nina avait achetées au cours d'un voyage familial en Crète, des cendriers décoratifs qui dataient d'avant l'apparition de l'asthme de Nathanel et une sculpture anglaise en bronze (milieu dix-huitième) représentant une jeune fille nue, achetée au marché aux puces de Yafo pour une fortune par Nina qui avait obéi à quelque impulsion aussi subite qu'incontrôlable.

Sur le toit avait été aménagée une vaste terrasse où les meubles de jardin italiens côtoyaient un foisonnement de plantes arrosées par un système automatique. Au sous-sol se trouvait l'impériale salle de jeux de Mikhaël, Raphaël, Nathanel et Tomer, qui jouxtait la chambre de Ninouch. Bien que petit, le cagibi de la *au pair* avait été doté de toilettes et d'une douche indépendantes, autant pour le confort de la demoiselle que pour garder une certaine distance entre elle et la famille.

Il y avait dans le tempérament de Ninouch quelque chose de trompeur, et c'est pourquoi Nina Magometov attendit un jour, puis encore un jour, dans l'espoir que sa nouvelle employée apprendrait à répartir correctement ses forces sur toute la journée.

Car le matin, la jolie *au pair* débordait d'énergie. Elle se levait tôt, préparait le petit déjeuner de Mikhaël, Raphaël, Nathanel et Tomer, puis allait les réveiller avec beaucoup de fantaisie, adaptant à chaque enfant le style de réveil qui convenait le mieux à sa personnalité : chatouilles et bisous pour le petit Tomer, fredonnement d'un pot-pourri des chœurs de l'Armée rouge pour Nathanel le chétif binoclard, caresses et ronronnements sensuels pour Raphaël le beau grassouillet, et flatteries pour l'impétueux et fier Mikhaël. Le petit déjeuner devint un événement joyeux et convivial, tous ceux qui y avaient participé sentaient que la journée allait être merveilleuse et que la vie en général était la chose la plus gaie au monde.

Elle continuait à déborder de vitalité quand elle

accompagnait les garçons jusqu'au point de ramassage scolaire. Elle sautillait et agitait la main pendant de longs moments tandis que s'éloignait le minibus conduisant toute la troupe à l'école. Le petit Tomer ne manquait jamais de coller son visage à la vitre arrière afin de maintenir au maximum le lien visuel qui l'unissait à sa chérie.

Mais dès l'instant où Ninouch rentrait dans la maison des Magometov et devait s'atteler aux tâches ménagères quotidiennes, s'abattait sur elle une insurmontable fatigue teintée de tristesse, qui imposait à ses mouvements un ralenti permanent, effet extrêmement banal au cinéma, mais qui, transposé dans la vie réelle, mettait Nina Magometov hors d'elle. Elle essaya toute la gamme de comportements qu'elle connaissait pour insuffler à Ninouch ne serait-ce qu'une once d'enthousiasme : la flatterie, les reproches directs, la tendresse maternelle, la froideur des rapports employeur-employé, les cris, les menaces, l'indifférence, la persuasion, le bâton et la carotte, la surveillance rapprochée — rien n'y fit. Ninouch se traînait de pièce en pièce dans la maison, se mouvait au ralenti comme si cela était pour elle une seconde nature.

Bien sûr, dès l'instant où les garçons rentraient de l'école, cet étrange phénomène s'évanouissait sans laisser de traces, et la mollassonne devenait un diablotin pétant le feu, pleine d'idées et d'allant, partenaire idéale pour tous les jeux et blagues qui leur venaient à l'esprit, mais aussi grande sœur responsable qui ne faisait pas de cadeau au sujet des devoirs, du brossage de dents et de la consommation de sucreries.

La nuit, dans sa petite chambre, Ninouch, en prévision de la journée de travail du lendemain, exécutait avec énormément de conviction ses exercices de gymnastique censés redonner du tonus à ses muscles. En vain. Pour tout ce qui était lié au travail physique (et l'astiquage de la maison des Magometov aux si nombreux coins et recoins était vraiment de l'ordre du travail physique) elle se révéla une très mauvaise affaire. Elle déposait dans toutes les pièces des bouteilles de produits ménagers spécifiques à telle ou telle surface, des serpillières, des chiffons colorés et des seaux d'eau dans lesquels elle avait versé du liquide parfumé pour nettoyer les sols mais, incapable de se concentrer, trop faible, elle était obligée de se reposer fréquemment, et même, quand elle réussissait à échapper aux yeux de lynx de Nina, elle se couchait carrément sur un des lits des enfants, ou sur le canapé marocain, voire même sur une pile de linge sale, et s'endormait. Chaque fois qu'elle devait affronter les reproches — justifiés au demeurant — de sa patronne, elle sentait ses yeux d'acier gris se remplir de larmes d'impuissance et d'auto-écœurement, mais rien n'y faisait — une nouvelle journée commençait, Ninouch écoutait avec attention les directives habituelles, son menton montait et descendait dans un mouvement qui exprimait l'engagement du samouraï, et la voilà qui entamait son périple à travers la villa uniquement pour échouer, ne serait-ce que dans une mission aussi simple que de ranger les nounours sur le lit de Tomer ou d'essuyer la poussière de l'ordinateur de Mikhaël avec un chiffon imbibé de produit. Elle se mélangeait les pinceaux, se compliquait la tâche, cassait des vases ou des plats, maculait les tapis avec des produits chimiques nocifs, versait de l'eau de javel dans les plantes, mettait de la poudre à lessive dans des pots destinés au sucre ou au sel. Et plus elle faisait des efforts — moins elle réussissait. Plus elle s'acharnait, plus elle éveillait la colère de Nina Magometov. La sensation de se trouver devant un cas incurable se renforça pareillement chez les deux femmes. Les preuves ne cessaient de s'accumuler pour atteindre un sommet encore caché, mais qui entraînerait, cela était évident pour tous les protagonistes, d'inéluctables changements.

« J'en ai assez supporté, dit Nina Magometov à son mari, au soir d'une journée tout à fait normale, avant qu'ils aient éteint leur lampe de chevet.

— Mais comment allons-nous faire avec les enfants, répondit Tchinguiz sans point d'interrogation, tout en repliant son journal, le *Nacha Strana*.

— J'en suis au point où ça m'est égal. La maison ressemble à une porcherie. On n'a qu'à embaucher quelqu'un pour faire le ménage. Quant à elle, qu'elle se consacre aux enfants.

— Je pensais qu'on s'était mis d'accord que les temps étaient durs. Les gens observent. Les gens posent des questions. J'ai la police aux fesses, les impôts n'arrêtent pas de m'envoyer des courriers, et toi, tu veux employer une armada de domestiques », répliqua Tchinguiz sans s'énerver. Il se retourna et éteignit la lumière. « Je vais réfléchir à une solution », promit-il en réponse au silence glacial de sa femme de l'autre côté du lit.

Ninouch, qui avait écouté cette conversation l'oreille

plaquée au trou de la serrure, retint les reniflements causés par les larmes qui lui nouaient la gorge.

Étant donné que dans sa vie aucune relation n'avait duré longtemps, elle avait appris à s'habituer avec une incroyable rapidité aux situations nouvelles (parfois même en avait-elle besoin). Pourtant, en dépit de cette faculté d'adaptation, elle détestait profondément les changements, surtout ceux qui impliquaient une dégradation de ses conditions de vie.

En baissant la vitre de mon côté, je n'en crois pas mes yeux — à nouveau, le taxi roule à une lenteur d'escargot dans une file infinie de voitures. Je me tourne vers la nuque oxygénée, « c'est quoi, maintenant, un embouteillage ? ».

Les ongles pianotent nerveusement sur le volant, « il doit y avoir un accident ou un truc dans le genre. Dès que quelqu'un se fait écraser, faut que toute la ville s'arrête, moi, j'ai mes gosses qui m'attendent à la maison, mon grand vient de rentrer de Jenine. En permission. Quelle soirée, je vous jure ! ».

J'en profite pour lui citer le Roi dans Hamlet, « quand les malheurs arrivent, c'est en bataillons », incapable cependant de ne pas remarquer le ridicule de cette série de contretemps qui semble ne jamais devoir finir.

C'est maintenant mon tour de la réconforter, tant elle a l'air désemparée et énervée. Elle ralentit encore pour finalement s'arrêter au bout de la file de voitures qui la précèdent, « bon, je vais voir ce qui se passe, vous voulez que j'augmente la radio ? ».

Je hoche la tête vers la portière qui claque sur ses fesses et ferme les yeux.

Tchinguiz Magometov, dit la Boucle, était sans aucun doute un homme de parole. Très rapidement débarqua dans la famille une certaine Ludmilla, deux fois plus âgée et cent fois plus efficace que la godiche *au pair*. Après une courte période de passation entre les deux femmes, le maître de maison déclara, un soir à la fin du dîner, alors que Ninouch débarrassait la vaisselle sale et qu'il buvait son troisième verre de thé, « quand tu auras couché les gosses, je veux que tu fasses un saut au bureau avec moi pour quelques minutes.

— Mais c'est le jour de mon feuilleton, essaya de parlementer Ninouch.

— *Oïe, oïe, oïe*, geignit la Boucle comme s'il était bouleversé. Toute cette violence, c'est malsain pour toi, Koukla, et combien de fois t'ai-je dit d'arrêter de manger les restes des assiettes des enfants, tu n'es pas une mendiante qui traîne dans la rue ! »

Ils arrivèrent au bureau rue Ben-Avigdor, et là, dans la pièce arrière qui servait de salon, les attendaient Oksana et les deux hommes de main de la Boucle. Sergueï, un petit râblé avec un estomac proéminent, des lèvres féminines, épaisses et tendres, et des yeux exorbités comme quelqu'un qui a des problèmes hormonaux, Ninouch l'avait rencontré à plusieurs reprises dans l'appartement de Yehouda haLevi et chez les Magometov. L'autre, un homme de grande taille, au visage fermé à épais sourcils, les yeux enfoncés dans de profondes orbites rapprochées de la racine du nez, qui ressemblait incroyablement à l'acteur de films d'horreur Bela Lugosi — elle ne l'avait jamais vu.

Oksana était assise sur une chaise qui avait été prise dans le bureau du boss. La partie supérieure de son corps était attachée au dossier, sa bouche obstruée par un large ruban adhésif. Ses yeux, d'habitude ronds, s'étaient arrondis encore davantage, si bien que son expression de terreur renvoyait à celle, émerveillée, du promeneur qui découvre un magnifique paysage de l'autre côté d'une colline boisée.

Tchinguiz, debout derrière Ninouch, posa une main sur son épaule, ce qui la remplit aussitôt de cette sensation de sécurité qui l'enveloppait chaque fois que quelqu'un de proche la prenait sous sa protection. Il fit un signe de tête à Sergueï le râblé, et celui-ci s'approcha de la jeune femme ligotée. Ce n'est qu'alors que Ninouch remarqua la présence du couteau japonais au manche en plastique vert qui traînait toujours sur la table du patron. En quelques gestes lestes et rapides de peintre, Sergueï traça six profondes entailles sur le visage d'Oksana, aidé dans sa tâche par l'homme élancé qui vint maintenir la chaise dont l'équilibre vacillait sous les spasmes et les violents coups de pied de la victime. Les gémissements sous le large ruban adhésif étaient si étouffés qu'on ne les entendait presque pas, d'autant que la scène se déroulait sur fond musical de danses très connues qui montait de la Bomba, la boîte de nuit éthiopienne voisine.

Son œuvre terminée, Sergueï recula de quelques pas et regarda Tchinguiz. Les lignes rouges qui quadrillaient le visage d'Oksana gonflaient et prenaient une nuance plus sombre, presque noire, elles s'épaississaient mais conservaient encore leur tracé, comme si elles attendaient que la force de gravitation universelle agisse pour laisser couler le sang et retrouver une magnifique brillance rouge. L'œil droit de la malheureuse était fermé et traversé, lui aussi, par une ligne qui commençait au-dessus du sourcil et se creusait de plus en plus vers la pointe de son nez. On pouvait voir les veines du cou tendu, gonflées dans un cri muet tandis que la tête ne cessait de se cogner en arrière. Ses cheveux noirs et lisses, coupés à la Cléopâtre, descendaient sur son front, épargnant aux personnes présentes dans la pièce l'expression de son unique œil ouvert, le brun. Ses jambes continuaient à se tordre et à battre l'air si fort qu'elle faillit tomber et emporter avec elle sa chaise ainsi que le grand gaillard qui la maintenait, obligeant ce dernier à la serrer encore davantage.

« *Oïe, oïe, oïe* ! Qu'est-ce que tu es sensible, Koukla, murmura Tchinguiz lorsqu'il remarqua la flaque d'urine qui s'étalait sur le vieux dallage entre les pieds de Ninouch. C'est d'ailleurs pour ça que je l'aime tant », lança-t-il à ses sbires qui échangeaient des regards à la dérobée. Sergueï se hâta d'effacer le sourire grimaçant qu'avait fait naître sur son visage le petit accident de la favorite.

Sans rien ajouter, Tchinguiz poussa Ninouch vers l'ascenseur et ils se retrouvèrent à nouveau dans la BMW familiale.

« À propos, son œil est intact. J'en suis presque sûr. Sergueï est un ange », crut bon de préciser le patron en débouchant sur l'autoroute Ayalon. Ninouch s'assit de biais tant bien que mal afin que son pantalon mouillé ne tache pas les sièges clairs.

« C'est toujours le même problème avec lui, c'est un tendre. Il a pitié de tout le monde. Tu t'en es rendu compte, j'imagine ? » conclut-il d'une voix où perçait une nuance de mécontentement indulgent.

Elle hocha la tête et tourna le regard vers la route, se concentrant sur les bandes qui séparaient les différentes voies.

« La raison pour laquelle j'ai voulu que tu viennes, Koukla, reprit Tchinguiz tout en appuyant avec la délicatesse d'un danseur sur l'accélérateur, c'est parce que la chose la plus importante dans mon business, comme d'ailleurs dans tout business, c'est la discrétion. Le B-A ba du succès, dans n'importe quelle entreprise. Et si cette discrétion n'est pas respectée, les conséquences peuvent être extrêmement désagréables, comme tu viens de t'en rendre compte.

— Que va devenir Oksana ? hoqueta Ninouch, la langue lourde et desséchée.

— Rien. Qu'est-ce qui peut lui arriver de plus ? Elle va guérir et se cherchera un autre métier. Elle a étudié quelque chose au Technikum de Kharkov. La chimie appliquée, je pense, alors elle va peut-être trouver quelque chose là-dedans. »

Lorsqu'ils entrèrent dans le garage de la maison des Magometov, la Boucle coupa le moteur et stoppa Ninouch qui avait déjà ouvert la porte, prête à sauter hors de la voiture pour se précipiter dans son cagibi pourtant bien loin d'être un refuge.

106

« Tu vas changer de travail, lui annonça-t-il avec un grand sérieux et sans le doux sourire qui accompagnait généralement tout ce qu'il lui disait. Je te transfère dans un autre secteur. Une activité qui me tient très à cœur. Où j'ai mis toute mon âme. C'est un réseau unique en son genre dans le pays et, pour autant que je sache, le seul de toute cette région du globe. Il s'adresse à une clientèle intérieure autant qu'extérieure. Des gens viennent ici incognito, avec des passeports étrangers. Même des pays arabes et des principautés du Golfe. Et la confidentialité, dans ce réseau, est plus importante qu'ailleurs. Tu comprends ?

— Qu'est-ce que je devrais faire là-bas ?

— Pourquoi t'inquiéter, Koukla ? » Le sourire était revenu aux coins des beaux yeux de la Boucle. « Tu n'as pas encore appris à avoir confiance en ton bon petit papa ? Tu feras là-bas ce que tu sais faire de mieux. Allez, ne reste pas plantée là, cours, que tu aies le temps de voir ton feuilleton à la con. »

Et ce fut ainsi que Ninouch prit ses nouvelles fonctions dans l'une des deux branches les plus secrètes des affaires de la Boucle, celle qui, cependant, et elle allait évidemment le découvrir plus tard, n'était pas la plus importante.

Je rouvre les yeux. Le taxi est toujours immobilisé au milieu de l'embouteillage, quant à ma conductrice, elle semble avoir été engloutie dans les profondeurs de la terre. Sa curiosité l'aura sans doute poussée jusqu'au plus noir de la pénombre, quelque part au-delà des feux du carrefour, là où assurément se cache la raison de ce que nous endurons.

Bâtir une histoire cohérente, chronologique, relatant la vie de Ninouch relève du casse-tête chinois. Car elle est la reine de la déconstruction. Tout au long de notre amitié, elle a égrainé ses récits (parfois il ne s'agissait que de bribes ou de morceaux épars) sans aucun ordre apparent et sans l'émotion qui aurait dû les accompagner. Les choses les plus terrifiantes étaient narrées d'une petite voix creuse, alors que la description de la dent en or entraperçue dans la bouche de Nina Magometov éclairait d'une rare vivacité la grisâtre transparence de ses yeux.

De plus, Ninouch a cette étrange habitude d'employer le nom des gens qui ont compté dans sa vie comme si son auditeur savait à l'avance de qui il s'agissait. Au début, il y avait des pans entiers de conversation qui m'échappaient totalement. Elle peut dire par exemple, « ce type avait exactement le même pantalon que Norman », ou, « alors Norman a décidé qu'on devait se faire payer beaucoup plus ». Et si tu lui demandes qui est Norman, elle s'arrête, comme paralysée par un court-circuit qui stoppe tout son système de fonctionnement, puis, au lieu de répondre, elle te répète le nom de Norman, cette fois avec une légère insistance, comme pour souligner que tout être humain sensé sait de qui il s'agit, son identité étant une évidence pour la terre entière. Et elle reprend aussitôt le fil de son récit, persuadée que la question de Norman est définitivement réglée.

Ce n'est qu'aidée de mon incommensurable patience et de mon exceptionnelle virtuosité en matière de croisements et de recoupements d'informations que j'ai finalement réussi à lui ébaucher une biographie logique et continue, bien que la route soit encore longue et jonchée de trous inexplorés.

Si tu ne trouves rien de bon dans ce qui t'arrive, mieux vaut te concentrer sur ce qui est tout de même possible. Certes me voilà de sortie sans mon amie, mais on est en avril, je suis charmante et parfumée, la nuit est là, entière, avec tout ce qu'elle renferme. Certes, je vais arriver au cirque avec un sérieux retard, mais peut-être, qui sait, quelque part dans cette soirée aux multiples yeux brillants et bouches hilares, vais-je, entre les effluves d'eau de toilette, de chocolat et de sciure imbibée d'urine fauve, découvrir le visage que j'attends, cette âme sœur qui s'unira à la mienne pour, telles deux gouttes de mercure lourdes mais rapides, ne former qu'un seul bloc inséparable, à l'instar de ce qu'était la créature androgyne mythologique d'avant qu'on ait changé la donne. Des muscles cachés tout au fond de mon bassin se contractent en spasmes incontrôlés. Le compte à rebours de mon bas-ventre s'est déclenché et je me laisse aller à tendre l'oreille vers son tic-tac hypnotisant :

Tic et tac, tic et tac
Le temps coule et le temps se fissure
Passé, présent, futur
Il est un temps pour la chouette
Il est un temps pour la belette
Un temps pour les oreilles, un temps pour le derrière
Un temps pour l'arrondi, un temps triangulaire
Un temps pour le jamais, un temps pour tout de suite
Un temps pour l'écuyer, et un temps pour la reine,
Un temps pour le salon, un temps pour la caverne
Un temps pour s'accoupler, un temps pour enterrer
Un temps pour le néant, un temps pour la pitié
Et un temps pour jouer, et un temps pour payer
Dors Lily, tisse donc tes rêves fous
Jusqu'à ce que sonne le coucou

Par la fenêtre ouverte, une brise fraîche me caresse le visage. Je rouvre les yeux. Mes paupières sont collées de mascara et de croûtes de sommeil. Le taxi fonce sur une route nocturne.

Tout de suite, la nuque jaune de ma conductrice me devine.

« Ça y est, vous êtes réveillée ? Eh ben, vous avez piqué un de ces roupillons ! »

Mon regard cherche le sien dans le rétroviseur, essaie de reconstituer le temps perdu.

« Où sommes-nous ? Quelle heure est-il ? »

Elle savoure la supériorité de celle qui détient la réponse.

« On est restées bloquées là-bas presque deux heures, il y avait un paquet suspect rue Ibn Gvirol. La police, les démineurs, ils ont fait venir tout le saint-tremble-ment et finalement, c'était que dalle, une vieille qui a oublié un sac ou quelque chose comme ça. Le principal, c'est qu'on me fait payer trente pour cent d'impôts, avec cinq enfants à charge. Quel pays débile !

— Et maintenant, où sommes-nous ? » Il faut que je retrouve ma place dans l'univers.

« Quoi où ? » Une légère impatience perce dans sa voix. « On va arriver, tenez, après le virage, vous pourrez déjà le voir. Vous y serez dans deux minutes. À votre cirque.

— Mais c'est trop tard ! Il n'y a plus de cirque ! Il est onze heures du soir ! » Je glisse une main entre les dossiers de devant et lui agite ma Breitling sous les yeux, comme si lui montrer les chiffres brillants suffirait pour qu'elle comprenne toute seule l'absurdité de ce qu'elle vient de dire, « vous voyez, il est onze heures ! Qu'est-ce que vous voulez que je fasse là-bas maintenant ? Tout est terminé ».

Sa voix se glace instantanément, « vous vouliez aller au cirque, je vous y ai emmenée. Si vous m'aviez dit, stop, arrêtez le compteur, je descends, bon, d'accord, mais vous n'avez rien dit. Je dois aussi gagner ma vie ».

Malgré des restes de somnolence, tout en moi se révolte contre cette évidente mauvaise foi, « mais je me suis involontairement endormie ! Vous avez bien vu ».

Elle repousse cet argument avec le dédain retenu du joueur de poker qui abat son carré d'as accompagné d'un roi de cœur, « et comment je pourrais deviner, dites-moi, que c'était involontaire ? Qui me dit que vous n'avez pas fait exprès de vous endormir dans mon taxi ? C'est peut-être votre truc, de vous endormir dans les taxis, comment je peux savoir ? Les gens font tout un tas de trucs dans les taxis. Des trucs que vous pouvez pas imaginer. Vous n'avez pas vu *Taxi Driver*, avec Robert De Niro ? Si je devais penser que tout ce que les gens font dans mon taxi, c'est involontaire, eh ben, je n'aurais pas un sou pour aller faire mes courses, sans parler de me payer le cirque, à propos ! Vous comprenez ce que je vous dis ? Et... bravo pour la montre, elle est canon ».

Je comprends. Surtout, je n'ai plus la force de discutailler. Et puis, maintenant qu'elle a vu ma foutue Breitling, essayer de négocier avec elle serait interprété comme une tentative d'exploitation du prolétariat, tentative ne méritant que la révolte armée.

L'immense chapiteau apparaît alors dans toute sa splendeur rayée vert et blanc.

« Arrêtez-vous là, s'il vous plaît. » Maintenant que nous jouons cartes sur table et que ce qui reste de notre solidarité féminine n'est qu'un ridicule pinaillage sur le prix de la course, je peux bien me comporter en grande dame. Le compteur indique trois cent quarante-six shekels. Par chance, ce matin, j'ai été chercher du liquide pour payer mes charges semestrielles. Je lui tends quatre billets de cent.

« Attendez, je vous rends la monnaie », dit-elle, comme si elle cherchait à clore honnêtement notre rencontre.

Je retiens ma colère avec un sourire froid et tendu, « vous n'avez qu'à aller vous acheter quelque chose de joli à mettre. Vous vous appelez comment, déjà ?

— Mikhaëla. »

La vive cordialité avec laquelle elle vient de me donner son prénom dénote un certain malaise. C'est ce qui m'empêche de m'éloigner aussitôt vers le grand terrain illuminé et me retient auprès d'elle encore un instant.

Mais là se résume toute la satisfaction que je peux retirer du moment présent, la vision qui s'offre à mon regard ne signifie qu'une chose : tout est terminé. Pas la plus petite trace de cette joie émerveillée qui caractérise le public émergeant d'un spectacle de cirque. Seuls m'entourent les pitoyables restes servis à ceux qui ont raté la fête : des mégots, des bouts de pitas et de saucisses, des paquets de chips et des canettes vides qui n'ont pas trouvé de place dans les poubelles pleines à ras bord.

Maintenant que je me suis approchée, je constate que la majorité des projecteurs placés autour du terrain vague sont éteints, ne reste que l'éclairage nécessaire au démontage. Des hommes au visage inquiet s'activent autour de moi. Un camion essaie de se garer en marche arrière, sous des directives bruyamment lancées par un moustachu qui gesticule à l'extérieur. Il y a un autre camion déjà garé devant la porte. À côté, quelques ouvriers sont regroupés autour d'un personnage extravagant en costume bleu clair qui déverse son bel italien sur une traductrice âgée, laquelle boit ses paroles avec vénération. Non loin de là, trois techniciens qui sont en train de lutter pour soulever une malle monstrueuse se figent soudain en entendant une voix les interpeller de quelque part, « laissez ça pour le moment, qu'est-ce que vous foutez, Moty ? Commencez à démonter les échelles ! », et le plus grand des trois, apparemment le Moty en question, de rétorquer sur un ton vexé, « faut savoir ce que vous voulez ! Vous nous avez demandé d'attendre les électriciens ». Je manque de tomber sur une poubelle car on vient de me pousser grossièrement par-derrière afin que je laisse la voie libre à quatre déménageurs au visage luisant d'effort et aux épaules écrasées sous le poids d'un tas d'épaisses barres de fer. L'un d'eux prend tout de même le temps de me lancer avec un accent russe, « allez, poussez-vous, y a plus rien à voir ici, le spectacle est terminé », puis d'embrayer directement, dans un murmure à l'intention de lui-même ou de ses compagnons, je l'ignore mais j'entends chaque mot, « et un petit régime te ferait pas de mal, sale pute ! ». Je m'agrippe à la poubelle pour garder l'équilibre et c'est alors que je sens sous mes doigts comme une bouillie humide, je ne sais pas si c'est du houmous ou pire, j'en frissonne de dégoût et scrute le sol autour de moi à la recherche d'un bout de papier dans lequel je pourrais essuyer cette crasse. Mon regard détecte le programme multicolore que je suis en train de piétiner, je le ramasse et m'essuie la main avec.

Qu'est-ce que je fais ici, merde ! Moi, Lily et mon amour-propre à la con ! J'aurais dû accepter la proposi-tion de ma conductrice qui était prête à me ramener en ville. D'ailleurs, pourquoi suis-je sortie de chez moi ? Comme si j'allais passer une bonne soirée ! Toute seule. Si Ninouch était là, au moins, on aurait rigolé de ces ratages en série et on aurait trouvé autre chose à faire. Peut-être aller prendre un milk-shake à la vanille et au whisky dans un des cafés à côté de chez moi, peut-être un film sur la chaîne Cinéma.

Et comme je me sens ridicule avec mon accoutrement de tombeuse ! Quel gâchis, une petite culotte à trois cents shekels pour cette soirée en solitaire ! Elle finira usée par les lessives avant d'être baissée dans un geste fiévreux et impatient par quelque main virile.

Presque machinalement, je défroisse le programme que j'ai ramassé. Au moins voir ce que j'ai loupé. Mais il est taché avec le même je-ne-sais-quoi poisseux, et la partie qui donne les détails du spectacle est déchirée. Je passe distraitement en revue le nom des équipes et des techniciens. Le chef d'orchestre, l'éclairagiste. Humberto, Roberto, Gilberto. Des loosers italiens qui n'ont pas réussi à se faire embaucher dans un cadre plus respectable. Des minus. Des pseudo-artistes. Le responsable des équipes d'acrobates. L'administrateur de la ménagerie des fauves.

L'administrateur de la ménagerie des fauves.

Une flamme blanche me frappe au visage, l'oxygène de ma respiration s'évapore. Des sanglots statufiés, qui remontent à très très loin sous mon crâne, viennent cogner mes orbites.

Et le cœur ! Le cœur est sur le point de se détacher des entraves de ses artères.

L'administrateur de la ménagerie des fauves.

Le camion arrive enfin à se garer, écrasant une poubelle sous ses roues. Le chauffeur bondit aussitôt dehors et engueule son guide à moustaches.

Je défroisse un peu mieux le chromo, passe un doigt sur les mots pour m'assurer que mon cerveau triste et affamé n'est pas en train d'inventer les lettres. Non. Tout est là, en vrai. Administrateur de la ménagerie des fauves : M. Momotaro Okazaki.

Je remue les lèvres, comme pour donner à ce nom

presque oublié une véritable présence, ici et maintenant. Je réchauffe les mots sur ma langue.

Momotaro Okazaki.

Et ensuite, en toute simplicité, d'une voix pleine et calme — Taro.

Taro.

J'ai tant repassé dans ma mémoire cet endroit si dense de la bande magnétique de ma biographie, qu'à la fin tout ce qui m'est resté entre les mains n'était plus qu'une improvisation de jazz effilochée. J'essaie d'en retrouver le thème central.

Mais ce n'est que le souvenir du souvenir.

Douze ans en arrière. Un vol transatlantique, à une altitude de tant et tant de pieds. J'avais dix-huit ans et comme cadeau avant mon service militaire mes parents m'avaient offert trois semaines et demie dans une clinique d'amaigrissement ultramoderne, Upstate, New York.

C'était la première fois que nous allions vivre une séparation aussi tangible. Bien que le programme d'amaigrissement de ce centre ne dût pas se prolonger au-delà de quelques semaines, mes parents vivaient ce laps de temps, conjugué à une distance qui se comptait en milliers de kilomètres océaniques, comme une déchirure si violente que même la ligne d'arrivée, pourtant à portée de vue, se brouillait à leurs yeux au point de se muer en un avenir aussi angoissant et incertain que si je m'infiltrais avec les colonnes de l'Armée rouge derrière les lignes ennemies, ce qui rendait mon retour, comme celui de tous les soldats, effectivement aléatoire.

À vrai dire, je ne dois leur courage et leur générosité qu'à l'entêtement de grand-mère Rachélé, la mère de ma mère — dans l'appartement de qui j'habite aujourd'hui. Grand-mère Rachélé était diamétralement opposée à sa fille — autant par sa grande taille élancée et sa minceur, que par son nez puissant et son visage marqué, qui, avec l'âge, devenait de plus en plus hommasse. Je l'ai toujours connue avec une épaisse chevelure coupée court, virant au jaune parce qu'elle s'entêtait farouchement à la laver au bleu comme le font les coquets et les politiciens. Elle l'ébouriffait de la main chaque fois qu'elle hésitait ou s'étonnait de l'illogisme de quelque chose.

Elle était une des plus anciennes camarades du Rakah, le parti communiste israélien, et s'y sentait tellement impliquée qu'elle mettait son appareil auditif au maximum, même pour les meetings les plus bruyants. Et jamais elle n'a renié son amour, un amour qui frisait la passion charnelle, pour Iossif Vissarionovitch Djougachvili : dans un cadre, un grand portrait de son visage moustachu, cerné de photos de moi à différents stades de ma croissance, était l'essentiel de la décoration de son salon spartiate.

À soixante-dix ans, grand-mère Rachélé se mettait au volant de sa vieille Volkswagen pour se rendre chez ses amis arabes de Galilée, elle amusait les essaims de petits enfants de tel ou tel notable en enlevant son dentier et en faisant claquer les deux mâchoires comme un instrument de musique, pour accompagner ses ra-ta-ta-ta rythmés, chantés sur l'air de *L'Internationale* ou de *Katiouchka*.

Derrière son dos, ma mère ne se gênait pas pour certifier que ses amis arabes n'étaient communistes que dans le but de cacher derrière une façade acceptable leur haine d'Israël — pour preuve leur style de vie traditionnel et patriarcal, sans la moindre aspiration égalitaire. Grandmère, consciente des menées subversives et réactionnaires de sa fille, y voyait la conséquence d'une mystérieuse infirmité mentale qui rendait cette dernière incapable de sensibilité politique ou sociale.

Bien qu'au cours des années grand-mère Rachélé se soit fait une raison et ait philosophiquement accepté le fruit défaillant de ses entrailles, les angoisses de maman — tout comme ses autres traits de caractère directement hérités de la diaspora — arrivaient à la tirer de son calme, surtout si la chose me concernait moi, son unique petitefille. À son avis, tout cela venait de cette mentalité de *shtetl* qui, par miracle, avait sauté une génération mais qui, utilisant quelque gène malade, avait réussi à s'incruster dans la personnalité de sa fille.

« Je ne peux pas supporter que ce *hebreishe kompleks* foute en l'air la vie de la gamine », s'indigna-t-elle de sa voix de baryton enfumée lorsque l'idée de mon voyage fut, pour la première fois, posée sur la table des débats familiaux. Criant sur mes parents penauds, elle leur servit du thé avec des petits carrés de sucre — « *vkousno* ! » — à grignoter et continua, « vous avez de la chance que Lilitchka soit une gamine saine d'esprit et ouverte, qui n'est pas prête à s'enterrer dans le refuge décadent que vous lui avez construit ! ».

120

Le « refuge décadent » était le théâtre yiddish en général et la méfiance viscérale de mes parents en particulier.

« Laissez-la partir en Amérique, insista-t-elle tandis que de petites rides ironiques se creusaient du coin de ses yeux jusqu'aux tempes. D'ailleurs, vos foutus Juifs ont toujours voulu aller en Amérique. Qu'elle voyage un peu de par le monde ! » Là, elle quitta son ton ostensiblement railleur et sa voix opta pour une imitation du parler de ma mère, « Mira, le monde, ce n'est pas un week-end au King Shloïmé d'Eilat, avec vous deux autant accrochés à ses basques que les services secrets à Mordekhaï Vaanounou ».

Bien que, comme dans toute négociation digne de ce nom, l'accord final ait été obtenu à l'unanimité, mes parents s'occupèrent des préparatifs de mon voyage dans un silence d'unité d'élite, là où les soldats se comprennent d'un simple regard oblique ou d'un hochement de menton. Indubitablement, ce silence venait défier la frivolité pédagogique de grand-mère Rachélé et surtout son manque de responsabilité, qu'ils imputaient à sa méconnaissance des dangers qui, dehors, guettaient les belles jeunes femmes bichonnées comme des rosiers rarissimes, soudain arrachés à la douce terre de leur serre pour être jetés sur les routes d'asphalte du monde réel.

Lorsque j'essayais de résorber l'acidité du visage de ma mère en lui rappelant qu'elle avait déjà accepté et que donc il était inutile qu'elle continue à se torturer, elle me transperçait d'un regard qui aurait pu faire naître la culpabilité même dans le cœur d'Igal Amir.

« Lorsque tu auras des enfants, tu commenceras peut-être à comprendre quelque chose. Surtout que tu es, je me permets de te le rappeler, ma fille unique. »

J'aurais bien sûr pu lui rétorquer que, durant toutes ses années de mariage avec papa, elle avait subi onze avortements — tous volontaires — tant elle craignait qu'élever des enfants ne gêne sa carrière théâtrale, mais j'étais trop heureuse avec en main mon billet d'avion, mon visa et la liasse de dollars graisseux, bien usés, achetés au noir rue Lilienblum. Je me devais d'agir avec toute la noblesse qui seyait à la détentrice d'une telle richesse, face à la réalité de ma mère, si réduite, si maternante, si inquiète, si terne quant à son avenir.

Mes affaires furent pliées dans deux valises, l'une énorme, en espèce de matière synthétique verte dont nous nous étions servis au cours de nos rares voyages familiaux ; la seconde, prêtée par grand-mère Rachélé, était une monstrueuse antiquité rectangulaire en plastique imitation croco dont les fermetures Éclair s'ouvraient toutes seules mais pas par le bon bout, ce qui fait que papa l'avait ficelée avec de la corde achetée à la droguerie du coin.

Équipée de ces deux joyaux et de mes parents en chaperons, j'arrivai en voiture à l'aéroport, attendant impatiemment le moment où je pourrais enfin leur dire au revoir et cesser de devoir les rassurer, tâche harassante tant ils m'assénaient des instructions censées me garantir un séjour responsable et m'éviter tous les dangers.

Mais l'avenir se hâta de me prouver que mon empressement et mon arrogance étaient prématurés. Que les visages de papa et de maman ne s'étaient pas crispés d'anxiété sans raison au moment de la séparation, dans le terminal de l'aéroport Ben Gourion : dès l'instant où le Boeing entama son décollage, la première crise d'angoisse de ma vie me tomba dessus.

« Laissez-moi descendre ! » criai-je vers la barbe hirsute de deux jeunes ultra-religieux assis à côté de moi. L'air refusait d'arriver jusqu'à mes poumons, mes membres tremblaient dans la certitude d'une mort imminente, et la sueur qui me trempait dégageait de la vapeur dans tout l'avion tel un geyser islandais.

En vain les hôtesses aux paupières bleu clair essayèrent de m'éventer avec le fascicule de publicité du duty free, d'éponger mon front avec des serviettes parfumées et de trouver un médecin parmi les passagers. Mon angoisse résistait à leurs efforts, aussi entêtée qu'une rage de dents. En désespoir de cause, elles décidèrent apparemment que si j'agonisais, mieux valait que cela se fasse dans une atmosphère plus élégante et elles me transportèrent en classe affaires.

Dès les premières secondes, il apparut que leur pari portait ses fruits. La peur me lâcha assez rapidement et je pus enfoncer mon corps dans les profondeurs du large siège. Ainsi appris-je l'extraordinaire pouvoir du luxe pour évacuer tout malaise existentiel — très vite le ronronnement des gros réacteurs se fit doux et amical, j'imaginai même que mes oreilles captaient le ressac de la grande bleue toute calme en dessous de nous. Et je m'endormis après avoir avalé le premier des deux somnifères que m'avait donnés ma mère.

Je ne me réveillai qu'à la fin de l'escale à Paris, mes copines les hôtesses passaient dans les rangs et, s'efforçant de masquer leur contrariété, demandaient pour la énième fois aux récalcitrants de boucler leur ceinture. Les yeux hagards, je remarquai mon nouveau voisin. D'une obéissance exemplaire, il était assis ceinturé, prêt au décollage, plongé dans sa lecture. Étant donné que tout ce que je savais sur les touristes japonais se résumait au fait qu'ils souriaient beaucoup et prenaient beaucoup de photos, j'allais renoncer à un examen plus approfondi, mais la persistance de notre proximité physique imposée me poussa à faire le contraire. Je me surpris donc à examiner les mains qui tenaient le livre — trop grandes par rapport au corps, avec des phalanges rectangulaires et puissantes dont la peau était totalement lisse, pas le moindre pli, même au niveau des articulations, comme si elle était en caoutchouc et, sur le dos, des veines verdâtres qui dessinaient une carte fluviale tout en sinuosités. Des ongles coupés ras, très clairs, en complétaient l'impression synthétique, et seul le léger tremblement des doigts prouvait qu'ils étaient humains. Assis, il ne me parut pas particulièrement grand. Il portait un pull onéreux qui dénudait un cou couleur de papier vélin et au même aspect artificiel, sans le moindre défaut. Son profil asiatique, où le creux de la racine du nez était à peine perceptible et où seule l'expression sévère sauvait les épaisses lèvres d'une sensualité féminine, se penchait sur les dernières pages, couvertes de signes pointus. Il les termina, referma son livre et je découvris sur la couverture, à ma grande stupéfaction, la silhouette fatiguée, mélancolique, coquette et jambes croisées de Marcel Proust.

Le Japonais sentit mon regard et tourna le visage vers moi.

124

« Parfois, trop de traits humains me dégoûtent, tout simplement », dit-il, persuadé d'avoir capté ma question muette.

Sa voix sonnait un peu rouillée, elle n'était pas bien posée et tintait encore du soprano prépubère qui, apparemment, était encore le sien il n'y avait pas si longtemps que ça. Ses yeux étaient si longs et étroits qu'on aurait dit qu'ils s'étiraient jusqu'aux tempes. Des cils pointus et rebiqués, comme ceux d'un personnage de bande dessinée, tempéraient l'aspect exotique que lui conféraient les lourdes paupières bridées à l'asiatique cernant son regard. Il y avait une espèce de décalage entre la partie supérieure de son visage aux traits fins et mesurés et la partie inférieure au caractère presque vulgaire. Seuls les contours anguleux et lisses de sa mâchoire tempéraient l'expression primitive que l'on retrouve dans les personnages de Gauguin par exemple. Ses cheveux, coupés court, se dressaient sur sa tête en une brosse soyeuse. Il semblait avoir mon âge, ce qui me permit de ressentir aussitôt une légère supériorité et de prendre un ton ironique.

« De quels traits humains parlez-vous ? »

Ses yeux bridés à la Mickey me dévisagèrent froidement.

« De l'amour. Si humain. Et tu te retrouves esclave de quelque chose dont tu ne comprends même pas l'essence, tu n'as d'autre choix que de te soumettre parce que tu es un être humain et que dame nature, ou Dieu, ou le diable sait qui, t'a fait ainsi. »

L'hôtesse s'approcha de nous, poussant son chariot de boissons et, avec une familiarité souriante, me tendit un jus de tomate — elle avait déjà repéré que c'était « ma boisson ». Pour la première fois, je vis le visage aplati de mon voisin perdre sa raideur et se déformer dans une moue hésitante.

« Je pense que je vais opter pour votre Cristal, mais à condition qu'il soit très frais. »

Pendant les longs mois qui suivirent, je désignai cet instant comme le moment précis où j'avais perdu mon habituelle notion de la réalité en faveur d'une sensation inconnue qui extrait ton prochain de ses qualités objectives pour le faire apparaître dans toute la gloire de son unicité. Cette moue et le léger plissement de nez qui accompagnèrent son hésitation quant au choix du champagne révélèrent une éducation aristocratique, venue d'ailleurs, dont j'avais lu des descriptions dans mes lectures de jeunesse, une éducation réservées aux lords et aux futurs princes. Sous mes yeux défilèrent des enfants en courtes culottes de velours et chemise à jabot dont les volants de dentelle tombaient sur une poitrine phtisique, à la vie réglée par un strict emploi du temps, toujours accompagnés de précepteurs aux traits sévères et secondés d'au moins trois domestiques pour procéder à leur toilette matinale. Je voulus tout savoir sur mon petit lord Fauntleroy japonais et me hâtai de troquer mon jus de tomate plébéien contre un champagne millésimé.

J'appris qu'il avait vingt ans, qu'il était né à Tokyo et allait terminer aux États-Unis des études de philosophie et de mathématiques et suivre la voie royale vers le doctorat de philosophie. Son nom mélodieux — Momotaro — était celui d'un héros de livres pour enfants, un garçon né dans un noyau de pêche. Il me gratifia tout de suite du privilège de l'appeler Taro, ce dont je fis très vite usage, jouissant tellement de ce goût étranger sur ma langue que j'eus l'impression de tomber dans la flagornerie et me hâtai d'arrêter.

Le fait que son père ne soit pas duc mais chirurgien esthétique ne changea en rien mon impression d'avoir affaire à un vrai personnage au sang bleu.

Par un fatal mimétisme, Taro s'émerveilla lui aussi — réaction à mes yeux totalement injustifiée — lorsque je lui appris que mes parents étaient comédiens. Je fus tentée, au début, de lui expliquer à quel point le théâtre yiddish en Israël n'avait rien de prestigieux, mais y renonçai rapidement afin de jouir de mon tout nouveau statut : rejeton de la grande famille de la scène. Je l'amusai tant avec le récit de la terne routine de mes parents que les fentes de ses yeux noirs s'arrondirent légèrement. Le métier que je me suis choisi s'inscrit sur le versant scientifique de l'existence, et malgré mes penchants naturels, je ne suis pas du genre affabulatrice : les mensonges, même les plus utiles, éveillent en moi trop de gêne pour que je puisse en tirer de réels bénéfices. Mais là — certes avec l'aide de plusieurs verres à pied bien remplis —, je me permis un petit écart et mes parents, casaniers à charentaises, devinrent un couple de stars excentriques, toujours entre répétitions et tournées, mais qui palliaient leur absence par un enthousiasme théâtral ressenti jusque dans le cadre familial. Bercée par les ondulations d'une légère ivresse, j'offris à mon père et à ma mère, au long de cette conversation factice, tout ce qu'ils avaient un jour espéré. Elle devint

127

une grande actrice au jeu froid et retenu, aux gestes harmonieux et à la silhouette tellement fine que même à son âge on lui donnait encore des rôles de jeune première, d'amante, de révolutionnaire, quant à lui, il prit les traits d'un grand du répertoire classique, non pas un intuitif aux poings lourds mais un élégant nerveux, idéale incarnation de héros à l'âme violemment déchirée, coupée en deux et parfois même en trois. J'ai d'ailleurs considérablement élargi le répertoire du théâtre yiddish en y ajoutant tous les classiques internationaux, j'ai exprimé mes critiques quant aux choix qu'avait faits mon père dans son interprétation toute récente de Macbeth, et j'ai exhaustivement décrit le processus d'usure physique et émotionnelle dans lequel maman s'était trouvée plongée en incarnant Nastasia Philipovna dans une adaptation de *L'Idiot*.

Si seulement mes parents avaient su quelles carrières mirobolantes je leur avais tissées, à ces deux *alte aktiorn* qui n'avaient même pas réussi à se faire embaucher comme figurants sur *A khasene in shtetl*, et qui ne devaient les rôles qu'ils continuaient à recevoir qu'à leur petite taille leur permettant de jouer des enfants, ainsi qu'à une jolie voix — indispensable pour qui veut une place dans les spectacles yiddish, toujours musicaux. Dans l'histoire que je tressais aux oreilles de mon ami asiatique, même Mounia Scheindermann, leur directeur artistique véreux, devint une espèce de *yiddishe* Peter Brook, un metteur en scène génial et idéaliste, qui se battait pour préserver et faire revivre la culture yiddish malgré l'intraitable rejet israélien.

Voilà qu'à nouveau la mémoire me tire une langue

narquoise. Qu'y a-t-il eu d'abord, et comment ? Est-ce que la conversation s'est tout de suite engagée ou bien, au début, me suis-je sentie mal à l'aise sous son regard, trop sérieux pour un jeune homme de vingt ans ? Qu'est-ce qui m'a le plus impressionnée, l'exotisme de ses origines ou l'assurance avec laquelle il exprima ses idées sur l'art conceptuel, le libre arbitre et ce qu'on en faisait, la perception innée du bien et du mal ?

À partir de quel moment avons-nous arrêté nos efforts épuisants pour nous impressionner mutuellement, et laissé la discussion devenir une salve de points d'interrogation émerveillés, Nabokov ? Fitzgerald ? Shakespeare ? *Le Parrain* ? *La petite boutique au coin de la rue* ? Erich Kästner ? Tom et Jerry ? Les Sex Pistols ? Des frères, des sœurs, des amours ? La télévision, pour ou contre ? L'argent est-il important ? On commande encore du champagne ou là, on a vraiment exagéré ?

Et à quel moment trouble lui ai-je avoué ma passion d'adolescente pour Mike Burstein dont les photos couvraient encore les murs de ma chambre, l'excitation vraiment érotique que je ressentais chaque fois que je les contemplais — je voyais dans l'objet de mon désir cet émoustillant mélange d'éclat et de virtuosité que l'on retrouve chez toute star virile qui se respecte et vous donne de l'assurance et l'envie d'un engagement sur le long terme.

M'est-il devenu indispensable lorsqu'il m'a raconté, sourcils froncés, qu'il avait travaillé l'été précédent dans la clinique privée de son père (le chirurgien esthétique), à transporter des bassines remplies de grumeaux graisseux et de morceaux de chair humaine ? Ou alors cela est-il arrivé lorsque nous nous sommes retrouvés enfermés dans les toilettes en inox, tandis que nos mains arrachaient haineusement fermetures Éclair et boutons, que nos langues et nos dents, dans une course cannibale, cherchaient nos lobes d'oreille et nos mamelons, que nos doigts tremblants s'enfonçaient dans une humidité à vif ?

Pour la première fois de ma vie, je pus vérifier le vieil adage qui dit que le plus beau et le plus merveilleux minéral est le corps de l'homme. Allant de pair avec cette découverte, les bulles de carbone bi-oxygéné du champagne qui emplissaient mon sang m'aidèrent à surmonter la gêne que me causait depuis toujours le minéral sans gloriole qu'était mon propre corps. Et ce fut dans cette ébullition géologique que je l'aidai à me pénétrer, presque déçue de ne pas ressentir la douleur prévue, me retenant pour ne pas fermer les yeux sous son regard. Si faible, si nue, si dominée me sentais-je sous ce regard que j'ai essayé de désamorcer l'instant par une question ironique, « et ça, ce n'est pas trop humain à ton goût ?

— Penche-toi un peu en arrière, voilà, c'est bien, je veux te toucher », m'ordonna-t-il d'une voix grave et haletante en guise de réponse, ignorant mon faux détachement.

Et à partir de ce moment, j'ai levé la garde.

Grâce à la dextérité que j'avais acquise au fil des années avec le pommeau de la douche quand j'allais chez grand-mère Rachélé, je n'eus aucun mal à trouver les points, les angles et les zones qui épargnèrent à cet événement les différentes maladresses que m'avaient rapportées dans le passé (comme ultérieurement) des amies plus expérimentées. Mue par un courage fou et grisé, je

130

décidai de renoncer aux gémissements, coups de tête vers l'arrière et autres expressions de plaisir que je connaissais parfaitement pour les avoir vues au cinéma puis reproduites de manière convaincante lors de mes expériences précédentes (sans pénétration) avec quelques élus du lycée ou même des soldats de mon quartier.

Dans l'avenir, mon avenir de femme adulte, j'appris ceci : avant chaque rencontre, chacun des protagonistes prend des décisions — conscientes ou non, instinctives ou résultant de quelque vague réflexion — concernant le caractère de ce qui va se passer. Et si ces décisions intangibles (dont la nature est liquide, sans contours et pourtant évidente) se répondent de manière satisfaisante, si elles s'ajustent, se ressemblent, s'imbriquent les unes aux autres, alors la rencontre sera juste, totale. On peut même oser dire — exacte.

Et cette rencontre-là, dans les toilettes du Boeing 747, avec le dénommé Momotaro Okazaki, fut une de ces rares rencontres harmonieuses où les dents de la clé correspondent avec le naturel le plus total au trou de la serrure.

Nous avons sans aucun doute tous les deux fait le même choix : la concentration. Une entière concentration qui éliminait tout geste ou mouvement superflu, rien que l'effort affiché d'éviter la simulation, la dissimulation et l'arrogance. Une concentration qui nous déforma le visage et le corps, et refusa de quitter le chemin creusé quelque part dans les profondeurs de notre système limbique depuis les temps ancestraux où nous n'étions que des reptiles au sang froid. Tandis que nos yeux s'ouvraient et se fermaient, nous tentions d'ignorer l'impudeur de notre double dans le miroir.

Et que viennent les savants, ceux qui connaissent les capacités diverses et variées du corps humain, qu'ils me demandent comment diantre une fille rondouillarde a-t-elle réussi à perdre sa virginité dans un cagibi qui ne dépassait pas le mètre carré et demi, même s'ils insistent en voulant savoir pourquoi ses fesses n'avaient pas glissé dans le lavabo pendant que le ventre plat du garçon japonais allait et venait entre ses cuisses de guimauve — je serais incapable de leur répondre. Car répondre exige une réflexion, quelque chose d'ordonné et de continu et c'est précisément ce qui me manque, vu que ce sont des cercles de plaisir et de lumière qui m'ont transportée ce jour-là, à tant et tant de pieds au-dessus de l'Atlantique.

Je serais tout aussi incapable de dire à quel moment la douleur a surgi. En voyant son pull gris se noyer dans la foule à l'aéroport Kennedy, ou bien m'amusais-je encore à ce moment-là en me remémorant l'aventure charmante qui avait croisé ma route, et ce ne fut que lorsque je refermai sur moi la porte de la chambre du centre d'amaigrissement, que je compris ce qui s'était passé et qu'alors je fus submergée par ces sanglots qui signifient que tu sais ta perte éternelle. Définitive.

Les semaines qui suivirent, je me suis affamée avec persévérance et fus choisie comme meilleure élève du stage. Quelle ne fut pas la déception de mes compagnes lorsque, au final, il apparut que je n'avais pas perdu un gramme. Tel un poète qui veut se démarquer de la banalité du sentiment amoureux, mon corps avait choisi cette manière originale de se différencier de tous les amoureux déçus du monde.

Le retour en Israël ne m'apporta aucun soulagement.

« La vie est plus forte que tout », disait maman en caressant la manche de mon pyjama et moi, je regardais sa petite main aux doigts charmants dont la peau commençait déjà à se creuser d'un réseau de dizaines de petits sillons. « Ça passera, continuait-elle, tout passe. »

Qu'en savait-elle ? Que pouvait-elle savoir, enfermée dans la petite bulle transparente de son expérience à elle, à considérer le monde hors du cercle de ses propres volontés comme une entité distante et indécryptable, oui, comment pouvait-elle savoir ce que je sais aujourd'hui sur la vie — une certitude qui, sans aucun doute, va s'ancrer de plus en plus profondément au fil des années : rien, jamais, mais vraiment jamais, ne passe. Les détails se figent, se cachent derrière les ombres de réalités nouvelles, mais ils sont prêts à resurgir avec les mêmes couleurs, la même vivacité, dès que sont actionnés les interrupteurs adéquats. Il suffit d'une goutte de sang provoquée par une piqûre d'aiguille, d'une silhouette remarquée au milieu de l'agitation de la rue, d'une vexation insignifiante, d'une perte minime, d'une mauvaise sieste — et les revoilà avec toi, tous les êtres, les sensations, les événements, clairs, si douloureusement mémorisés, si pleins de présent qu'on les croirait en train de se dérouler. Tu ne peux jamais savoir ce qui déclenchera la réaction chimique qui te ramènera sans pitié jusqu'à l'événement originel, premier, ce qui lui insufflera l'énergie nécessaire pour s'élever en toi tel un champignon atomique empoisonné et se disperser ensuite en un vent noir dans les rues de ta conscience.

Non, maman. Rien, jamais, mais vraiment jamais, ne passe.

Je ne voulais même plus épouser Mike Burstein, et tandis qu'elle parlait, j'épluchais du doigt le coin d'une des vieilles photographies que j'avais, gamine, collée au mur de ma chambre et qui depuis avait jauni et vieilli, refusant cependant de se déchirer complètement. C'était un grand poster, réservé aux vrais admirateurs, et il avait deux ou trois fois plus de valeur grâce à l'autographe apposé par la star en personne. Les lettres avaient, elles aussi, terni, à l'instar de tous les éléments de ma vie d'avant ma rencontre avec Taro, qui m'apparaissaient maintenant fades, désuets, sans importance. La limpidité de mon enfance et de mon adolescence en était tachée, mon passé souillé et humilié, et je me retrouvais avec, entre les mains, un présent qui se consumait dans les affres d'un premier amour déçu.

Papa réagit comme à son habitude d'une manière plus pragmatique, en se focalisant sur un point. Il était considéré comme un grand taciturne, mais à vrai dire il ne se taisait que dans les situations où il était gêné ou mal à l'aise. Dans les cas où il se trouvait face à des gens qu'il ne connaissait pas, son silence se dotait alors d'une réelle présence physique, et il se tenait assis ou debout, droit et raide comme un piquet. Un jour, j'ai même entendu Mariana Cohen, une des comédiennes du théâtre dont on fêtait l'admission dans la troupe, lui demander, « et toi, pourquoi est-ce que tu as toujours l'air d'une momie ? ». Certes, elle était saoule et lâchait de grands éclats de rire vulgaires, mais je me souviens avoir été frappée par la justesse du qualificatif. Papa avait effectivement l'air momifié, les muscles de son visage étaient toujours tendus et crispés, et ses yeux vagues restaient baissés vers le sol comme pour se donner la contenance méditative d'un être replié sur lui-même — en fait, cela cachait son manque d'assurance. Même son crâne de plus en plus dégarni semblait toujours se tendre, aux aguets, et sa peau se recouvrait d'une fine couche de minuscules perles de sueur qu'il essuyait avec un mouchoir d'homme écossais.

Mais dès qu'il se sentait un tant soit peu à l'aise, mon père devenait un intarissable enquiquineur, calme et entêté, et il parlait d'un ton aussi monotone et monocorde que le bourdonnement d'une guêpe, comme si on avait ôté de sa voix tous les graves et les aigus, plus même, tout ce qui donne à la parole sa souplesse, son expressivité et sa musicalité.

Il faut cependant souligner que sur scène, il ne restait plus la moindre trace de ce ton désagréable, exactement comme il ne restait rien du bégaiement de son collègue Félix Zonstein. N'est-ce pas là la finalité de l'Art — de nous élever au-dessus du quotidien, du rebattu, et de nous aider à exprimer le meilleur de nous-mêmes ?

« Lis Schopenhauer. » C'est par cette phrase que papa commençait ses interminables dissertations sur la manière de surmonter les amours déçus. « Lis Schopenhauer. Tu verras ce qu'il dit de la passion humaine.

— Papa, Schopenhauer était un célibataire endurci et misanthrope. Il détestait les femmes. Comment pourrait-il m'enseigner des choses sur les rapports humains ? Je ne veux ni rester célibataire ni devenir misanthrope. »

Pour la première fois de ma vie, je regrettais amèrement d'avoir instauré avec mes parents des rapports d'intimité tels que je m'étais toujours sentie obligée de leur raconter ma vie et mes affaires de cœur. J'enviais tous ces jeunes garçons et filles, mes amis de lycée, qui, dès leurs dix ans, avaient cessé de partager leur monde intérieur et leurs exploits extérieurs avec leurs parents.

Mais on ne pouvait plus arrêter papa :

« Peut-être, mais sache que Schopenhauer avait, comme toi, de très bonnes dents, et il voyait là le signe d'une certaine supériorité par rapport à l'individu lambda.

— Je n'ai même pas l'intention de réagir à ce que tu viens de dire.

— Parfait. Parfois, mieux vaut tout simplement écouter. Écouter, c'est la vraie manière de discuter, bien que là-dessus Schopenhauer ait affirmé que les génies n'avaient pas d'amis, simplement parce qu'une conversation avec un être humain d'un niveau intellectuel moyen ne pourra jamais égaler le monologue d'un génie. C'est pourquoi les génies monologuent. Font des discours. Certes, cela risque de vexer les médiocres. Tout le monde aime parler. Tout le monde veut s'exprimer. Mais parfois se taire et apprendre n'est pas moins important. Schopenhauer aussi a commencé par se taire, je n'en doute pas. Sinon, comment aurait-il appris ce qu'il savait ? Tout vient du silence et de l'écoute. Un génie aussi doit apprendre. Acquérir de l'érudition. Que vaudrait le génie s'il ne pouvait s'appuyer sur de solides connaissances ? Si quelqu'un est ignorant, génie ou pas — il peut se fourvoyer. Imagine un parfait ignorant qui invente la géométrie euclidienne, sans savoir qu'elle a déjà été inventée. Tout son talent est gâché. Le savoir humain, c'est une accumulation de couches tectoniques. Une vaste érudition est l'outil le plus important que nous ayons. Je crois qu'un acteur sans culture ne peut pas vraiment comprendre les pièces de théâtre, ni les rôles qu'il joue. Mais à notre époque, tout le monde s'en fout. Personne ne recherche la profondeur. Tout est en plastique, vite fait, on veut que le théâtre devienne comme la pub, et on ne se fie qu'à l'apparence. Il n'y a plus que ça qui marche. »

En clair, papa faisait allusion à Simion Belkin, un acteur d'Europe de l'Est qui n'avait intégré la troupe que quelques mois auparavant mais se voyait déjà confier des premiers rôles. Effectivement, une fois maquillé, le visage de cet alcoolique, toujours quadrillé par un réseau serré de petites lignes pourpres qui donnaient à ses joues et son nez une allure de clown, était transformé, et Simion devenait vraiment un bel homme — au regard sévère et au menton fier.

« Schopenhauer quant à lui pensait que l'amour était

une entrave. Qui troublait l'intelligence et s'immisçait parfois jusque dans les plus grands cerveaux. L'être humain, pour autant que nous sachions, n'est-il pas le seul animal doué de raison ? Alors pourquoi l'amour ? Certainement pas pour rien. Il doit y avoir une raison, quand même ! Eh bien, cette raison est tout simplement existentielle, biologique. C'est la volonté de vivre. La volonté de se perpétuer. De se multiplier. Une volonté si forte qu'elle est capable de s'imposer même à ceux qui n'y trouvent aucun intérêt. Oui, toute cette affaire ne relève ni d'un sentiment d'union ni de la satisfaction du besoin sexuel et encore moins de l'amusement. Cette volonté, en fait, assure la continuation de l'espèce humaine. »

À chaque instant, sa voix devenait plus uniforme, il s'était déjà engagé sur le chemin qui déboucherait, pour lui comme pour son interlocutrice — moi en l'occurrence —, sur un total épuisement.

« Maintenant, la question est : "pourquoi lui justement" ou "elle justement", poursuivait papa. "Pourquoi, parmi tous les candidats du monde, j'ai justement choisi Moïshé Zokhmir ?" C'est très simple. Notre instinct nous guide toujours vers celui dont la semence nous assurera les rejetons les meilleurs. La volonté de vivre nous pousse — littéralement — vers ceux dont l'imperfection peut pallier notre propre imperfection. N'est-il pas dit que dès le rapport sexuel terminé retentit le rire du diable ? D'autre part, comment expliquer l'existence de couples qui, en dehors de l'attirance sexuelle, n'ont rien en commun ? Ni amitié, ni fidélité, ni même un minimum d'affection. Voilà un point très intéressant. Or, le remède, c'est d'abord et avant tout de comprendre. De comprendre nos élans et ensuite de chercher une consolation dans l'art ou la philosophie, nous rendre compte par exemple que nous ne sommes pas un cas unique, pas les seuls à souffrir et que nous n'avons pas découvert l'Amérique. On peut aussi trouver le réconfort dans une belle amitié, une personne qui saura nous écouter. La chose qui nous unit le plus fortement, ta mère et moi, c'est l'amitié, le sentiment que nous sommes très proches l'un de l'autre, l'entière confiance que nous avons l'un en l'autre. Crois-tu que nous aurions pu passer de si belles années ensemble, t'élever, mener notre vie d'artistes, si nous nous étions laissé déstabiliser par des aventures, ou si nous leur avions donné la moindre importance ? »

Pauvre papa. Si seulement il avait su que quelques années plus tard, maman lui jouerait la grande scène du III et fuirait la sécurité de leur mariage, mue par la volonté de vivre, justement ? Qu'elle le quitterait pour une aventure douteuse avec l'auteur du *Lexique mondial complet de la culture yiddish*, Poldy (Leopold) Rosenthalis ?

Quant à grand-mère Rachélé, elle disait, « il faut te trouver du travail. *Rabota, rabota, rabota, nasledstvo Ilitcha.* Le travail, le travail et encore le travail, voilà ce que nous a légué notre cher Vladimir Ilitch Lénine. C'est le meilleur remède. Oui, oui, travailler au lieu de rester couchée à se torturer. *Anna Karénine* a déjà été écrit, tu ne peux plus rien ajouter sur le sujet ».

Et elle me trouva effectivement du travail... chez qui, sinon chez mon prédestiné depuis l'aube des temps, le docteur Boyanjo, lequel, soit par désir d'économie, soit en souvenir de ses désirs d'antan, accepta de me prendre en tant qu'assistante-à-tout-faire jusqu'à ce que j'intègre les rangs de notre armée de défense — cela, il faut le souligner, pour un salaire que l'on ne peut même pas qualifier de symbolique. Mais quelle importance avait pour moi l'argent face à la Dentisterie, qui allait devenir mon monde.

Il y avait quelque chose d'enchanteur dans la pensée que j'allais être l'assistante d'un vrai dentiste, tout comme Taro avait assisté son père. Une expérience similaire, chrétienne ou bouddhiste, de total don de sa propre personne, allait à présent nous unir en dépit de l'océan qui nous séparait, et surtout en dépit du fait que, pour l'instant, mon amoureux se dédiait corps et âme à la philosophie, bien loin des bassines en inox remplies de chairs sanguinolentes.

Grand-mère Rachélé avait raison, rien ne vaut un présent bouillonnant d'activité pour reléguer en coulisse le passé même le plus douloureux. Mais bien des années plus tard, j'ai compris que dans ce fameux avion, au cours de cette fameuse rencontre, une main invisible avait tracé un trait clair et définitif pour séparer ma vie en un « avant » et un « après » — trait qui était à la fois une modeste pierre tombale pour mon adolescence et une route tortueuse qui disparaissait quelque part à l'horizon de ma maturité.

Taro.

Je jette le programme du cirque. Avance d'un pas déterminé vers le groupe qui entoure l'extravagant Italien en costume. La traductrice est maintenant en train de parler avec les trois techniciens, sous le regard affolé du bonhomme qui observe ces autochtones en se demandant visiblement si ses exigences sont transmises avec toute la précision nécessaire.

« Excusez-moi, où puis-je trouver quelqu'un de la direction ? »

Telle une poupée mécanique, l'interprète arrête net ses explications et se met à traduire ma question. Le drôle de type mitraille une réponse impatiente tout en pointant un doigt vers un endroit indéfini.

« Ils sont tous dans leur caravane, sur le campement », m'explique alors la femme, essayant d'atténuer la grossièreté de son employeur par un sourire désolé.

Aussi obéissante que l'aiguille d'une boussole, je me tourne automatiquement vers le point de vide que me montre le bras indifférent du costume bleu ciel.

Les caravanes sont rassemblées sur une zone qui s'étend derrière l'immense chapiteau. Là aussi, la fébrilité du départ est tangible. Exactement comme à l'autre bout du terrain, tout le monde s'agite et, pour un observateur extérieur, cela a l'air de se faire sans la moindre organisation. Dans la pénombre, entre les longs wagons rectangulaires, on s'interpelle, on discute, on se crie dessus. Je capte d'autres langues en plus de l'italien. Deux filles qui se ressemblent beaucoup, peut-être des jumelles, passent devant moi, laissant traîner un sillage de français. Je suis des yeux leur superbe silhouette en jean taille basse et me demande si Taro, mon Taro à moi, a fait un petit tour entre leurs longues jambes, mais j'ai aussitôt honte de ma possessivité ridicule et injustifiée, ainsi que de mon besoin de ressentir de la jalousie ou une quelconque appartenance.

Non loin de moi, un grand groupe mange debout, directement dans des plastiques de traiteur chinois. Des enfants se faufilent entre les jambes des adultes qui conversent bruyamment dans une langue d'Europe de l'Est que je n'arrive pas à reconnaître. Mes yeux cherchent un visage au regard bridé, pas une nationalité, semble-t-il, qui ne prenne part à cette aventure vieillotte, mais, parmi toute l'internationale bourdonnante, pas la moindre trace de visages japonais.

Je regarde autour de moi dans l'espoir de localiser quelque chose qui ressemblerait à un bureau et mes yeux sont finalement attirés par une roulotte d'où filtre la lueur bleuâtre d'un écran d'ordinateur. Je m'y rends aussitôt.

En face de la porte ouverte, il y a un fauteuil usé au fond duquel une femme à l'allure autoritaire, le corps mince et moulé d'une robe violette, est affalée dans une pose de grande lassitude. Elle discute avec quelqu'un qui est masqué par l'obscurité. De loin, je remarque les bas résille qui contiennent ses jambes, très longues, aux chevilles très étroites et aux cuisses musclées — des jambes de danseuse paresseusement croisées. Mais ce sont les contours de ses chaussures talons stiletto à bouts très pointus, hautes d'au moins dix centimètres, qui attirent mon regard.

En m'approchant, je constate qu'elle est en train de parler à un nain assis sur un baril d'essence vide. Les cheveux brillantinés du petit homme sont rassemblés en une coquette queue-de-cheval par un ruban en velours, une veste d'amiral miniature, dont les boutons dorés brillent telles des étoiles égarées, pendouille négligemment sur ses épaules. Il écoute la dame en violet avec embarras, soupire de temps en temps, croise et décroise les jambes puis il coupe, dès qu'il le peut, le flot de paroles par un jet d'italien furieux. Je m'arrête à quelques pas, attendant qu'ils me remarquent et en profite pour regarder à la dérobée le profil de la femme, un profil froid et long, qui ressemble extraordinairement à celui, célèbre, de Néfertiti. Le chignon qui orne le haut de son crâne complète cette incroyable ressemblance. Ses chaussures sont elles aussi violettes, celle qui ne touche pas le sol oscille de droite à gauche dans un mouvement rythmé, comme le balancier d'un métronome. Tic et tac. Tic et tac.

Le nain remarque ma présence avec la même soudaineté qu'il interrompait les paroles de son interlocutrice. Son anglais est tout aussi furieux que son italien.

(Comme je regrette que Ninouch ne soit pas avec moi, elle qui adore les petites créatures.)

« En quoi pouvons-nous vous être utiles, madame ? »

De près, je vois que l'amiral miniature est plus âgé que je ne me l'étais imaginé. Ses manières respirent la suffisance.

« Je cherche Momotaro Okazaki », et au cas où il aurait un homonyme, j'ajoute, « l'administrateur de la ménagerie des fauves. *Vild animalz administrator.* »

Le nom de Taro me donne droit à une majestueuse rotation de tête de Néfertiti et, j'en ai presque le souffle coupé, je découvre que vraiment comme sa jumelle, elle est borgne, elle aussi ! Un bandeau noir lui traverse le visage dans une diagonale agressive et menaçante.

« Monsieur Okazaki est déjà rentré à l'hôtel.

— Quel hôtel ? »

Elle semble presque étonnée de mon audace. Désolée, mais ils ne communiquent généralement pas ce genre d'informations aux inconnus. La direction du cirque est très stricte là-dessus.

Je hoche la tête avec résignation, oui, bien sûr, je comprends mais, peut-être, tout de même, à tire exceptionnel, accepteraient-ils de...

Non, elle est vraiment désolée, mais non. Et elle m'offre à nouveau son profil égyptien pour bien marquer que la conversation est close. Mais le petit homme se hâte d'intervenir, on n'allait pas régir le monde sous son nez comme s'il n'était qu'un courant d'air. Pour quelle raison exactement mademoiselle cherchait-elle monsieur Okazaki, s'il pouvait se permettre cette question. Il pourrait peut-être m'aider.

Je secoue négativement la tête, « non, c'est personnel ».

Je ne vais tout de même pas partager avec ce couple de guignols le récit de mon dépucelage. Mais, miraculeusement, le mot de « personnel » ramène vers moi le visage à moitié mort de Néfertiti.

« C'est-à-dire ? »

Un long sourcil noir se hausse, s'arque et se fige au-dessus du bandeau, dans l'attente d'une réponse.

Je lâche la première connerie qui me vient à l'esprit, « c'est au sujet des tigres, *abut de tigerz* », avec ce ton acide d'un aveu obtenu sous pression. L'effet de ces paroles est totalement inattendu — ils échangent un regard, puis, avec une lenteur lourde de signification, comme si elle venait de découvrir que j'appartenais à quelque secte mystérieuse, Néfertiti me corrige, « *you mean, about the tigress ?* ».

Sans ciller, je fixe son œil insistant et confirme, « *dat's exactly vat I min. Abut de tigress* ».

Elle se lève, me tend une main fraîche tout en agitant la seconde en l'air pour ponctuer ses propos. Désolée, vraiment désolée, mais elle avait cru comprendre que M. Okazaki m'attendait hier, et puis surtout, elle pensait qu'il s'agissait d'un homme. Comme c'était idiot de sa part. Bon, je comprendrais sûrement qu'elle était troublée à cause de toute cette agitation du départ, mais elle était ravie de me rencontrer. Émilia Kavalkanti, se présenta-t-elle, directrice ajointe, et lui, c'était son assistant, Jackito Kavalkanti, qui était aussi trapéziste et accessoirement son frère.

Le petit homme m'envoie un bref sourire professionnel et je me fais la remarque narquoise qu'il aurait eu besoin d'un double rendez-vous chez l'hygiéniste.

M. Okazaki résidait au Dan Panorama, et elle allait tout de suite l'appeler pour le prévenir que j'étais en route.

« Merci, vraiment, vraiment merci.

— *It's an absolute pleasure.* » Elle sourit pour la première fois. Ma Néfertiti a de fausses dents, sans le moindre doute, faites à mon avis il y a cinq ou six ans. Les contours sont trop droits — aujourd'hui, on s'arrange pour que la couronne se termine à la base sur une ligne sinueuse, exactement comme les vraies dents. Leur teinte est trop blanche, on l'appelle, dans notre jargon, le *Hollywood white*. En ce qui me concerne, je préfère toujours un rajout, ne serait-ce que très léger, d'émail — ça fait revivre les prothèses, leur donne du naturel. Sa bouche artificielle sourit mais son unique œil, braqué sur moi, est vitreux, menaçant et aussi, maintenant je m'en rends compte, en harmonie avec sa tenue vestimentaire — violet.

Nous nous échangeons des *Good bye, good bye* d'adieu, accompagnés de hochements de tête et je sens que le regard de Jackito Kavalkanti se vrille sur mes fesses tandis que je me dirige vers la route.

Suant et transpirant, lâchant même de petits pets d'effort, j'avance en me tordant les pieds sur mes onéreuses plateformes. Ma joie triomphante d'avoir réussi à les duper se mêle à de fugitives images de retrouvailles imminentes, mais elle est bien vite mise en berne par la possibilité qu'il puisse s'agir de quelqu'un d'autre, qui n'aurait rien à voir avec lui. Qui sait combien il y a de Taro Okazaki dans le monde ? Il suffirait d'un de trop.

Mais je ne suis pas femme à me laisser abattre par le désespoir, d'autant que quoi qu'il arrive, voilà déjà mon corps pesant lancé dans une aventure. Rien que ça — ça en vaut la peine. En avant Lily, nous ferons et nous verrons, me dis-je, adaptant la Bible à mes propres besoins.

Ce n'est qu'une fois arrivée sur les gravillons du bas-côté de la sombre route que je comprends, les yeux braqués sur les phares des voitures qui me dépassent filant comme des météorites, que je n'ai aucun moyen de retourner en ville.

Sachez-le car c'est une règle : nous, les hygiénistes, sommes des créatures de jour et de lumière. En tant que digne représentante de ma profession, je n'ai pas d'attirance particulière pour la nuit, et c'est pourquoi la nuit déploie tous ses charmes pour me séduire (oh, le froid pouvoir de l'indifférence !).

Soudain une voiture ralentit puis freine à ma hauteur, écrasant les graviers dans un inquiétant crissement. Une voix qui appartient à un visage que je ne distingue pas lance victorieusement, « je savais que ça finirait comme ça, alors je me suis dit, je vais passer pour voir ce qu'elle devient. Allez, montez, montez, je vous ramène ».

Malgré tout le respect que je lui dois, je mets un point d'honneur, en dépit de la grande incertitude qui règne sur mon sort en ce moment précis, à articuler de ma voix la plus plate, « merci beaucoup, Mikhaëla, mais je préfère ne pas monter avec vous, ça me coûtera moins cher d'acheter une voiture ».

Le taxi avance de quelques mètres, puis je vois la tête blonde émerger par la fenêtre ouverte.

« À quoi vous jouez ? Allez, montez, je vous prends gratos, de toute façon, c'est dans ma direction. »

Jeu ou pas, j'ai toujours su faire ma tête de mule et je susurre, « c'est gentil, mais non merci ».

Si ce n'est qu'elle aussi est une sacrée entêtée.

« Arrêtez, franchement, qu'est-ce qui vous prend ? Allez, montez, je vous dis. Quoi, vous voulez rester ici toute la nuit ? Une jeune fille seule au bord de la route ? Les Arabes peuvent vous attraper, les gars du Hamas. Ils vont vous violer, vous couper en morceaux et vous mettre dans un sarcophage. Et après, c'est moi qui l'aurai sur la conscience.

— Depuis quand avez-vous une conscience, Mikhaëla ? » — désolée, mais je n'ai pas pu me retenir.

« Et à part ça, il n'y a pas cinq enfants affamés qui vous attendent à la maison ?

— Qui m'attendent ? Morann, mon soldat, a commandé des pizzas, maintenant ils sont tous en train de regarder Schwarzenegger sur le câble. Ils se débrouillent très bien sans moi, Dieu merci. »

Indubitablement, la compassion est la qualité féminine qui nous a foutues dans la merde tout au long de notre histoire. Comment expliquer, sinon par la légère tristesse qui filtrait dans la dernière phrase de Mikhaëla, que j'aie fini par me fourrer, en maugréant un « bon, allez, d'accord », sur sa banquette arrière ?

Elle conduit dans un silence fier, comme quelqu'un qui a parfaitement conscience de la valeur de sa bonne action et n'a besoin ni de confirmation ni de remerciements. Je me souviens tout à coup que je n'ai pas donné de destination à ma drôle de sauveuse. En entendant le nom de l'hôtel, sa nuque se réveille et son rétroviseur manque d'éclater tant son regard brille de curiosité.

« Le Dan Panorama ? Qu'est-ce que vous allez chercher là-bas à une heure pareille ? »

Une incontrôlable envie de frimer supplante la retenue britannique que je m'étais imposée jusqu'à présent.

« Je passe juste voir un ami. Quelqu'un avec qui j'ai eu une aventure il y a douze ans. Un homme merveilleux.

— Et vous ne l'avez pas revu depuis ? »

Je tire mon lip gloss de mon sac. Le passe sur mes lèvres tout en essayant de m'examiner dans le rétroviseur que son regard sceptique emplit intégralement.

« Exactement.

— Alors pourquoi est-ce que vous êtes tellement contente ? »

Je sens qu'elle veut me mener quelque part où elle pourra me faire partager une théorie bien à elle.

« Comment ça ? Ce n'est pas tous les jours qu'on retrouve un amour de jeunesse. » Je frotte mes lèvres l'une contre l'autre pour répartir le rouge.

« Et qu'est-ce que vous allez y gagner ? poursuit-elle, sans masquer son intérêt.

— Pourquoi devrais-je y gagner quelque chose, Mikhaëla ? On ne doit pas systématiquement gagner quelque chose. À part ça, c'était un super-coup, ce mec. » En tant que fidèle rejeton de ma génération et de mon époque, je suis profondément convaincue que prononcer les mots de « super-coup » est synonyme de bonne santé mentale et, plus généralement, que cela indique l'indice de tes chances de réussite dans la vie. Et je conclus avec un regard qui signifie clairement que « super » est un euphémisme par rapport à ce qui s'est réellement passé.

Mikhaëla poursuit son offensive.

« Mais comment vous pouvez savoir qui vous retrouverez aujourd'hui ? Peut-être qu'il est devenu abject, ou un gros nounours. Douze ans, c'est long. Peut-être que, maintenant, il ne vous plaira plus du tout ? Et peut-être que vous ne lui plairez plus ? »

Difficile de dire qu'il n'y a pas au moins une once de vérité dans ses paroles. D'ailleurs, ces sortes de craintes me sont aussi passées par la tête, mais rien à faire, elles ne deviennent vraiment tangibles que lorsque quelqu'un vous les énonce à haute voix, qu'elles vous sont balancées par une bouche extérieure. Je n'ai cependant pas du tout l'intention de me dévoiler à cette étrangère.

Je hausse les épaules et déclare :

« Au pire, il ne se passera rien. Et entre nous, moi aussi, je suis devenue un gros nounours.

— Effectivement, c'est un sujet qui mérite réflexion », m'accorde tout de suite cette salope.

Je me tais comme pour la défier, tourne mon regard vers la vitre. Elle a raison, cette Mikhaëla. C'est un sujet qui mérite réflexion. Depuis notre rencontre historique, je me suis épaissie de pas mal de kilos. Quelques mois avant ma mobilisation, j'avais reçu une lettre officielle dans laquelle on m'expliquait que, compte tenu du trop grand nombre de filles de ma promotion, il avait été décidé de n'enrôler dans l'armée que les plus aptes au service. Vu mon surpoids qui, sans aucun doute, risquait d'affecter mon parcours militaire, je pouvais me considérer comme exemptée du devoir de servir ma patrie, et ce sans qu'aucun critère négatif ne soit consigné dans mon dossier personnel.

Au début, je n'en avais ressenti que du soulagement, mais au fil du temps, force me fut de reconnaître que chaque jeune femme en uniforme militaire que je croisais éveillait en moi une insistante curiosité. Dans la rue, aux endroits où les soldats faisaient du stop, dans les transports en commun, je me tordais le cou afin de détailler les silhouettes enveloppées d'uniformes kaki, les coiffures tirées vers l'arrière ou la fierté de la démarche, je m'efforçais de deviner la courbure de telle ou telle jeune cuisse qui descendait jusqu'à devenir cette cheville sortant de la chaussure noire et sévère que j'entrapercevais.

Mais jamais je ne me suis laissé enfermer dans la solitude qui peut facilement devenir le lot quotidien des personnes en surpoids dans notre société, j'ai refusé les frontières du ghetto, les craintes, le mépris de certains, la méfiance des autres. Je suis une belle femme, j'ai grandi avec cette certitude et n'ai jamais envisagé de perdre l'assurance que cela me donnait — sans cependant me laisser leurrer grossièrement par moi-même.

Un individu peut éventuellement refuser d'assumer les conséquences de sa différence lorsqu'elles sont imposées par les autres, mais que faire lorsqu'elles viennent de quelqu'un comme Amikam ? C'est la deuxième fois de la soirée que surgit le souvenir de notre horrible rupture — une fois de trop ! Amikam, le plus homme des hommes, qui jamais ne s'était plié à une idée reçue ou à une mode quelconque, lui qui aimait chaque recoin de mon corps — cela je le sais car il y a des choses qui ne trompent pas —, oui, cet Amikam-là refusa de me prendre pour épouse parce qu'il avait soudain ressenti ma corpulence comme une menace qui ne pouvait qu'être le symptôme de quelque maladie ou perversion fondamentales en moi, l'expression de besoins et de désirs qu'il ne pouvait pas contrôler.

Mais pourquoi aller chercher l'armée ou Amikam ! N'ai-je pas, moi-même, constaté la force enchanteresse de la beauté qui émane d'un corps maigre, n'ai-je pas été étonnée un nombre incalculable de fois par la violence de la réaction du commun des mortels (généralement inquiets, préoccupés et renfermés sur eux-mêmes), en voyant Ninouch par exemple ? Et est-ce que la beauté retrouvée de maman, une beauté émaciée et à nouveau lisse, qui lui avait coûté des dizaines de milliers de francs suisses, n'a pas rendu fou Poldy Rosenthalis et, pire encore, ne l'a pas, elle-même, rendue folle ?

Non, indéniablement, je ne suis plus la même jeune fille grande et bien en chair que Taro Okazaki avait rencontrée dans l'avion pour New York. Les années écoulées ont apposé leur sceau. Et de la même manière que chez les autres, le creusement des premières petites rides de chaque côté du nez et entre les sourcils annonce la maturité à venir, incluant la somme des expériences vécues et les fluctuations de la pensée et des sentiments, chez moi, ce sont les kilogrammes ajoutés qui expriment le poids de ce que j'ai vécu ces douze dernières années.

Je me rends soudain compte que ma conductrice est en train de me raconter quelque chose de très personnel et qu'elle a interprété mon silence de ces dernières minutes comme la marque du grand intérêt que je porte à la description qu'elle me fait de la flétrissure de son play-boy, « ... environ deux ans après le divorce. Attendez, que je réfléchisse exactement, je vais vous le dire tout de suite, à mon avis c'était en quatre-vingt-quinze, attendez, Méïr venait d'ouvrir son magasin d'électricité et de gadgets à Manhattan, il commençait là-bas. Je m'en souviens, parce que c'était l'époque où il envoyait aux enfants toutes sortes de conneries du magasin, des appareils photo, des sèche-cheveux, des porte-clés, des stylos avec l'Empire State Building, ces presse-papiers avec du liquide à l'intérieur, vous savez, ces trucs qu'on

153

secoue et ça fait comme de la neige qui tombe sur la statue de la Liberté... C'était peut-être en quatre-vingt-seize, il me semble que nous avions tout juste fêté les onze ans de Morann. J'avais fait venir un magicien qui, par accident, a tué son lapin. Eh bien mon Morann, écoutez ce que c'est qu'un enfant sensible, il a essayé de lui faire du bouche-à-bouche à ce connard de lapin, maudit soit-il. Et le magicien, il restait là, debout, sans remuer le petit doigt, et quand je lui ai dit, "excusez-moi, mais je ne vais pas vous payer pour un spectacle aussi nul", vous savez ce qu'il m'a répondu ? "Ce sont les risques du métier." Eh ben moi, avec un spray pour dégraisser le four, je lui ai couru après ! Jusqu'au rez-de-chaussée ! Et je vous assure que là, il détalait. Et ne me demandez pas le choc que ça a fait aux enfants. Ortal, ma petite dernière, pendant deux semaines elle a crié toutes les nuits "maman ! maman !" et les grands, ça les a drôlement déçus, qu'est-ce que vous croyez. Ou alors, c'était un an avant sa bar-mitsva ? Merde, c'est dingue quand même, j'arrive pas à me rappeler l'année... un instant, ça va me revenir...

— Vous ne vouliez pas plutôt me parler de votre rencontre ? » Si j'ai interrompu son flot de paroles, c'est davantage par réflexe que par réelle envie d'entendre ce que son expérience peut m'apporter. Les quelques bribes qui se sont faufilées dans mes pensées intimes me laissent deviner qu'il s'agit d'une relation renouée avec un ancien amant et qui s'est mal terminée.

« Je l'ai retrouvé au ministère de l'Intérieur. J'y allais pour mon passeport, parce que le mien avait disparu, vous imaginez, je voyage tellement à l'étranger, ha-ha-

ha ! Non, je déconne. Bref, je prends un numéro et je m'assois pour attendre mon tour. Avant de monter, j'avais acheté chez le Géorgien du coin un sandwich au fromage et une canette de cidre. J'attends, tranquillos. Tout à coup, je me rends compte qu'il y a un type qui me regarde. Au début, j'ai cru que c'était juste parce qu'il s'ennuyait et n'avait rien de mieux à faire et puis, tout à coup, je me dis que je le connais, mais là, franchement, j'arrivais plus à savoir d'où. Et lui, il s'approche, "excusez-moi, vous ne seriez pas machin machin ?" et il donne mon nom de jeune fille. Je le regarde, encore et encore, et tout à coup, je vous jure, Mikha ! C'était Mikha Shaashoua ! Et ce Mikha, c'était mon petit copain quand on était en quatrième, au collège ! Qu'est-ce qu'on s'est aimés ! Comme des gosses, mais à ce qu'on dit, ce sont les amours les plus forts. On nous appelait Mikha et Mikhaëla. Même les prénoms collaient ensemble. Je me souviens qu'une nuit on les a bombés sur le mur de la salle de gym, comme ça — Mikha et Mikhaëla, dans un cœur, évidemment.

« Bref, on discute, ça nous fait quelque chose, quand même. Et on décide de se revoir. Il avait sacrément pris du ventre et il était tout chauve, son crâne bronzé ressemblait à une tortue, mais bon, à part ça, ça allait. Il était devenu promoteur immobilier. Marié, trois enfants. On échange nos numéros de téléphone, et à peine quelques jours plus tard, le voilà qui rapplique chez moi avec des fleurs, des renoncules multicolores, super-belles, on boit un peu, on parle un peu, j'avais envoyé les gosses chez leurs copains, et allons-y, en avant, on baise sur le canapé, papouilles, léchouilles, tout le bazar, la passion, comme au cinéma. La tortue s'est bien démenée, et moi, franchement, je l'ai pas lésé non plus, bref, l'amitié mon cul, c'est l'amour qui rejaillit.

« Et nous voilà embarqués dans une vraie liaison. Un peu compliquée, parce que aucun de nous deux n'a de temps, mais on se débrouille. Moi, comme vous le voyez, je suis divorcée, je fais beaucoup d'heures sup avec le taxi, à la maison j'ai les gosses, surtout qu'à cette époque ils étaient petits. Et lui aussi a ses problèmes. On n'était plus des jeunots, on avait chacun une vie organisée jusque dans les moindres détails. Alors on se parlait au téléphone, de ces conversations ! Ne me demandez pas, au début on avait encore un peu honte, mais après on s'est lâchés, on a commencé à s'envoyer de ces crasses ! Lui, ces choses-là, ça l'excitait drôlement, il me demandait de lui décrire des trucs, et maintenant avec ça et avec la main, lui pendant ce temps, il se masturbait, je l'entendais jouir et franchement ? eh ben, à moi aussi, au début, ça me faisait quelque chose. Nous rencontrer, on y arrivait difficilement une fois par semaine. Il était mordu, je vous dis pas, alors il a commencé à me mettre la pression, à parler de quitter sa femme, et moi, tout ça, ça m'a plutôt fait flipper, parce que, imaginez-vous, il était exactement à l'âge où les mecs commencent à déconner et se tirent avec leur première amoureuse, où ils recommencent à se chercher, ben oui, qu'est-ce que vous croyez qu'il a fait, mon connard de Méïr ?

« Bon enfin, pour moi, c'était un bon arrangement, je vais pas mentir. J'avais la baise et le sentiment, ça vous repose, j'avoue que c'est pas désagréable ! Mais lui, lentement, il a commencé à me faire des reproches : pourquoi est-ce que j'avais pas plus de temps pour lui ? Pourquoi, pendant qu'on avait une conversation érotique au téléphone, il entendait des bruits de casseroles ? Pourquoi est-ce qu'en même temps je faisais la cuisine ou la lessive ? Il voulait plus d'amour, plus de romantisme. Que je fasse un peu plus d'efforts, un dîner aux chandelles, un joli vêtement. Après, il a commencé à me demander pourquoi mes gosses étaient toujours à la maison et pourquoi ils allaient se coucher si tard. Moi, j'ai fini par lui dire, "qu'est-ce que j'y peux, Mikha, désolée mon petit cœur, je ne savais pas que j'allais te rencontrer alors j'ai vécu ma vie, j'ai fait des enfants, qu'est-ce que tu veux, que je recommence en marche arrière, c'est quoi, un taxi ?". Mais lui, il continuait à trouver que ça manquait de sentiment. Et puis, ces conversations érotiques au téléphone qui n'arrêtaient pas, moi, comme vous le voyez, je suis tout le temps dans mon taxi, alors bon, comme ça, avec un kit mains libres, ça m'était égal, et je lui faisais, "maintenant je me masturbe, haaa, maintenant je suce ta grosse bite, maintenant tu me pénètres", et toutes ces conneries, mais parfois, si un client montait, alors là, j'étais obligée d'arrêter, et lui, il se retrouvait la queue dans la main et ce n'est pas une image.

— Comment ça s'est terminé ? » Le ton apathique de ma voix tempère quelque peu son enthousiasme.

« Ça s'est terminé. À un moment, j'ai été opérée des hémorroïdes, un truc un peu compliqué, j'en ai depuis que je suis gamine. Le jour où je rentre de l'hôpital, il me chope sur le chemin de retour, j'étais assise sur la

157

banquette arrière d'un taxi — pour changer —, je suis
là, toute faible et toute pâle, pourquoi, parce que je suis
sortie deux jours plus tôt que prévu à cause des enfants,
il y a des limites aux services qu'on peut demander aux
voisins. Et tout à coup, le téléphone. C'est mon Mikha,
qui ne s'est même pas fendu d'une visite à l'hôpital. Je
lui avais dit que c'était pas la peine, mais quand même,
on peut insister, non ? Il me lance un rapide "comment
tu vas ?" et il commence tout de suite, "qu'est-ce que tu
portes ? T'as envie de coucher avec moi ? Tu veux que je
te baise ?". Et moi, comme ça, avec une toute petite
voix, pour que le chauffeur n'entende pas, je lui fais,
"oui, oui". Et il continue, "que je t'encule ?", alors là, ça
m'a énervée, je lui ai dit, "j'ai des hémorroïdes dans le
cul, monsieur, ça risque de pas être très plaisant, tu vas
te retrouver plein de sang et va savoir quoi encore", lui,
du coup, il me la joue vexé, "bon, tu veux quoi,
Mikhaëla ?", alors moi, je lui ai répondu, "de toi, plus
rien", et je lui ai raccroché au nez. Assez. Ça suffit. Vous
savez pourquoi les gens deviennent junkies ? Personne
ne se dit au début qu'il a envie de devenir junky, non,
c'est parce qu'on essaye de retrouver la première sensation. C'est pour ça. Sentir encore une fois ce qu'on a
senti au premier trip. Mais de première fois, il n'y en a
qu'une. C'est comme ça. »

Je plaque ma joue contre la vitre. Sur le trottoir
éclairé qui longe le centre commercial du Gan haIr, je
distingue un homme et une femme. Élégants, ils ont la
trentaine, la main de l'homme, tranquillement posses-
sive, est posée sur la hanche de sa compagne. Elle lève
un bras qu'elle baisse aussitôt, déçue — le taxi est

occupé. L'homme lui dit quelque chose, elle rit et tourne vers lui une bouche peinte en orange qu'il essaie d'embrasser mais elle l'esquive, préservant intact son rouge à lèvres. En un quart de seconde, ma décision est prise et je lance à Mikhaëla, « arrêtez-vous. Arrêtez-vous là, s'il vous plaît ».

Elle obéit mécaniquement. La question ne vient qu'après, « mais... et l'hôtel ?

— J'ai changé d'avis. »

Elle se gare si maladroitement que derrière, toute une file de voitures klaxonnent. Passant outre à ses injonctions, je commence à avancer vers la place Rabin, aspirant à retrouver ma solitude familière qui, comme de la soude, arrive toujours à dissoudre les difficultés. Mais Mikhaëla se précipite à ma suite, me dépasse puis s'arrête face à moi.

Je peux à présent constater qu'elle est plus grande que moi. Le décolleté de son tee-shirt dévoile de solides clavicules et des salières bien creusées. Elle a une taille souple et trop étroite pour ses hanches « méditerranéennes » — voilà un point que nous avons en commun —, son jean se bombe sur un ventre qui a connu plusieurs grossesses. Elle dégage une force femelle, simple, habituée à l'effort soutenu. Je capte le parfum de son déodorant qui se mêle à de la transpiration récente et aux odeurs urbaines, de toute façon, comment peux-tu sentir bon dans cette horrible ville ?

« Qu'est-ce qu'il y a, vous renoncez ? C'est à cause de ce que j'ai dit ? » Elle m'a lancé sa question comme un reproche, mais j'ai déjà compris que chez elle, sous son ton de défi, se cache une culpabilité maladive qui n'aurait pas fait honte à Woody Allen en personne.

Je rétorque, « n'exagérez pas le poids de ce que vous racontez, Mikhaëla », avant d'essayer de la dépasser. J'en ai marre, tout ce que je veux, c'est m'en aller, respirer. « Je renonce tout simplement parce que je n'en ai plus envie. Maintenant, poussez-vous et laissez-moi passer, d'accord ? »

Elle m'attrape par les épaules. Sa peau épaisse brille, piquée de larges pores. Avec un tel épiderme, se balader dans le monde ne doit pas être bien compliqué. Ses yeux, pas très grands, sont très enfoncés et ils ont une étrange couleur, vert fluo, comme les kiwis. Je les vois scintiller vers moi sous des sourcils symétriquement épilés.

« Non mais, ça va pas la tête, vous déconnez ou quoi ? C'est vous qui donnez de l'importance à tout ce que je raconte. Moi, ma bouche, elle trie pas, elle fait des heures supplémentaires, mais vous et moi, c'est pas la même chose, moi, je suis déjà hors course pour ce genre d'aventure, alors je cause, c'est que, mine de rien, j'ai presque quarante-six ans, mais vous, vous êtes jeune, regardez-vous, vous avez un visage de poupée, je vous jure, une peau de top-modèle, sans parler de cette robe que vous avez mise ! C'est pas dommage de la gâcher ? Dans ce monde, chacun a son histoire. C'est vrai, j'avoue que pour une partie des gens ça marche mieux que pour d'autres, vous le savez aussi bien que moi... mais bon, ce qui m'est arrivé — m'est arrivé — et ce qui vous arrivera — vous arrivera. Venez, je vous emmène, allez retrouver votre beau gosse et bouffez-le à la petite cuillère. »

160

Malgré le mépris que m'inspire l'attirance que j'éprouve pour la chaleur qu'elle dégage, je ne bouge pas et la laisse continuer à parler. Sans vraiment prêter attention au sens de ses mots, je m'abandonne à leur sonorité bienveillante. Étrangement, ce sont justement les expressions vulgaires comme « bouffez-le à la petite cuillère » ou « beau gosse » qui enclenchent le mécanisme lové à l'endroit où se rejoignent mes cuisses. Un temps pour jamais, un temps pour tout de suite. Sous mes yeux apparaît un cornet de glace à la vanille, avec, au sommet, Taro, posé dans toute sa nudité hâlée tel une stalactite de sirop d'érable, que je ramasse avec précaution dans une cuillère en argent et introduis dans ma bouche.

Un temps pour l'arrondi, un temps triangulaire
Un temps pour l'écuyer et un temps pour la reine

Ma sortie théâtrale du taxi commence à me paraître ridicule et puérile. Alors, et bien que j'aie déjà changé d'avis, je laisse Mikhaëla s'escrimer encore quelques minutes puis enfin arbore l'expression de quelqu'un qui n'accepte que parce que les supplications de son interlocuteur l'ont touché et qu'il n'en peut absolument plus, et je retourne vers le taxi abandonné portières ouvertes.

Mikhaëla, qui marche à côté de moi, me donne une légère tape dans le dos.

« Une bonne baise, ma beauté, faut pas y renoncer comme ça, trop facilement. Surtout que la majorité des hommes pensent que le clitoris, c'est une pièce de rechange pour bagnoles. Alors même s'il est devenu une grosse patate... »

Le reste du trajet se passe dans la bonne humeur. Mikhaëla, encouragée par sa force de persuasion, ne cesse de lancer des blagues sur le divorce et les préjugés des gens, mais moi, je préfère me transporter dans un monde d'optimisme limpide, comme si l'épisode de la place Rabin, anéantissant mes dernières angoisses, ne m'avait laissée qu'avec l'attente, l'espoir.

Lorsque le taxi arrive à destination, c'est avec une impatience qui lui cause une déception non dissimulée que je prends congé.

« Allez, au revoir, Mikhaëla, et merci ! »

J'agite encore la main en pénétrant dans l'entrée illuminée de l'hôtel et me hâte de traverser le hall, enivrée par une émotion qui bat en moi avec une puissance renouvelée. Même la surprise du réceptionniste devant les rondeurs de l'invitée de M. Okazaki n'arrive pas à éteindre l'éclat des chandelles qui brillent dans mes pupilles lorsqu'il me dit, « Okazaki, suite numéro 2007. Vous êtes attendue ».

Dans l'ascenseur, j'ai du mal à garder une conventionnelle expression fermée, je manque de sourire à deux vieilles Américaines aux cheveux bleus qui se pressent dans un coin, vrille mon regard sur la lumière du numéro d'étage qui grimpe de plus en plus haut, je fonce dans le couloir, mes pas sont délicatement absorbés par le tapis et enfin je m'adosse au mur à côté de la porte indiquée, les pensées se pressent dans mes tempes au risque de les faire éclater — et si ce n'était pas lui ? Et si c'était lui, que dire ? Se souviendra-t-il de moi ? Et

162

s'il ne se souvenait pas de moi — comment est-ce que je m'en tirerais ?

Et voilà qu'une autre pensée sourd en moi, aussi dangereuse et faussement innocente que le serpent qui tend la pomme vers mes lèvres entrouvertes de désir : et si on tombait amoureux ? Oui, si simplement on tombait amoureux... alors, soudainement, sans effort, la vie ne poserait plus le moindre problème, tout serait résolu par un amour que j'attendais depuis que j'étais goutte, fœtus. Par un amour qui avait donné son premier signe dans les toilettes de la classe affaires, à tant et tant de pieds au-dessus de la mer et qui, ensuite, avait essayé en vain de jaillir, tel un faible poussin enfermé dans une coquille trop épaisse.

Les visages des hommes de ma vie, du premier au dernier, défilent devant mes yeux, exactement comme ce jour où on a été, Ninouch et moi, faire le test du sida à l'hôpital Ichilov. Je me souviens aussi comme je fantasmais sur ce fameux épisode des toilettes en inox de la classe affaires, me le reservant quand j'étais avec des amants décevants, m'en consolant les nuits de télévision, de boulimie, de tristesse urbaine, les nuits de climatiseurs morts.

Si seulement Ninouch était avec moi, j'aurais pu me délester un tant soit peu du poids de mes sensations — elle est douée, par sa concentration aux yeux transparents, pour remettre les choses à leur place. Mais telle est la situation, c'est l'heure, c'est la porte, et avant d'avoir décidé de frapper, je frappe.

Toc, toc, toc.

Un temps.

Et de nouveau — toc, toc, toc.

L'attente tempère ma fébrilité.

Lorsque la porte s'ouvre et révèle l'homme qui est derrière, ma voix est presque posée.

« Salut, Taro. C'est moi, Lily, tu te souviens ? »

Les incontournables moments d'éclaircissement. La perplexité de ses yeux. Un vol pour New York ? Quand exactement ? Il s'excuse, il a une très mauvaise mémoire des visages. Un abominable défaut. Proust ? Du champagne ? Il doit être vraiment sénile. Un instant. Un instant. Mon Dieu, mais quel idiot il fait ! Bien sûr qu'il me reconnaît. Lily ! Quelle étrange surprise, mon Dieu, ça fait combien de temps ? Douze ans, non ? Simplement, il était à des lieues de penser que... il attendait quelqu'un pour son travail, un coup de téléphone l'avait justement... Peu importe, mon Dieu, Lily !

« Taro, Taro, Taro », je m'embrouille dans des explications affolées, bafouille dans un anglais qui s'écrase, mais je veux vider l'espace qui m'entoure de tout malentendu afin de laisser la voie libre à l'émerveillement retrouvé qui circule entre nous. Je relate le programme froissé, ma rencontre avec Néfertiti et le nain amiral, mon mensonge fortuit sur les tigres qui a été très sérieusement pris en compte.

« Et c'est comme ça que je me retrouve ici, comme tu vois. »

Son visage s'ouvre lentement, assimile mes paroles et devient un paysage de cerisaie en fleur.

« Oh, maintenant je comprends. Mais pourquoi restons-nous là, coincés sur le seuil ? Lily, s'il te plaît, entre, et excuse le désordre, c'est que... ah, qu'est-ce que ça change ? Assieds-toi, ou plutôt non, laisse-moi d'abord te regarder. *Jesus*, Lily, tu es tellement... femme. »

Nous tombons enfin dans les bras l'un de l'autre.

Tandis que, enfoncés dans les fauteuils de la pièce, nous sirotons du cognac Martel, moi dans une tasse à café lavée pour l'occasion dans le lavabo de la douche, et lui, mon hôte si délicat, directement à la bouteille déjà à moitié vide, je prends le temps de regarder autour de moi.

Même à la lumière jaune de la lampe posée sur la table (une chaussette se pâme dessus), on peut voir que ce n'est pas sans raison qu'il s'est excusé du désordre : la pièce ressemble à un champ de bataille dévasté. Posé sur le bureau tel un général vaincu, il y a un vase avec un immense bouquet de roses blanches fanées dont les pétales pourrissants sont tombés sur une pile d'assiettes sales. Partout gisent des cadavres de vêtements froissés, des fosses communes de papier thermique. Des dizaines de paquets de cigarettes vides béent en un cri édenté, des bouteilles d'alcool ont roulé sur les meubles, et les tapis ressemblent à des soldats trucidés. Par l'embrasure de la porte de la chambre à coucher éclairée, le lit a l'air tellement défait que je me demande si les fauves que dompte monsieur l'administrateur n'ont pas participé à cette révolution, à l'instar des éléphants de Hannibal lorsque ses troupes traversèrent les Alpes. La porte coulissante de la terrasse est ouverte et dans l'obscurité, on peut sentir l'haleine humide de la mer.

Au centre de cette nature morte de dévastation se dresse une Samsonite blanche suggérant un départ imminent, et une autre valise identique, mais complètement renversée, s'offre au pied du canapé.

Et qu'en est-il de Taro lui-même, que reste-t-il de lui, de ce garçon sérieux aux sourcils sévères ? Où est Momotaro Okazaki au léger tremblement de doigts et à l'énergie retenue qui ne se dévoilait que par un éclat métallique entre les cils ? Où se cache ce lionceau aristocrate prêt à entrer dans l'âge adulte ?

Eh bien, il a disparu sous la splendeur humaine qui est confortablement installée dans le fauteuil en face de moi. En dépit de son costume clair aussi froissé qu'un accordéon et de la chemise en soie trop grande, boutonnée de travers, qui pendouille négligemment sous la veste, je note douloureusement que jamais mes yeux ne se sont posés sur un homme aussi beau que monsieur l'administrateur de la ménagerie des fauves.

Le changement qu'il a subi s'apparente à ceux que l'on attribue généralement aux femmes : un petit laideron rachitique, aux coudes et aux genoux cagneux qui, après la puberté, renaît sous les traits d'une Vénus de Botticelli locale. Le manque de concordance entre les deux parties de son visage n'existe plus. De même qu'a été effacée toute trace de ce côté mal dégrossi qu'il avait, jusqu'à l'aplati asiatique qui est devenu beaucoup plus harmonieux, a pris de la profondeur et s'est enrichi de reliefs sur lesquels les jeux d'ombre et de lumière modèlent un portrait d'homme nimbé d'une beauté hollywoodienne, divine.

Ses épaules et sa poitrine dégagent une assurance paresseuse. Ses membres, totalement relâchés, se prélassent de part et d'autre du fauteuil tels les tentacules d'une pieuvre, il y a quelque chose de trompeur dans cette image, comme s'il avait plus d'une paire de bras et de jambes. L'ancienne brosse soyeuse de ses cheveux s'est transformée en une longue vague qui ruisselle jusqu'en bas du cou, et les cheveux eux-mêmes, merveilleusement bien coupés, scintillent, lisses, de leur parfaite longueur tel un lac dont les reflets noirs et indigo répondent à la lumière de la pleine lune. La mèche rebelle qui ne cesse de tomber sur son front étroit ne cesse d'être renvoyée vers l'arrière dans un geste agacé de « ça suffit ». Il m'examine de son regard traînant. Ses yeux bridés à la Mickey Mouse avec leurs larges paupières, le menton aux traits insistants, tout s'est raffiné, a acquis une dimension universelle, évidente. Je sens même une morsure de jalousie — c'est moi, moi la première qui l'ai découvert alors qu'il n'était encore qu'un petit singe, qu'il fallait encore un œil aiguisé et toute la passion de la jeunesse pour reconnaître et couronner cette beauté.

Mais ce qui me frappe, ce qui contient toute l'essence du changement produit chez mon ami, c'est sa bouche. Ou, plus exactement, ce qui avait été sa bouche — cette paire de lèvres charmantes et épaisses qui veillaient alors sur une expression retenue —, cette bouche est devenue avec les années une brutale piqûre de scorpion, dépravée, hurlant la splendeur de son existence tel un temple shinto en flammes.

« Eh bien, est-ce que le spectacle t'a plu ? demande cette bouche.

— Mais c'est justement là tout le problème, Taro, je n'ai rien vu. Je suis arrivée en retard ! C'est-à-dire que Ninouch a été retardée et moi... » Sans m'en rendre compte, je me lance dans la description de la situation de Ninouch, j'explique pourquoi elle n'a pas pu venir, je décris sa vie, son décalage, ses rapports avec Léon, puis je passe à Léon lui-même, son argent, sa maison, ses meubles de grande valeur. Je me sens mue par un incontrôlable besoin de parler d'elle, comme si elle faisait partie intégrante de ma vie, un membre de mon corps. J'approfondis, je rallonge, je rajoute des flash-back, détaille son travail chez Tchinguiz Magometov. Je sais que ce flot de paroles, l'évocation de sa biographie aux multiples rebondissements me sert à détourner notre attention, à remplir l'espace avec des mots, de crainte qu'entre nous ne se creuse un puits d'embarras qui viderait notre rencontre de son sens et nous laisserait face à la vérité nue : deux étrangers qui se sont brièvement effleurés dans le passé et se retrouvent dans une tentative artificielle de raviver la grâce et l'intimité fortuites d'autrefois.

Par miracle, cette étrange conversation coule avec naturel. Mon hôte m'écoute, très intéressé, pose des questions, clarifie certains points. On dirait que le personnage de Léon l'interpelle tout particulièrement. Il veut en savoir plus sur ses goûts extravagants, son obsession à s'entourer de beau et d'original. Je réponds volontiers et exhaustivement, d'autant que ces questions me travaillent depuis longtemps et que je n'ai jamais eu l'occasion de les partager. Dire que là, en face de moi, le héros de ma jeunesse est assis en train de déguster du cognac et que rien ne semble le mettre plus en joie que de me donner l'occasion de me délester de mes problèmes ! J'aurais pu continuer ainsi pendant des heures, mais soudain il change de position, pose la bouteille entre ses pieds, se penche vers moi, son regard souriant me ferme la bouche, nous nous enfonçons dans un silence commun, chacun examine le visage de l'autre... jusqu'à ce que je ne puisse plus supporter l'inquisition de ses yeux arrogants et que j'éclate de rire.

« Quoi, Taro ?

— Rien, Lily.

— Je parle trop ?

— Tu parles exactement ce qu'il faut.

— Alors quoi ?

— Es-tu devenue dentiste, Lily-san, comme tu le voulais ?

— Pas exactement. Presque. Et toi, es-tu devenu philosophe, Taro ?

— Pas exactement. Presque. »

Nous rions tous les deux, puis il me libère de la familiarité imposée par son regard et reprend sa position de pieuvre dans le fauteuil.

« Alors comment se sont passées toutes ces années, Lily-san ? »

À ce moment, par-delà l'ironie et la distance qui nous sépare, je reconnais cette qualité qui, il y a douze ans, m'avait donné envie de m'ouvrir à lui, une qualité qui reste rare malgré sa simplicité et qui, chaque fois que je la rencontre, me conquiert à nouveau, comme si j'y voyais la preuve formelle de la capacité des êtres humains à s'intéresser les uns aux autres au-delà de la dynamique limitée qu'impose le besoin mutuel. Il s'agit de la curiosité bien sûr, et enfin je trouve en lui un trait qui n'a absolument pas changé. Et il en possède à profusion, de cette curiosité, il en possède tout l'éventail, en commençant par la curiosité malsaine, jusqu'à l'émerveillement juvénile passif qui le laisse facilement bouche bée, et ce ne sont que ses yeux plissés de concentration qui sauvent son visage d'une expression un peu niaise. Lorsque quelqu'un te regarde ainsi, le plaisir de parler de toi brise les barrages de la gêne, tu peux jouir de dire moi moi moi sans cette crainte hypocrite de lasser. Tu te déverses librement, avec une sincérité débridée et une bonne dose d'amusement qui vient couvrir et alléger les moments de douleur inhérents à toute histoire de moi moi moi digne de ce nom.

Il n'y a qu'une chose dont je ne lui parlerai pas — c'est du sceau indélébile, tel le fer rouge dans la chair des bovins, dont m'a marquée notre rencontre. Pourquoi ne suis-je pas devenue dentiste, Taro ? Tout simplement parce que j'ai découvert que je perdais tous mes moyens devant la douleur physique d'autrui. Au début, j'ai accepté facilement le verdict, persuadée que je m'immuniserais avec le temps — n'était-ce pas d'ailleurs pour cela, entre autres, que j'avais accepté de travailler chez le docteur Boyanjo ? Mais le temps passa — ce fameux temps dans lequel on met de si nombreux espoirs — sans que l'expérience ne me serve à quoi que ce soit, sans que mon caractère délicat ne s'endurcisse. J'ai continué à m'évanouir à chaque dent arrachée comme si c'était la première fois. Et là, je dois aussi souligner que le docteur Boyanjo se révéla être un employeur irritable et incompréhensif, même si je sais que je ne peux pas lui jeter la pierre : qui se serait montré indulgent s'il avait été obligé de ranimer son assistante au lieu de s'occuper du patient resté la bouche ouverte et en sang ? Aucune explication, aussi logique fût-elle, n'eut d'effet sur moi, même pas le rappel du soulagement qu'apportait le traitement à ceux qui souffraient, ni la preuve de l'efficacité des piqûres anesthésiantes. Au contraire — ces piqûres m'inspiraient une phobie qui allait croissant. Dès l'instant où, debout à côté du docteur Boyanjo, je voyais la seringue approcher des gencives roses et dénudées de quelqu'un, je pâlissais, une nausée montait dans ma poitrine, de minuscules éclairs zébraient ma vue, ma tête tournait et, avant de m'évanouir, je n'avais que le temps de m'agripper désespérément aux dernières brides d'une réalité qui s'éloignait.

Et que dire de soins moins agréables comme les opérations de paradontologie ou le percement d'abcès ? S'il fallait déposer des vieilles couronnes sous lesquelles s'étaient développées des infections, les exhalaisons putréfiées me projetaient en arrière comme si un soldat m'avait donné un coup et j'entraînais avec moi la pompe à salive que j'étais censée, dans le cadre de mes fonctions, maintenir dans la bouche du sujet.

Par malchance, Boyanjo avait une main plutôt brutale qui, par nature, correspondait beaucoup moins à la stomatologie qu'à la chirurgie orthopédique. Il se débrouillait toujours pour faire mal aux patients, même s'il ne s'agissait que d'un simple plombage ou d'une

172

innocente radio de la mâchoire. Ses premiers espoirs de voir passer ma sensiblerie — qu'il avait prise pour un phénomène naturel et passager, connu aussi chez les étudiants en médecine aux débuts vacillants dans les morgues et les salles d'autopsie — se révélèrent rapidement déçus. Tous les petits chocs qui me secouaient refusaient de se cristalliser en un seul endurcissement rassurant et serein. Plus le temps passait, plus je devenais sensible et vulnérable et je blêmissais, me couvrais de sueur bien avant que le dentiste n'ait introduit la roulette bourdonnante dans la bouche ouverte.

Pour comble de souffrance, nous ne voulions, ni moi ni le docteur Boyanjo — chacun pour des mobiles qui lui étaient propres —, mettre un terme à notre pitoyable collaboration, moi par refus de renoncer à mon rêve et à mes illusions, lui parce qu'il savait qu'il ne trouverait personne qui accepterait de travailler pour le ridicule salaire qu'il était prêt à payer. Nous étions donc tous les deux farouchement décidés à pérenniser cette relation malsaine, à l'instar de ces couples qui, enfermés dans un mariage malheureux, continuent, par sadomasochisme évident, à souffrir ensemble.

Nous aurions pu, nous aussi, continuer ainsi jusqu'à perpète, nous côtoyer journellement à la clinique, nous hocher mutuellement la tête dans un cérémonial glacé lourd de rancœur inhibée qui n'explosera jamais, évoluer dans l'espace restreint du cabinet tels des danseurs chevronnés qui évitent tout contact superflu, n'échanger que les courtes directives professionnelles nécessitées par les soins — oui, tout cela aurait pu continuer sans l'intervention bénie de grand-mère Rachélé.

« Qu'est-ce que tu envisages ? » me demanda-t-elle distraitement le jour où j'étais passée chez elle pour qu'elle me couse l'ourlet de la nouvelle blouse blanche que j'avais été obligée de me payer, vu que la première, l'originale, achetée en grande pompe à mes débuts dans le métier, refusait à présent de se fermer sur mes rondeurs. En cette période de nerfs à vif, la tension dans laquelle je me trouvais avait aussi marqué mon corps qui, comme toujours dans des situations de stress, s'était mis à grossir à tel point qu'un jour où je pris une inspiration trop profonde pendant que le docteur Boyanjo sciait et polissait quelque chose d'organique dans la bouche d'une patiente à qui l'on faisait un traitement radiculaire, le bouton de ma poitrine s'arracha et atterrit droit dans le décolleté de la brave dame qui bondit, affolée, en se tenant la joue.

« De continuer comme d'habitude. Je ne me brise pas si facilement », et je tournai la tête vers les yeux noirs du camarade Staline, refusant d'être confrontée à l'argumentaire soutenu par une logique de fer que grand-mère Rachélé allait étaler devant moi — ce qui, d'ailleurs, ne tarda pas.

« Mais je m'en fiche, grand-mère. J'ai décidé de m'occuper de dents, je le ferai, il n'y a même pas à en discuter.

— Alors pourquoi pas technicienne ? Tu sculpteras des dents en or ou en céramique, c'est vraiment de l'art. Tu pourras même aller te spécialiser en Géorgie !

— Très drôle. » Je lui arrachai des mains la blouse terminée et désertai le débat, mais deux jours plus tard, elle rappliqua avec l'idée massue : hygiéniste, voilà ce que j'allais devenir.

Taro est si content de mon histoire que dans son sourire pointe une langue rose que ses dents mordillent. Ses yeux brillent quand je le regarde avec le sérieux courroucé du docteur Boyanjo ou imite en roulant les « r » ses reproches aboyés, librement traduits en anglais. Il se lève pour reverser du cognac dans ma tasse vide et s'enfonce à nouveau dans son fauteuil. L'air est gorgé de nous deux, de ce doux bien-être nous entourant comme s'il faisait partie de l'éclairage qui se dore vers les coins de la pièce, partie du vent marin qui agite les rideaux, partie de l'empathie, une simple empathie humaine qui colore notre rencontre renouvelée, calme les restes de gêne initiale et nous dit avec une tranquille certitude : tout va bien.

J'en arrive maintenant à la conclusion et pour faire court je raconte qu'il apparut rapidement que l'idée de grand-mère Rachélé était un coup de génie, malgré ma première révolte et celle de papa et maman, qui se virent arracher des mains leurs derniers lambeaux d'illusions.

« Et c'est une merveilleuse profession. » Pour expliquer, je délaisse mon ton badin et m'exprime avec le sérieux qui sied à mon métier, un métier qui se révéla m'aller comme un gant, car il ne consiste pas principalement à détartrer des dents que les gens ont négligées, mais à leur expliquer quoi faire et comment s'y prendre, quelles mesures adopter et quels moyens leur permettront de conserver la propreté lisse et fraîche que je laisse dans leur bouche. Je les renvoie à leur indépendance. Pour moi, mon rôle est celui d'une éducatrice ou d'un guide, pas celui de quelqu'un que l'on consulte régulièrement pour des soins d'hygiène dentaire.

« Bien évidemment, les dentistes nous ont pris en grippe, car dès que les gens deviennent plus conscients de leur hygiène personnelle, ils ont moins besoin d'aller chez eux. Pense que nous donnons aux patients la possibilité de se débarrasser du poids des dentistes, qui, parfois, prennent une de ces places dans la vie ! » Et je termine sur cette note, à la fois fière et modeste.

Taro se hâte d'abonder dans mon sens, « les médecins sont des bouchers qui, au fil des années, ont réussi à se faire passer pour les représentants de Dieu sur terre. Ce qui fait, soupire-t-il, et il me semble remarquer une ombre passer sur son visage, que nous sommes encore beaucoup plus à leur merci que nous ne le voudrions ».

La mèche de cheveux retombe sur son front, il secoue la tête comme s'il essayait aussi de chasser quelque pensée désagréable. Il veut en savoir plus, me demande comment vont mes acteurs de parents, comment se déroule ma vie, si je suis heureuse ou au moins — satisfaite.

Je réponds presque avec obéissance, tranquillement, essayant de ne pas trop m'étendre. Je lui parle du plaisir que j'ai eu pendant toutes mes études, de la mort de grand-mère Rachélé exactement le jour où j'ai reçu mon diplôme avec les félicitations de l'université, du modeste héritage qu'elle a laissé à maman dans une banque en Suisse, un héritage employé à financer une série d'opérations esthétiques qui lui ont changé le visage, donné une beauté qui la faisait paraître bien plus jeune qu'elle ne l'était en réalité et qui, de ce fait, avaient effacé la ressemblance qui s'était créée au fil des années entre elle et papa.

Je lui raconte comment, à la suite de ce changement, elle était tombée amoureuse d'un drôle de type nommé Poldy Rosenthalis, auteur du *Lexique mondial complet de la culture yiddish*, avec qui elle était partie en Amérique du Sud.

Je lui raconte la lente déchéance de papa suite à cet abandon, son agonie silencieuse à la Maison du Troisième Âge où j'avais été obligée de le faire admettre après une crise cardiaque sur scène au milieu de *Pizza Drizza*, une chanson qu'il interprétait dans le *Cabaret des plus belles chansons yiddish de tous les temps*, une des plus grandes productions de la troupe.

Taro me couve de ses yeux chauds, dégoulinant de compassion. Je pourrais totalement m'abandonner à cette attention qu'il me porte, capitonnée, mais je m'arrête. Certes, je n'arrive même pas à me souvenir à quand remonte la dernière fois que quelqu'un s'est ainsi intéressé à ma vie, *a fortiori* un très bel homme, mais c'est peut-être cela qui tout à coup éveille ma méfiance et la sensation que mon élan d'ivresse m'a emportée trop loin. Du coup, je me hâte de lancer la balle dans son camp.

« Et toi, Taro ? Tu m'as fait asseoir ici, tu me laisses palabrer sur moi-même, et je ne sais rien de toi. D'ailleurs comment as-tu atterri dans un cirque ? Que sont devenus le doctorat de philosophie et l'extraordinaire carrière universitaire, soigneusement programmée, à laquelle tu te destinais ? Comment se fait-il qu'au lieu de captiver des étudiants du haut d'une chaire prestigieuse à Yale ou Harvard, tu sillonnes le monde en compagnie d'éléphants, de nains et de clowns ?

— Ah, franchement, Lily-san, commence l'administrateur avant de terminer d'un coup la bouteille de cognac qu'il a dans la main, tu sais ce que c'est. La vie est tellement étrange et complexe. Et l'homme est une créature condamnée à ne jamais être satisfaite. J'ai toujours refusé que la réalité ou d'autres personnes m'imposent quoi que ce soit, si bien que cracher à la figure du destin est devenu ma principale occupation. »

Devant l'expression de mon visage qui appelle à plus de précision, il entreprend de me donner des détails sur un ton de politesse qui masque mal son manque d'enthousiasme.

« J'ai brillamment terminé mes études, ma thèse et tout le bazar. J'ai même réussi le concours de professeur d'université. J'ai été le plus jeune professeur de Yale. Et puis, des choses en ont entraîné d'autres et je n'aime pas me laisser entraîner. Alors j'ai pris des décisions.

— Mais pourquoi un cirque, parmi tous les métiers du monde ?

— Ça, ce sont les circonstances. Un peu l'exotisme, un peu l'argent. En fait, j'ai commencé par le domptage. J'ai travaillé avec les tigres. Je suis passé administrateur plus tard, ça a été le dernier stade.

— Comment savais-tu dompter les tigres ? » J'ai beau m'être promis depuis le début de cette rencontre de me comporter avec froideur face à cette créature ensorcelante et surtout de ne m'étonner de rien — je n'y parviens pas.

« Je ne savais pas. Mais j'en avais envie.

— Et on t'a laissé, comme ça, tout simplement, faire ce que tu voulais ?

— Comme ça, tout simplement.

— Les gens te donnent toujours ce que tu veux ? »

Il se cala contre son dossier et croisa les jambes. « À ton avis, Lily-san ?

— Apparemment oui. » Je ne cache pas que cela m'énerve un peu. Ce côté gâté-pourri tellement charmeur a en même temps de quoi me révolter. Mais il sent tout de suite mon irritation, il a, en expert, toutes les capacités requises pour capter la personne qui se trouve en face de lui, ne serait-ce que dans le but de la manipuler à son gré.

« Ne te mets pas en colère, chère Lily. Ce n'est qu'une manière de parler. Permets-moi d'avoir, moi aussi, ma méthode pour masquer mon embarras. »

Et je baisse la garde.

« Donc, ça s'est bien passé avec les tigres ? Tu les as bien dominés, Taïo ?

— On s'est dominés mutuellement. Nous nous sommes compris dès le premier coup de fouet. » Il me montre, frappe d'un fouet imaginaire le tapis à côté de son pied nu. Son geste est sec, son visage se durcit. Une seconde seulement.

« Mais finalement, on s'est séparés, reprend-il, ayant retrouvé toute sa douceur, dégoulinant de nouveau de tendresse. Parce que je détestais introduire ma tête dans leur gueule. Or, c'est un standard du domptage, incontournable. Le public adore ça, mais moi, simplement, j'avais du mal à supporter l'odeur. Toute cette viande qu'ils ingurgitent, mon Dieu ! Imagine-toi des dizaines de kilos de viande sanguinolente qui arrivent tous les matins, sont digérés dans les entrailles de mes protégés pendant toute la journée, et le soir, je suis obligé d'en inhaler les relents dans mes délicats poumons. Mais dis-moi, Lily, chère Lily, ça te dirait qu'on commande une petite collation nocturne au service des chambres ? »

J'aurais voulu continuer mon interrogatoire, mais la question arrive à un moment critique, mon ventre gargouille depuis au moins une heure, et le regard de Taro qui attend ma réponse est si tentant que j'accepte tout de suite.

« Et qu'est-ce que tu te verrais manger ? La bouffe ici est dégueulasse, à part leur rosbif qui n'est pas trop mal. » Il tend la main vers le téléphone.

« Non, non, pas pour moi, je suis végétarienne, Taro. Je suis même incapable de regarder de la viande. Mais commande pour toi ce que tu veux. »

Un léger nuage se pose un instant sur son front mais se dissipe aussitôt.

« J'ai une idée géniale. Le consul ukrainien m'a offert un kilo d'excellent caviar Beluga que j'ai fait conserver en cuisine. Je vais leur demander de nous le préparer. Du champagne avec ? »

J'opine sans arriver à effacer le sourire idiot de mon visage.

Pendant qu'il donne tranquillement ses instructions dans le combiné, je me lève et m'approche des portes ouvertes de la terrasse. Le souffle frais de l'air me caresse le visage et le cou, ébouriffe délicatement ce qui reste de ma coiffure. Est-ce que tout cela est vraiment en train de m'arriver ? Est-ce que la réalité peut être aussi précise, se verser si exactement dans le récipient tordu des espérances et en prendre la forme avec autant de docilité ?

Je déambule dans la pièce, mon regard scrute tous les objets de cet homme dans une tentative pour élucider le mystère de son être. De la chaîne stéréo, une petite lumière rouge me lance des clins d'œil, j'appuie sur le bouton play — parions que je vais tomber en plein dans le mille.

Bingo ! Des guitares cubaines commencent à résonner, accompagnant un homme et une femme en duo. Des voix suaves chantent en espagnol un vieux tube des années trente. *Buena Vista Social Club* — un disque que Ninouch a découvert et que nous écoutions sans cesse jusqu'au jour où, avec sa distraction caractéristique, elle l'a fait chauffer dans son micro-ondes en même temps que mes boulettes au soja.

« *Shall we ?* »

Mon hôte, qui a terminé sa commande téléphonique, me tend un bras mou et je m'y abandonne, essayant de calmer par la force de ma volonté les battements de mon cœur, accélérés par ce soudain rapprochement. Il me tient avec tant d'aisance que son contact arrive à apaiser la tension qui contractait mes épaules, je le laisse guider mon grand corps à pas lents, dans un mouvement fluide et aussi hypnotisant que le balancement d'un berceau.

Je chuchote dans son cou doré, d'où émane l'odeur chaude, amère, de la racine de vétiver et d'encore autre chose, indéfinissable, qui me fait légèrement rougir,

« pourquoi donc le consul ukrainien t'a-t-il offert un tel cadeau ? ».

Le lin fripé de sa veste me chatouille le menton.

« Pour un service que je lui ai rendu. Pas grand-chose. Sa fille est très malade. Elle ne peut pas aller au cirque, alors j'ai organisé un spectacle pour elle. J'ai envoyé notre dompteur de singes avec quelques chimpanzés au département d'oncologie infantile où elle se trouve. Elle était ravie, et lui très reconnaissant. »

L'alcool de son haleine brûle le lobe de mon oreille. Je remonte vers sa nuque mon bras posé autour de sa taille, cette danse mérite une pose moins officielle — mais quelque chose dans la manière dont il me tient se crispe, se durcit, alors, surmontant un pincement de vexation, j'en reviens à une distance traditionnelle et polie. La chanson se termine pour recommencer aussitôt. Je lui lance un regard interrogateur.

« Hier, quelqu'un a programmé le lecteur de CD pour que la chanson revienne en boucle, m'explique-t-il. On a fait une petite fête qui a pris un caractère quelque peu autoritaire. Tu veux que je change ?

— Non, non », je m'agrippe à lui comme s'il risquait de me glisser entre les bras et de disparaître à jamais, « c'est parfait comme ça ! » mais mon égoïsme m'affole et je reprends, « sauf si tu veux... »

Sa bouche dépravée se tord dans un demi-sourire. « J'aime le mouvement circulaire. C'est le mouvement naturel de l'univers.

— Tu penses ? » Je me demande comment on parle avec quelqu'un dont, à aucun moment, on ne peut avoir la certitude du sérieux de ce qu'il raconte. « Tu penses vraiment ?

— Bien sûr. Je viens de l'Orient, l'as-tu oublié ? Nous ne partageons pas avec vous la pensée que le monde avance en ligne droite, que plus il accumule des connaissances, plus il progresse », m'explique-t-il avant de me faire un long clin d'œil.

Maintenant que j'ai compris qu'il se moque de moi, je décide de changer de sujet et d'aller vers quelque chose de plus pragmatique.

« Et quelle est votre prochaine étape ?

— Alexandrie. Les caisses de matériel et les animaux partent cette nuit du port de Haïfa. Le reste les rejoint demain.

— Est-ce que ça t'excite ? Il me semble qu'Alexandrie est une ville magique.

— Je n'en doute pas, dit-il, mais moi, je n'y vais pas.

— Ah bon ? » Je suis si étonnée que je bute et écrase son pied nu sous ma grosse semelle. Dieu aurait-il deviné ma prière non encore formulée et l'aurait-il décidé à rester ici ?

(Oui, je reste à Tel-Aviv, Lily, à cause de toi, pour toi. Cette rencontre est le carrefour décisif de ma vie, maintenant que je t'ai retrouvée, je sais ce que je dois faire. Je veux que tu sois ma femme, Lily. Nous allons retaper l'appartement de grand mère Rachélé, nous y vivrons heureux jusqu'à ce que ton ventre s'arrondisse du fruit de notre amour, ensuite nous nous construirons une vraie maison, où il y aura aussi une chambre pour ta Ninouch adorée.)

Le violoncelle de sa voix me ramène à la réalité.

« Aujourd'hui, c'était mon dernier jour au cirque. J'en ai fait le tour, de cette vie. Demain, je m'envole pour Tokyo.

— Tu vas voir ta famille ? » Ma bouche est sèche et les mots acceptent difficilement de sortir de ma gorge.

(Oui, je veux annoncer à mon père la nouvelle de notre mariage, ma Lily !)

« Ma famille ? » Il réfléchit un instant, comme si je venais de parler d'un aspect de son voyage auquel il n'avait pas pensé. « Oui, en fait, oui. Mais j'y vais surtout pour des raisons médicales.

— Des raisons médicales ? » Je m'étonne moi-même de l'inquiétude qui perce dans ma voix. « Ce n'est pas quelque chose de sérieux, j'espère. »

Sa bouche s'ouvre telle une fleur tropicale carnivore en train d'éclore, « c'est sérieux, mais il n'y a aucune raison d'être inquiet. C'est sérieux dans le sens le plus profond du terme. Et voilà notre repas ! ».

Il va ouvrir la porte et revient en compagnie d'un serveur somnolent qui pousse un chariot sur lequel on a préparé un plateau avec une montagne de glaçons étincelants et, en haut, un récipient en verre rond rempli de caviar noir. Sur l'étagère inférieure est posé un seau argenté d'où dépasse le goulot d'une bouteille de champagne. Deux autres bouteilles sont couchées, noiraudes sœurs jumelles à tête dorée, à côté du seau.

Mon administrateur congédie le serveur en fourrant un billet de cent dollars dans sa main étonnée, et nous passons au repas. Le bouchon de la première bouteille de champagne saute et le liquide onéreux, tout de joyeuses bulles, coule dans nos verres. Nous enfonçons des

184

cuillères dans le récipient débordant de petites billes grises transparentes qui éclatent sous mes dents pour devenir une pâte un peu grasse, salée, emportant en elle des milliers de bébés poissons Beluga qui n'atteindront jamais leur finalité, à moins que si, justement entre ma langue et mon palais, avec leur goût de pubis, obscène, que balaie vers les profondeurs de mon ventre la fraîcheur du champagne.

Taro me distrait en me racontant des anecdotes du cirque, les excentricités d'Émilia Kavalkanti, ses relations, limite incestueuses, avec son frère le nain. Je lui fais partager mes aventures avec Ninouch. Ma propre vie, horriblement grise par rapport à celle de mon hôte, apparaît en ces instants-là étrangement vivante, importante, enthousiasmante. Je remarque à nouveau l'intérêt que Taro porte d'abord à Léon, ensuite à la Boucle, et je me rends compte qu'il écoute mieux que je ne pensais puisqu'il se rappelle tous les détails.

« Dis-moi quelque chose, chère Lily, cet homme extraordinaire, Tchinbir, Zimpir... »

Je viens à sa rescousse, « Tchinguiz, Tchinguiz dit la Boucle.

— Oui, oui, ce la Boucle en question a balafré le visage d'une malheureuse jeune femme devant ton amie Nina uniquement parce qu'il voulait la ramener à la prostitution, en guise d'avertissement ?

— Quelque chose dans le genre. » J'ai mes raisons pour ne pas poursuivre cette histoire que j'ai arrêtée au moment décisif.

« Mais elle était une très mauvaise putain, si j'ai bien compris.

— Pourquoi mauvaise ? » Cette atteinte à la valeur professionnelle de Ninouch me vexe presque. « Elle avait simplement un problème dentaire.

— Et comment, pour ce nouveau tour de piste, le problème a-t-il été résolu ?

— Il n'a pas été résolu. »

Il faut absolument que j'en termine avec cette conversation. Approcher de si près des secrets qui ne m'appartiennent pas et qui, de plus, risquent de mettre Ninouch en danger, gâche presque ma bonne humeur. Me défiler. Dévier. J'en ai assez.

« Laisse tomber, Taro. S'il te plaît. J'en ai déjà trop dit. »

Je fourre une cuillère pleine de caviar dans ma bouche, et lui souris en avançant une fausse excuse, certaines choses, il devait le comprendre, ne pouvaient être narrées.

« Ne t'inquiète pas, Koukla, avait dit la Boucle à Ninouch tandis qu'ils s'en revenaient du spectacle d'intimidation. Je vais t'envoyer faire ce que tu fais le mieux. »

Et même Ninouch avait eu besoin de longs mois d'amitié avant qu'elle ne me révèle, de la voix monotone réservée chez elle à raconter les événements les plus durs à entendre, la nature de son nouveau job.

La spécialité de Ninouch, celle dans laquelle elle excelle, c'est de soigner les petits êtres. Les enfants. Les bébés animaux. Les chats de gouttière malicieux qui se cachent dans les poubelles mal fermées, les geckos qui glissent lestement le long des murs des maisons où elle habite, les tout petits lézards dont l'aristocratique pâleur maladive scintille en s'approchant des cadavres de moucherons qu'elle leur ramène. Voilà en quoi elle excelle.

Dans le quartier de la ville où la pollution est palpable dans l'air, où la chaleur et les gaz nocifs qui s'échappent d'infinis troupeaux de véhicules klaxonnant sans trêve densifient l'atmosphère, oui, dans le plus vieux quartier de la première ville hébraïque, là où les rues forment un enchevêtrement touffu entre Herzl, Levinsky, Florentine et autres artères bouchées de cet énorme corps respirant avec une lourdeur d'asthmatique, au sud de Tel-Aviv, une zone qui te renvoie immanquablement aux marges puantes d'abandon d'Istanbul, du Caire ou de New Delhi sans que tu y sois jamais allé — c'est bien dans ce quartier pittoresque que la Boucle avait choisi de localiser une branche supplémentaire de sa grande entreprise levantine.

« De nos jours, la chose la plus importante dans les affaires et dans la vie en général, c'est la discrétion. Nous vivons à une époque où ce qui se paye le plus cher, c'est le renseignement », instilla encore le boss, comme si de rien n'était, dans les oreilles de Ninouch qui gravissait derrière lui les escaliers étroits et branlants de l'entrée de service d'un immeuble délabré. Pendant leurs moments d'intimité, Nina Magometov partageait souvent avec son mari ses réflexions en matière de sociologie, c'était son domaine de prédilection, le sujet qu'elle préférait parmi tous ceux qu'elle avait étudiés à l'Université pour Tous.

L'odeur de moisi qui émanait des entrailles de l'immeuble se mélangeait à celle de la chaux qui s'écaillait des murs par couches successives et tombait à chaque tremblement causé par l'agitation de la rue — le déchargement violent de lourdes marchandises, la chute de gravats ou autre matériel de construction hors d'usage envoyés par la fenêtre de quelque local en rénovation.

L'appartement lui-même était clair, spacieux. Son atmosphère propre et retenue marquait un net décalage avec le Sodome et Gomorrhe de l'extérieur, sa grande surface indiquait à l'évidence qu'il résultait de l'assemblage architectural de plusieurs appartements du même étage, ce qui avait permis d'obtenir l'agréable espace dans lequel Ninouch se retrouva à claudiquer sur ses hauts talons derrière la Boucle. Il la mena droit à une cuisine vieillotte mais vaste, équipée d'énormes casseroles, comme la cuisine d'une usine.

La femme qui l'accueillit s'appelait Paulina. Bien que la définition habituelle, selon Ninouch, pour le genre de cette Paulina fût « une femme sans âge », et malgré la poésie de cette formulation, mon amie avait suffisamment d'expérience professionnelle pour savoir mesurer les autres femmes sans qu'aucun sentiment superflu ne vienne parasiter son regard gris. Elle estima que Paulina avait la cinquantaine bien sonnée mais qu'elle avait aussi — comme chez les femmes de son genre — conservé une silhouette agréable. Seul un ventre rebelle, révélateur d'anciennes grossesses, torpillait sa fière allure et sa démarche rythmée par un martèlement de talons. Par-devant se dressait une paire de seins parfaitement maintenus par un soutien-gorge bien emboîtant.

Le visage de Paulina avait, sans aucun doute, été le point faible de son sex-appeal. En Russie soviétique, on l'aurait automatiquement défini de « juif ». Elle avait le teint gris, un gros nez long et proéminent, de petits yeux noirs aux cils mouillés comme chez les aveugles, une bouche maquillée en rose fuchsia qui s'étirait tel un delta enchevêtré sous les ridules de fumeuse qui couronnaient des lèvres fines joliment dessinées, et enfin un menton maigre et étroit.

La femme promena Ninouch et la Boucle dans tout l'appartement, ponctuant ses explications de généreux mouvements de mains. Dans chacune des trois chambres à coucher, il y avait trois structures de lits superposés sur lesquels étaient pliés, dans un ordre parfait, draps et couvertures. Une grande pièce servait à la fois de réfectoire, de salle de jeux et de télévision ; y étaient agencées en U trois tables basses en formica entourées de chaises. Dans un coin, il y avait une petite armoire, dessus un vieil ordinateur et, éparpillés sur le sol, quelques jouets qui convenaient à des âges différents — comme dans la salle d'attente d'un médecin. Un enfant à la peau noire, apparemment un Éthiopien, avec un petit visage d'oiseau et des dents en avant était assis sur un cheval à bascule en plastique destiné aux tout-petits. Il regardait l'écran muet de la télévision sur lequel défilaient les images d'un film de gangsters. Ninouch lui donna tout d'abord huit ans, elle apprit au bout d'un certain temps qu'il en avait onze mais souffrait d'un retard dans son développement physique. Trois autres enfants, un peu plus grands, étaient assis autour d'une table basse et dessinaient. Seul l'un d'eux leva la tête, et mon amie sursauta presque en voyant la distance qui séparait ses deux yeux, ainsi que le rare mélange d'hermétisme et de terreur qui s'en dégageait.

« En général, il y a ici entre quatre et huit enfants, expliqua Paulina, si bien que les chambres sont rarement pleines. »

La porte de sa propre chambre, elle l'ouvrit d'un mouvement rapide, comme pour dire, là, il n'y a rien à voir. L'endroit était, comme tout l'appartement, parfaitement bien rangé, sur la coiffeuse, les nombreux flacons de produits de beauté attirèrent les yeux gloutons de Ninouch. Au milieu, elle remarqua une photo encadrée sur laquelle Paulina étreignait un grand enfant, laid et mélancolique, qui dépassait le petit gabarit de la femme d'au moins une tête — sûrement son fils.

Après avoir terminé la visite guidée, Paulina conduisit Ninouch et la Boucle dans la cuisine, là, elle servit un verre de grenadine à mon amie, farfouilla dans une des armoires, en sortit une bouteille de Johnny Walker à étiquette noire, en versa un verre pour la Boucle et un pour elle-même sans y ajouter de glaçons.

Ninouch se souvenait parfaitement de l'instant où elle avait compris que ce département « enfants » des affaires de la Boucle n'avait rien d'une filière parallèle d'adoption facilitant les procédures pour couples stériles : elle le comprit en saisissant un rictus de Paulina, une manière étrange de rentrer les lèvres sous les dents, une grimace presque banale que l'on aurait pu prendre pour une méthode personnelle d'uniformiser le rouge appliqué dessus. Cela ne dura qu'un court instant, mais Ninouch le sut aussitôt, et du coup, elle redoubla d'attention en écoutant les explications générales que lui donnait tranquillement la Boucle sur les devoirs qu'impliquaient ses nouvelles fonctions.

« Chacun doit connaître ses points forts, disait Tchinguiz. Et moi, j'ai compris un beau jour que les enfants n'attendaient que moi. C'est dangereux d'un côté, mais on y gagne gros. Et tu sais, Koukla, que j'aime sentir le danger. Dans ce sens on peut même dire que je suis un aventurier. Un pistolero. J'aurais pu étendre mes activi tés à tout le globe. L'Amérique du Sud, le sud de l'Extrême-Orient, l'Afrique aussi, il y a de quoi faire là-bas, même si, malheureusement, et malgré tous les progrès, notre société reste très raciste. Ce sont toujours les blonds à peau de pêche avec des petits nez et des yeux bleus qui sont les plus demandés. Il y en a quelques-uns qui aiment l'exotisme, un peu de Noirs, un peu de Bridés, mais ça reste très marginal. Des cas. » Il parlait dans un russe qui sembla à Ninouch différent, plus recherché et plus riche que d'habitude, comme si l'importance du sujet avait relevé son niveau de langage pour atteindre une espèce de grandeur jusqu'alors refoulée.

« Quoi qu'il en soit, très vite, je me suis dit, Tchinguiz, mieux vaut t'en tenir à ce que tu connais, nager dans le bassin où tu es un requin et un roi. Or mon bassin, ce sont les pays de l'Est et l'Europe. Que faire ? C'est là-bas que je suis chez moi. Les filles que je ramène sont de là-bas. C'est ma marque de fabrique.

« Comme je préfère le commerce de gros, j'en revends la majorité. En Europe, en Amérique. Les Arabes aussi sont d'excellents clients, l'Arabie saoudite ou les principautés du golfe Persique. Les Égyptiens sont réglos eux aussi et ils me considèrent comme un vrai roi. Tu veux savoir pourquoi ? Parce que je peux, en deux jours, aller t'acheter vingt gamins dans n'importe quel orphelinat de Cisjordanie ou de Gaza. Crois-moi, pour des clopinettes et en toute facilité. On tue tellement, là-bas, qu'il y a autant d'enfants sans famille que de crottin de cheval. Mais qui aurait envie — pardonne-moi l'expression — de baiser un môme qui ressemble au fils des voisins ? Et puis, les bicots, ce n'est pas exactement le peuple le plus beau qui soit. Alors pour les Arabes du Golfe — rien que des Roumains, des Ukrainiens, des Lituaniens. Et moi, j'ai des relations plus qu'il n'en faut ! Donc, la majorité de la marchandise, je la refourgue, mais j'ai aussi quelques excellents clients ici, en Israël ou qui viennent spécialement de l'étranger. Pas pour acheter. Uniquement pour consommer sur place, comme on dit. Voilà pourquoi je garde cet appartement. Mais ne t'inquiète pas, chez moi, c'est aussi cloisonné qu'aux Renseignements généraux. Le client choisit l'enfant d'après des photos que je lui montre, et nous le lui livrons à des endroits prévus à cet effet un peu partout dans le pays. Des appartements de luxe. Atmosphère feutrée et discrète, exotique, arrangée pour les besoins du client. Des accessoires, des jouets, tout. Et le plus important — les enfants eux-mêmes sont tous de premier choix. *First class.* Ils sont contents et calmes, toujours superbes. Et pourquoi ? Parce qu'ici, dans le foyer, ils sont très bien traités. Évidemment, je ne parle pas de ceux qui tombent sur des sadiques ou des malades mentaux, mais pour des gens comme ça, j'applique un tarif spécial. Moi, personnellement, je ne supporte pas les pervers, les psychopathes, même si — tu me connais, Koukla — je ne juge personne. Il n'y a que Dieu qui ait le droit de juger le bon et le mauvais. Enfin bref, normalement, les gosses que j'entretiens — c'est vraiment à s'en lécher les babines. Il m'arrive d'ailleurs souvent de me dire que je les ai sauvés de choses bien pires. Pas vrai, Paulina ? »

L'intéressée tira à nouveau ses lèvres vers l'intérieur.

Cette grimace suffit à Tchinguiz, qui décida de la considérer comme un acquiescement et reprit, « tu as vu ce petit Roumain dans la salle à manger, Rado. Celui qui a des yeux d'assassin. Les clients en raffolent parce qu'il a l'air aussi candide qui si c'était sa première fois. En fait, il est chez nous depuis huit mois déjà. Il a tout le cul — pardon de m'exprimer ainsi — déchiré. Mon homme l'a déniché dans un village roumain en pleine montagne, une famille de primitifs. Ils dormaient dans la porcherie, avec les cochons. Dans leur merde. Ils vivent là-bas, accouchent là-bas dans une de ces crasses. Ils n'ont jamais vu d'autres aliments que le pain noir ou les pommes de terre pourries. D'après ce que j'ai compris, ils ont été ravis de se débarrasser du gamin, tu comprends à qui nous avons affaire ? À des animaux. Et crois-moi, la majorité de ceux à qui nous prenons les enfants sont de ce genre-là. Ils vivent dans la pauvreté et la puanteur. Des gens inutiles.

— Mais ils savaient que leur fils allait se prostituer ? demanda Ninouch, cachée derrière le rouge de son verre de grenadine.

— Ce que je n'aime pas chez toi, Koukla, c'est quand tu te fais plus bête que tu n'es. On leur raconte qu'on prend les enfants pour les faire adopter en Occident. En Angleterre, en Israël. Mais c'est uniquement pour des questions de bureaucratie. Le côté administratif du processus. Bon », la Boucle se leva, indiquant la fin de la conversation, « je suis sûr que vous allez très bien vous entendre, toi et Paulina. Et avec le don que tu as pour t'occuper des enfants, ça va être un vrai Disneyland ici pour eux. J'entends encore trop de plaintes et quand les gosses ont l'air malheureux ou désespérés, c'est qu'on les a trop utilisés. Mais toi, tu vas me les amuser, ces gamins, parce que plus ils seront gais et joyeux, mieux se porteront mes affaires. »

Quelques heures plus tard, de retour chez les Magometov, Ninouch était en train d'emballer ses maigres effets dans sa chambrette lorsque Tchinguiz entra, s'allongea sur son lit étroit et passa les mains derrière sa nuque.

« Comment peux-tu être sûr que cette Paulina ne te dénoncera jamais ? Elle a elle-même un enfant. » C'était la manière — certes bien pitoyable — qu'elle avait trouvée pour protester, elle qui, en général, n'exprimait aucun sentiment de révolte. Ayant laissé, comme il était d'usage, la majorité de sa garde-robe de travail clinquante à ses collègues de l'appartement de la rue Yehouda-haLevi, il ne lui restait à présent qu'à plier quelques survêtements bon marché et une pile de jeans taille trente-quatre plus ou moins usés — ce qu'elle faisait tristement.

« Tu as justement mis le doigt dessus, Koukla. Son enfant. Yozik, il s'appelle, on peut dire Yossef en hébreu. Il a trente ans. Là-bas, en Moldavie, c'est de là qu'elle vient, à Kichinev, il a été diagnostiqué comme arriéré, mais dans un pays plus moderne, on lui a dit que ce qu'elle avait là, c'était un grave cas d'autisme. »

La Boucle prit dans la main un petit singe en peluche gris, chauve et dépenaillé, jouet que, comme toutes les jeunes filles sensibles — aussi excentriques soient-elles —, Ninouch avait traîné avec elle dans ses pérégrinations. Il s'appelait Tchapa, et, quand il était bien luné, émettait un bruit de pleurs si elle lui pressait le ventre — cela éveillait alors en elle un souvenir qui lui voilait le regard d'une rare buée d'émotion. Elle suivait d'un œil anxieux le jeu de la Boucle qui lançait Tchapa et le rattrapait lestement de ses pieds nus aux talons jaunis : elle n'aimait pas que quelqu'un la touche, elle, ou ce qui était à elle, sans compensation financière.

« Elle l'a élevé, continua la Boucle en envoyant avec ses pieds Tchapa droit dans la valise ouverte. Mais en grandissant, il est devenu violent et une nuit, pendant qu'elle dormait, il s'est planté au-dessus de son lit avec un couteau de cuisine, genre "Salut manman, *che fache* !". Elle l'a donc placé dans un centre pour autistes, ici, près d'Afoula. Mais là-bas, que pouvaient-ils bien faire ? Ils en avaient cinquante comme lui. Il mangeait des cailloux, bouffait sa propre merde. Se masturbait à longueur de journée, se cognait la tête contre les murs jusqu'à se fendre la boîte crânienne, on pouvait même voir le rose de son cerveau à l'intérieur. Finalement, il s'est arraché un œil avec un clou, son Yozik. Alors elle a trouvé pour lui, par Internet ou Dieu sait comment, un village anthroposophique en Suisse. Le meilleur endroit que l'on puisse trouver pour ce genre de cas, et bien sûr ça coûte la peau des fesses. Alors c'est moi qui paye. Elle aime son débile, l'amour maternel, tu sais ce que c'est. Elle ne parlera jamais.

— Et comment es-tu sûr que moi, je ne parlerai pas ? » dit Ninouch en braquant ses beaux yeux sur ceux de la Boucle.

Il s'assit avec souplesse et plaça doucement son doigt sous le menton de la jeune fille. Leur compréhension tacite était aussi parfaite qu'un flocon de neige et démontrait avec une simplicité euclidienne l'existence d'une immuable relation entre la force absolue et la faiblesse absolue. Mais peut-être justement pour briser cette perfection hermétique, trop lourde pour un terrien imparfait, la Boucle déclara, « je suis sûr, tout simplement, Koukla. S'il y a quelque chose que je comprends, ce sont les gens. Tu ne parleras jamais ». Il se pencha et effleura du bout de ses lèvres sèches le front magnifique, dénué du moindre défaut, de sa protégée.

Les secrets de Ninouch sont mes secrets. Ils m'engagent autant qu'elle.

Exactement comme dans cet avion où nous avons fait connaissance, mon hôte et moi n'avons à présent aucun mal à trouver des sujets de conversation et à les survoler, chacun ravi d'écouter l'autre, chacun ravi de son reflet tel qu'il apparaît dans les yeux de l'autre.

Taro ne cesse de remplir nos verres et nous parlons, nous rions comme si, depuis des années, nous traînions ensemble dans des suites crasseuses d'hôtels de luxe, à avaler du caviar et à écouter en boucle le même vieux boléro cubain, je suis sûre que je pourrais en réciter toutes les paroles en espagnol sans rien comprendre, juste parce que leur phonétique a eu le temps de se graver dans ma mémoire.

D'ailleurs, je le fais.

> *Si las cosas que uno quiere*
> *Se pudieran alcanzar*
> *Tu me quisieras lo mismo*
> *Que viente años atrás*

Con que tristeza miramos
Un amor que se nos va
Es un pedazo del alma
Que se arranca sin piedad

« Tu finiras par avoir l'accent cubain », dit Taro.

J'éclate de rire, « je n'en comprends pas un traître mot. As-tu une idée de ce qu'ils chantent ?

— Ils pleurent la mort de l'amour. »

La mèche de cheveux rebelle tombe sur son front, et je me fais à nouveau la réflexion — cette fois avec un joyeux émerveillement tout chatouillant d'espoir — que jamais, de ma vie, mes yeux ne se sont posés sur un homme plus beau que monsieur l'administrateur des fauves.

« Alors, Lily », commence-t-il. Sa bouche est tendre, amusée. Ivres et rassasiés, nous nous enfonçons dans nos fauteuils. La troisième bouteille de champagne vient d'être décapitée et est versée par les mains expertes de l'administrateur, « de quoi as-tu envie maintenant ? »

J'ai un faible pour les questions précises et simples. (J'ai envie de déchirer ton costume sale avec mes mains et mes dents, de manger ton corps à pleine bouche, d'empoisonner chaque recoin du venin de ma langue, de te noyer entre mes cuisses, de te vider de ton existence mâle pour aspirer et faire disparaître totalement en moi jusqu'à cette odeur amère qui émane de ton cou.)

Je tourne vers lui un regard d'une candide limpidité.

« J'aurais envie d'avoir moins peur. D'être moins inquiète. Y a-t-il quelque chose que tu puisses faire pour moi, Taro ? »

Son visage est brouillé par le nuage de fumée qui s'échappe de sa bouche, ses paupières s'alourdissent.

« Bien sûr, Lily. C'est même très simple. »

Il tire à lui une jolie boîte verte en malachite posée sur la table. Sa partie inférieure est coulée dans une serre de rapace en bronze, aux doigts tordus et couverts d'écailles. Il en sort un morceau de papier d'aluminium sur lequel il place une ligne de poudre grossièrement moulue, jaune, me tend une paille en bois ornée de circonvolutions gravées. D'une main il soulève le papier d'aluminium, de l'autre, il allume un briquet Ronson en dessous. Sous l'effet de la chaleur, une épaisse fumée commence à s'élever de la poudre qui fond.

« En avant, Lily, maintenant tu inspires fort, et essaie de ne pas tousser. »

Je me penche vers lui. La poudre, métamorphosée en une goutte sirupeuse et foncée, fume et glisse lentement vers la pliure du papier argenté. Je maintiens la petite paille entre mes lèvres et j'inspire, j'inspire en moi cette fumée, je la garde dans mes poumons de toutes mes forces, j'étouffe presque et finalement je relâche ce qui en reste avec soulagement.

Une fois. Encore une fois. Taro m'observe tout en tenant pour moi le papier avec cette goutte carbonisée, comme quelqu'un qui fait manger un chat de gouttière dans sa main. J'inspire et j'expire avec obéissance, jusqu'à ce qu'il ne reste plus qu'une tache brune et sèche sur la surface argentée que Taro froisse en une petite boulette avant de la lancer derrière son dos — c'est tout. Ça suffit.

Je n'ai pas la moindre idée de ce que je dois ressentir, mon front est humide, une légère nausée envahit ma poitrine mais, étrangement, c'est très agréable.

« Et maintenant quoi, Taro ?

— Maintenant, tout ce que tu veux. »

Il se lève pour se délier les membres, s'étire, fait quelques pas, s'adosse au cadre de la porte-fenêtre.

Du dedans de moi, un bonheur entier et hermétique m'encercle. J'éprouve pour cet homme un désir lourd et immobile, comme une mer de lave en train de refroidir.

« C'était quoi ? » Je m'approche de lui, mon visage fait face au sien.

« De l'héroïne. »

Son regard se pose sur moi, noir, pas clair. Il attend.

Une brise fantomatique monte vers nous de l'obscurité, tout oxygène et pestilence d'algues en décomposition.

Je lui enlève sa veste. Il ne bouge pas. Scrute mon visage.

Mes doigts sont lents sur les boutons de sa chemise. Un. Deux. J'arrache les autres, allez, en avant !

La soie fripée qui tombe de ses épaules révèle une poitrine parfaite avec une peau aussi dorée que celle du cou. Il a de petits mamelons, virils. Autour de chacun d'eux, une orchidée d'un agréable rose tropical, avec pistil et étamines dans un violet safran, a été tatouée par la main experte d'un artiste très inspiré. Dans chaque téton, il a des piercings en platine, des aiguilles ornées de diamants si bien polis qu'on dirait des gouttes de rosée. Mon hôte inspire profondément, et voilà que les pétales bougent, que les gouttes brillent dans une humidité rafraîchissante, harmonieuse. Je tends une main pour toucher, m'assurer qu'il s'agit bien d'un tatouage et non de réelles fleurs qui lui auraient été maléfiquement implantées, une décoration trompeuse, à la mode, rapportée de lointaines contrées ivres de futur. Mais non. La chaleur de sa peau veloutée. Ce n'est que de la chair humaine.

Mes mains se promènent sur sa taille étroite, enserrée par une très fine chaîne en or fermée par un anneau qui lui transperce le nombril. Je tâtonne pour trouver sa braguette. Lentement. La fumée a chassé de moi toute fébrilité. Le pantalon glisse jusqu'à terre le long de sa maigreur.

Un triangle parfait de poils pubiens, teints du même turquoise fluorescent que les plumes de paon, s'ouvre au-dessus du point d'intersection de ses cuisses. J'y passe une main, fidèle à ma mémoire, fidèle à tout ce que je sais, je cherche le stratagème, quelque ligature malicieuse d'illusionniste, mais mes doigts s'enfoncent dans le creux humide et chaud d'un sexe féminin.

Il enjambe les vêtements amoncelés à ses pieds et s'éloigne à l'intérieur de la pièce, marche devant moi, dans une attitude indéterminée, entre provocation et inquiétude. Il s'ébouriffe les cheveux, va prendre un verre d'eau, effleure de son pied nu les entrailles de la Samsonite blanche. Une succession parfaite de peau très fine et de longs muscles. À part le triangle turquoise, pas le moindre poil sur son corps. Et je ne remarque que maintenant le balancement vulgaire de ses hanches, auparavant dissimulé dans les plis de son large costume. Cet animal humain artificiel tourne la tête vers moi.

« Quoi, Lily-san ? »

La drogue nettoie ma stupeur de tout accent dramatique. Je souris. Hausse les épaules.

« Vas-y, parle-moi, m'ordonne-t-il Tu es en train de sombrer en toi. »

J'enfouis mon visage dans mes mains, je ris doucement. Des bulles colorées de bonheur explosent à la
lisière de ma conscience. Je suis à la fois à l'extérieur et à
l'intérieur, j'examine, j'identifie, je localise les nuances
de ce qui se passe mais avec un total détachement.
N'est-ce pas là le destin humain : prendre conscience
mais rester paralysé, incapable d'agir, bouleversé, observateur extérieur qui n'a que des mots pour décrire ce
que voient ses yeux ? L'opium nous rend tous artistes.

« Tu es beau, Taro. Tu es tellement beau. » C'est tout
ce que j'arrive à tirer de mon tumulte au ralenti.

« Des mots, des mots, des mots, répond l'administrateur, citant le prince du Danemark comme s'il venait de
lire dans mes pensées. C'est de la chirurgie, tout ça. Tu
sais, quand je décide de modifier quelque chose, j'aime
que cela se fasse avec toute la perfection et l'entièreté
requises.

— C'est pour ça que tu vas à Tokyo ? Ça a un rapport avec les raisons médicales dont tu parlais ? » Je me
demande bien ce qui reste à opérer dans ce corps.

« Un sacré rapport, oui ! » Il se laisse tomber dans le
fauteuil, ramène à lui une jambe musclée, athlétique, à
la cheville fine, l'enserre de ses deux mains et pose le
menton sur son genou. Toute cette féminité complexe,
futuriste, insistante, qu'il s'est infligée avec tellement
de dévouement ne lui enlève pas une once de virilité.
Pauvre Taro. Mon cœur se serre un instant mais se relâche
aussitôt, un reste de mauvaise habitude qui me fait me
désoler chaque fois que je sens qu'autrui n'arrive pas à
concrétiser sa volonté. Tournés vers moi, ses yeux de
Mongol s'obscurcissent dans un visage plat, pétrifié, un

visage de statuette sculptée dans du marbre jaune, vieille de plusieurs millénaires.

« Je peux deviner que tu es déçue de ce que l'embrasement naturel entre nous ne sera rien de plus qu'un point fortuit dans l'espace et le temps, quelque chose qui n'aboutira jamais à la rencontre éternelle qu'il aurait du être. »

J'essaie de peser mes mots, mais le bonheur chimique me pousse vers la sincérité.

« Oui. C'est triste que nous ne puissions plus être amants, Taro. Et c'est la deuxième fois que ça me brise le cœur. »

Il réfléchit un long moment. Comme le temps est liquide ! Mais y a-t-il plus parfait que l'éternel présent ?

Sa main commence à enlever lentement les dizaines de pinces qui maintiennent mes cheveux.

« Bien que la situation soit un peu délicate, chère Lily, le désir est plus fort que la prudence. Dora, la tigresse du cirque, a mis bas quatre petits. Nous savions que ça allait arriver, mais nous voulions tout de même la prendre avec nous en tournée. Elle a un grand rôle dans le spectacle. J'ai donné deux des bébés à votre safari... de Ramdan ?

— De Ramat Gan », je l'aide, toute molle.

« Oui, c'est ça, confirme-t-il. Un autre bébé a chopé une infection et il est mort, quant au dernier, j'étais censé le donner à un homme d'affaires très riche qui, au dernier moment, comment dire, a changé d'avis. Certes, je n'occupe plus la fonction d'administrateur de la ménagerie des fauves, mais je n'aime pas laisser quelque chose en suspens. Nous, les Japonais, sommes un peuple méticuleux. Alors voilà, j'aimerais t'offrir ce dernier bébé, Lily, en cadeau d'adieu. Ou, si tu préfères, en marque de lien éternel. Je suis sûr que tu t'en tireras très bien, et de toute façon, tu pourras toujours te faire aider par quelqu'un du genre de ce maquereau aux multiples facettes dont tu m'as parlé, ou de l'amant fortuné de ton amie.

— Par qui ? Par la Boucle ? Par Léon ? » Je ne peux que m'étonner tant il est inconcevable que Léon m'aide à m'occuper de mon cadeau. De mon bébé tigre. Cette pensée à elle seule arrive à ouvrir une brèche dans la solide muraille de bonheur qui m'entoure. « Quelle drôle d'idée de faire intervenir le maquereau de Ninouch ! Ou Léon ! Je vais m'en occuper moi-même. Il sera à moi, non ?

— Bien sûr, Lily. À toi, rien qu'à toi. » Taro se glisse hors du fauteuil et me fait signe de le suivre. Je me laisse guider par ses fesses de miel jusqu'au bureau dont il ouvre le premier tiroir pour en tirer une fine liasse. La lumière de la lampe me fait tourner la tête, je plisse les yeux. Il me tend les feuilles.

« C'est un contrat. Ça doit être officiel. Pour la direction du cirque. Tu paraphes là, là et là. Et n'oublie pas d'inscrire ton adresse. »

Je détaille son doigt à ongle plat. Toute la chirurgie du monde ne transformera jamais cette main virile et puissante en main de femme.

« Parfait, ma chérie. Maintenant, tu signes là et c'est tout. »

J'appose mon nom en lettres rondes et de tout mon

poids, comme si c'était un pacte, le pacte de notre union, qui se signait ici et maintenant.

Nous nous regardons. Mes genoux sont tout mous.

« Et maintenant ? Maintenant quoi, Taro ?

— Maintenant, on va fêter ça, Lily-san », il prend un léger élan qui le fait atterrir sur la table, croise les jambes, « pourquoi n'enlèverais-tu pas ta robe, ce qui me permettrait de te voir comme il se doit ? » Afin d'adoucir un peu son ton impératif, il m'effleure légèrement les joues.

Je lui obéis mécaniquement, me penche en avant, tire ma robe vers le haut, je m'empêtre entre les manches et l'encolure, j'arrive enfin à m'en extirper mais reste avec le tissu froissé, pressé contre ma poitrine tel un bouclier. Taro me le prend des mains et l'envoie sur le sol.

« Continue », dit-il avec un mouvement de menton. Je m'escrime, avec une maladresse appuyée, sur les agrafes inconnues de mon nouveau soutien-gorge, jusqu'à ce qu'il tende un doigt crochu, le passe sous la bande de satin entre mes seins et m'attire à lui. Son autre main plonge dans le tiroir et en ressort avec une paire de ciseaux. Je frissonne en sentant le métal qui coupe le tissu noir, d'abord en son milieu, ensuite les bretelles et, sans attendre, il s'attaque à ma culotte. En quelques cliquètements rapides, mes dessous onéreux se transforment en un petit tas sans caractère. Je suis face à lui, nue.

Comme ils ont l'air humains et vulnérables, mes seins, avec leur blancheur rebondie, dégringolante, avec leurs tendres mamelons, trop grands pour les parfaites demi-lunes qu'il affiche, lui. Les orchidées, les diamants qui se dressent avec orgueil. Sa main passe doucement entre mes cuisses comme si elle cherchait un interrupteur caché. Lorsqu'il la ressort, nous constatons tous les deux qu'il a les doigts couverts d'un sang pourpre.

Maintenant je comprends l'agitation qui m'a perturbée toute cette journée, le sens magique que j'ai octroyé à une simple averse, le désir lancinant qui me taraudait, le besoin urgent de rencontrer le grand amour au cirque, oh, mon Dieu, le grand amour au cirque ! D'ailleurs, Lily, tu l'as trouvé ! C'est que, exactement comme la pornographie, l'amour est aussi une question de géographie. Celui qui va se coucher en compagnie de clowns n'a pas à s'étonner de se lever le matin avec un chapeau pointu et un nez rouge.

« J'espère que tant d'humanité ne te dégoûte pas, Taro. » Je ricane presque, mais il ne comprend pas le sous-entendu, sa mémoire ne va tout de même pas s'embêter à conserver des phrases dites en préambule à des inconnues dans des avions.

« Il me semble que j'aurais dû t'épargner l'héroïne », dit-il. Il se penche vers moi et passe sa langue sur ma bouche dans un contact dur, précis, comme pour la verrouiller.

« Viens. On va sur la terrasse. Il nous faut de l'air. »

Une lumière trop violente balaie notre nudité. La lune semble aussi factice que mon amant. Une lune de néon très haute, corps céleste sans lumière propre, qui transforme la combustion vitale du soleil en une œuvre d'art glaciale, intelligente, mystérieuse. Un divertissement pour esthètes. Un concept.

La pureté de l'obscurité est souillée par l'odeur de sexe qui monte de la mer.

La large terrasse est aussi dévastée que la pièce d'où nous sortons. Un transat gît, les quatre fers en l'air, des chaises d'extérieur et d'intérieur (sorties de la chambre) encerclent une grande table en verre sur laquelle s'entassent des assiettes avec des restes de nourriture, des verres sales et, tout autour, la même atmosphère bordélique que dans le salon, jusqu'au vase jumeau qui déborde lui aussi de roses en pamoison et attend dans un coin, tel un invité ivre qui a oublié de partir. C'est ce qui arrive, j'imagine, quand tu fais la fête avec des nains et des femelles borgnes. Mon pied nu manque de déraper sur une grappe de raisins écrasés, je m'agrippe à mon hôte, qui me rattrape dans une étreinte mais uniquement pour me lancer une seconde plus tard sur deux matelas accolés au pied de la rambarde, je m'allonge avec plaisir et découvre que c'est ce à quoi j'aspirais depuis au moins une heure. M'allonger ainsi membres écartés, voluptueusement abandonnée à la caresse du vent d'avril et aux égratignures du faisceau oblique qui porte le regard de l'administrateur de la ménagerie.

Il me lèche les doigts de pied. Longtemps. Je frissonne. Un désir crispé frappe de plus en plus violemment mon bassin mais j'évite de bouger pour ne pas détourner son attention, je laisse mes orteils fondre dans sa bouche, je rassemble en moi une énergie toute potentielle, comme cette installation de Beuys, un piano à queue recouvert de feutrine grise, l'instrument, bien qu'il ne soit pas concrétisé, est extrêmement présent, tout de corps et d'attente que se pose sur lui la main assurée du maestro.

Il se hisse vers moi, immense lézard au sang chaud, une mutation de l'espèce, dont la langue se balade le long des lignes où mes cuisses se rattachent à mes hanches. Sa respiration, tel un vent brûlant qui souffle sur mon duvet de mohair entre les jambes, s'amplifie quand il y plonge le visage, sa bouche est avide mais reste sous contrôle, refuse l'inconscience de l'abandon, ce que je ne peux pas dire de moi — fil après fil sont dénoués les liens qui rattachent mon corps à la tour de contrôle située sous mon front. L'effort incessant pour essayer de traduire en mots ce que je ressens bute contre des obstacles de plus en plus nombreux, les images sont trop rapides, elles auraient besoin d'un langage totalement différent, beaucoup plus affiné, tout en nuances et en détails, pour que je puisse me raconter ce qui m'arrive, alors je renonce aux tentatives de formulation pour me laisser emporter par la tumultueuse vulgarité du plaisir. J'ai l'impression que tout le sang de mon corps se concentre à l'endroit sur lequel s'est refermée la bouche de l'administrateur. Deux de ses beaux doigts remuent en dedans de moi, sa langue va et vient dans un mouvement répétitif, entêté, rituel, ramolli, au pied de mon minuscule volcan.

Mange-moi.

Et si on mourait.

J'aimerais.

L'amour est situé dans le système limbique, au-dessus du cortex primitif.

Et ici.

Trop sensible.

Précis.

Oui.

Je me tends, alertée, les jambes sur ses épaules. Me relâche. M'effiloche. Ma peau humide se rafraîchit lentement. Je me tends à nouveau.

Je suis traversée par une longue série de décharges électriques qui ne font que semblant de s'arrêter pour pouvoir me retraverser avec une force décuplée.

Encore.

Et encore.

Une curiosité presque scientifique me pousse à continuer, à m'abandonner à ce qu'il me fait, même quand les orgasmes deviennent de plus en plus rapprochés et de moins en moins forts, que le plaisir se mue en brûlure douloureuse au point que j'ai l'impression que ma peau s'use et que la lame de sa langue taille dans mes nerfs à vif.

Je dis, « assez, Taro, c'est assez ».

Ma respiration retrouve petit à petit son rythme normal, imperceptible. Jamais je ne me doutais que le corps cachait autant de réconfort. Je le tire vers le haut.

« Maintenant, viens, viens à moi. »

Sa bouche, son menton, sa mâchoire, sont enduits de sang noir, mon sang. Nous nous embrassons longuement. Il rit sans voix, je le repousse, j'en ai marre de jouer la petite paysanne qui a séduit le propriétaire terrien, je me penche sur lui, « et toi, Taro, peux-tu encore jouir de quelque chose après tout ce charcutage ? ».

Je capte l'éclat des dents humides qui scintillent

entre ses lèvres entrouvertes. Une cybercréature, vulgaire et langoureuse.

« La relativité du plaisir est quelque chose de tellement douloureux, chère Lily. Mais je pense que dans ce qui me semble être le sens que tu lui donnes, la réponse est oui. J'ai été incisé et recousu par les meilleurs chirurgiens. Je représente l'avenir. Encore une victoire de l'homme sur la nature. Un rêve qui devient réalité, *baby*. »

Je caresse tout son corps, ses cuisses s'abandonnent facilement et s'ouvrent à moi. Mes doigts entament alors un examen méticuleux, sérieux, gynécologique du paysage de sa féminité acquise, étonnés encore et encore de la perfection du travail qui a été accompli sur lui — tout y est, les plis et les replis, les reliefs, les creux et les bosses, et tout suinte de l'humidité baveuse du kaki mûr.

Je commence à lui donner du plaisir avec dextérité, efficacité, patiemment, comme si je me caressais moi-même, mes yeux sont braqués sur son visage, guettent une réaction, l'ombre d'une simulation, un maniérisme volontaire, mais son regard se couvre de ses lourdes paupières. À part ça, aucun muscle ne bouge. La lune modifie le jaune de son visage en une pâleur grise, métallique.

Je chuchote, « alors quoi, Taro » — à présent, c'est à mon tour de dominer l'univers —, « tu te sentais femme prisonnière dans un corps d'homme et tout le bazar ? Es-tu d'ailleurs homo ?

— Tu t'obstines vraiment à ne pas comprendre ce que je te dis. » Sa bouche se tord, mais il ne daigne même pas ouvrir les yeux. « C'est un acte de création. Vu que je n'ai aucun don particulier, je n'ai eu d'autre choix que de me transformer moi-même en œuvre d'art. »

Maintenant, il prend ma main qui bouge et la guide doucement, il parle d'une voix profonde, saccadée :

« Fondamentalement, je suis et reste un homme, les autres hommes ne m'attirent absolument pas, ils sont trop poilus et tellement suffisants ! »

Par-delà ses derniers mots, j'entends sa respiration se faire de plus en plus lourde et j'accélère le mouvement de mes doigts en lui. Plus il s'abandonne et se laisse conquérir, plus monte en moi un plaisir dur et mauvais, et, en même temps qu'un sentiment victorieux, je suis assaillie par une étrange envie, obscure, et lorsque ses hanches se mettent à tressaillir autour de ma main plantée en elles comme un épieu, je me penche vers lui et mords de toutes mes forces sa bouche ouverte, j'avale ses gémissements jusqu'à avoir l'impression que sa peau se déchire sous mes dents.

Lorsque je finis par le lâcher, il est déjà après le choc, sa tête repose sur le matelas, ses cheveux forment une auréole noire autour de son visage, et je lui demande, pour la deuxième fois de la soirée, avec la ferme intention de recevoir une vraie réponse :

« Alors dis-moi, Taro, tu n'es pas écœuré de toute cette humanité ? »

Il passe une main sur sa bouche blessée, il a la voix bien posée, précise, comme s'il ne se tortillait pas sous ma main dominatrice à peine quelques secondes auparavant.

« Comment te l'expliquer, Lily ? J'éprouve un amour absolu autant pour le bestial que pour l'artificiel. C'est le milieu qui m'ennuie à mourir. »

Il se soulève et attrape mon menton, nos regards se déversent l'un dans l'autre, je tremble. Les lèvres serrées, il m'embrasse et ce baiser sec, distant, retentit tel un claironnement apocalyptique de trompette car quelques instants plus tard le monde, avec ses contingences habituelles, s'écroule, nous nous enroulons l'un dans l'autre comme des serpents venimeux, les frontières tombent, se dissolvent jusqu'à ce que tout soit aspiré dans un océan tourbillonnant où le féroce et le pervers partagent le haut du panier avec le pur et le céleste.

La dernière chose dont je me souviens, ce sont les aiguilles de rosée de ses mamelons qui se plantent dans la chair de mes seins.

Drrr !!! Qu'est-ce que c'est que cet horrible son ?
Drrrrrrrr. Le crime organisé, en collaboration avec les
extraterrestres, est en train d'essayer de m'extirper des
informations ultrasecrètes liées à l'hygiène dentaire sio-
niste. Au secours ! J'essaie de crier. Drrr.

Drrr.

Maintenant, ça fait clic, et voilà ma voix qui résonne,
limpide, sûre d'elle, « bonjour, vous êtes bien chez Lily,
vous pouvez laisser un message après le bip », aussitôt
suivie par celle du gros méchant, « Lily ! Lily ! Décroche. C'est Israël Rickliss. Je ne comprends pas ce qui
se passe. J'ai déjà renvoyé Zaknin et Zila Strotzer chez
eux, je veux savoir si je dois annuler le reste de tes rendez-vous. Rappelle-moi dès que tu entendras ce message. Quel manque de responsabilité, quand même ! »
clic.

Une insupportable lumière heurte mes yeux à peine
entrouverts. Je suis allongée tout habillée sur le canapé
du salon, j'ai un goût de pissotière dans la bouche, je me
traîne jusqu'à la fenêtre aveuglante, première chose —
fermer le volet. J'ai besoin d'être protégée par une douce

pénombre pour passer du sommeil à l'état de veille. Je rase les murs tel un malvoyant encore inexpérimenté, et cherche mon chemin jusqu'aux toilettes. Une odeur de vomi émane de mes vêtements, je soulève ma robe, m'affale sur la cuvette, enfouis mon visage dans mes mains, mes intestins se tordent de douleur et une purée liquide s'écoule de moi dans un bruit d'œuf frémissant sur les fonds bouillonnants de l'enfer.

Au prix d'un effort surhumain, je m'extirpe de ma robe en charpie pour découvrir que j'ai perdu toute trace de mon soutien-gorge et de ma culotte, que mes bourrelets épuisés sont couverts de griffures et de bleus effrayants. Mes pieds sont aussi sales que ceux d'un SDF lépreux. Adieu à tout jamais aux chaussures Stephan Kilian qui m'ont coûté la peau des fesses. Je préfère ne pas gaspiller d'énergie à m'en désoler afin d'arriver jusqu'à la douche, me flanque sous un jet d'eau froide, me savonne d'une main tandis que je m'appuie au mur de l'autre, histoire de ne pas tomber. Me voilà toute dégoulinante, je retourne au lit, me glisse entre les draps propres à imprimé joyeux. Dormir, mourir, rien de plus... Mais à nouveau l'appareil satanique — un long bip et ensuite la voix, « allô la belle ! C'est Mikhaëla. Le taxi d'hier. J'appelais juste pour savoir comment ça allait. Je vais peut-être passer plus tard au cas où t'aurais besoin de quelque chose. Allez, salut, à plus ».

Avant de sombrer totalement dans le balancement maternel des vagues d'obscurité, j'ai encore le temps de m'étonner — comment, nom de Dieu, a-t-elle trouvé mon numéro de téléphone ?

Tic et tac, tic et tac
Le temps coule et le temps se fissure
Il est un temps pour la chouette
Il est un temps pour la belette
Passé, présent, futur...

Un doux bruit de vaisselle dans la cuisine. Sous la porte qui mène au salon filtre la lumière de la grande lampe de la table. Je m'assieds sur le lit. Par les fenêtres ouvertes, une soirée, une chaude soirée de printemps, pénètre dans l'appartement. Je me lève, vérifie que je tiens debout. Un pantalon de survêtement et un tee-shirt étincelant sont pliés sur la chaise à côté de moi. Je les enfile, inhale avec plaisir l'odeur de propre et entre dans le salon. La télévision, muette, est allumée sur la chaîne de la mode. Que c'est bon d'être chez soi ! Le canapé grince sous mes fesses avec bienveillance.

Tel un minuscule voilier, Ninouch glisse dans la pièce avec un plateau-repas. Elle est vêtue d'une robe de fin coton indien d'un blanc très à la mode, à travers laquelle pointent des seins embryonnaires. Ses cheveux aux nuances argentées sont attachés au sommet du crâne en un chignon négligé, de chaque côté ses oreilles s'écartent de son visage comme les anses d'une théière en porcelaine. Elle a l'œil gauche au beurre noir et pose le plateau sur la table basse devant moi. Mon repas préféré : une omelette de quatre œufs, du pain bio avec du beurre salé, de la salade de crudités coupées menu et du lait écrémé chocolaté avec exactement cinq glaçons.

Elle s'assied en silence. Rien de particulier à tout cela. Nous passons parfois des soirées entières sans échanger le moindre mot. Son œil gris scintille dans le coquart qui l'entoure, on dirait une flaque de pluie sur un sol en basalte. Je sais qu'elle ne commencera à parler que lorsqu'elle y sera intérieurement prête.

Pour l'instant — le dîner. Un appétit sain et robuste me presse de me fourrer l'omelette dans la bouche, de mordre dans le pain. Ce n'est que lorsque je sens mon ventre chaud et bien lourd que je repousse le plateau et lui demande, « alors ? Qu'est-ce qui s'est passé ?

— Rien. Tout comme d'habitude », dit-elle dans une moue. Sa lèvre supérieure est plus charnue que l'inférieure et elle ne se creuse pas au milieu, ce qui lui donne une expression faussement capricieuse.

J'insiste, sur un ton sévère, « vas-y quand même ». Parler est laborieux pour elle, si bien que parfois il faut vraiment la bousculer, comme avec une brebis rêveuse qui aurait perdu le troupeau.

La preuve, elle me répond aussitôt.

« Au début, il a dit que je n'irais pas au cirque. Après, il y a eu ton coup de fil. Après, je suis restée et il a voulu que je regarde les nouvelles sur CNN avec lui. Après il a dit qu'il voyait que ça ne m'intéressait pas, que je n'avais sûrement qu'une envie, c'était d'être avec toi pour qu'on puisse se taper des mecs. Après, il a regardé le sport et je l'ai sucé. Après il a couché avec moi, et après il m'a filé un coup de poing parce qu'il a dit que je ne jouissais pas avec lui, qu'il m'aimait parce que j'étais une pute, que je ne méritais pas d'être considérée autrement que comme une pute, que c'était mon caractère. Après il s'est endormi et j'ai fait la vaisselle parce que la Philippine est en vacances, et après, j'ai regardé la chaîne de la mode jusqu'à ce matin. C'est tout. À toi maintenant. »

Mon repas remonte dans ma gorge mais je connais bien cette colère impuissante, je sais comment la repousser tout au fond de mon estomac, bien en dedans de moi, à l'endroit où elle pèse comme une plaque de béton qui gagne chaque fois une couche supplémentaire. Bien que consciente de l'égoïsme qui me pousse à vouloir m'exprimer, j'ai tout de même du mal à avaler ce qu'elle raconte.

« Comment ça va finir, tout ça ?

— Ne recommençons pas, s'il te plaît, Lily. »

Elle refuse de me regarder. Je sais à quel point ces conversations lui font mal, mais une espèce de fierté idiote, celle d'une femme qui a fait l'amour la nuit précédente, m'incite à poursuivre, « tu ne penses pas que tu as droit à mieux ?

— À quoi, par exemple ? » Elle lève vers moi des yeux aussi glaçants que la justice elle-même. Entre ses sourcils se creusent deux rides verticales, dénuées de bienveillance, mais je lui assène, « par exemple à l'amour, et s'il te plaît, ne recommence pas en me disant que tu m'aimes et que je t'aime, parce que, et j'ai beau en être vraiment désolée, mais nous ne sommes pas lesbiennes. Je parle d'autre chose ». Emportée par une vague d'assurance moralisatrice, j'écarte le souvenir du triangle turquoise, tandis qu'elle se laisse prendre par la discussion. À contrecœur.

« Mais toi non plus, tu n'as pas d'amour dans ta vie, Lily », nasille-t-elle.

Je me rue sur cet argument, comme si, par sa seule formulation, il freinait le libre écoulement, l'écoulement cosmique, de l'amour de par le monde, comme s'il créait les obstacles qui empêchaient cet amour de m'atteindre moi, plus encore quelques milliers de citoyens qui n'attendent que ça.

« Mais moi, j'en veux, de l'amour ! J'en veux, c'est déjà quelque chose. J'en rêve, tout mon moi ne tend que vers le moment où il va entrer dans ma vie, parce que je crois qu'un tel moment arrivera. Et je ne renonce pas. »

Ninouch introduit son petit doigt dans sa bouche et se met à ronger son ongle avec la frénésie d'une souris.

« Et toi, dis quelque chose ! » Je la supplie presque.

« Eh bien moi, je crois que c'est du poison. » Elle cesse aussitôt de se ronger l'ongle mais ne parle qu'au bout d'un long moment, si bas que je suis presque obligée de me pencher pour l'entendre. « Je pense que ce poison a contaminé tout le monde. Avec toutes sortes de fantasmes. Comme si les gens ne pouvaient pas vivre un quart de seconde avec la sensation de... bon, comme on dit, de manque. Avec la sensation de ne pas avoir. Mais non, sans ça, la vie ne compte pas. L'amour, ce n'est qu'une expérience de plus, comme l'art, comme la sérénité, comme la réussite. Comme l'amitié. Pourquoi en faire tout un plat ? Tu penses que Léon est un monstre, mais c'est aussi ma faute, parce que je ne te raconte pas tout. Sache que Léon, c'est ma sécurité. Mon toit. Ce sont des choses qui comptent énormément pour moi — un toit et une sécurité. Ne pas dormir dans la rue, ou chez des gens qui m'exploitent. Ne pas gagner ma vie avec des choses horribles et honteuses. Ou en tapinant. Toi, tu crois que si une femme vit avec un homme qui n'est pas l'amant idéal, elle doit le quitter et devenir une grande avocate en costume Chanel. Mais il y a des femmes qui ne peuvent pas le devenir. Il y a des idiotes, des malades, des incultes. Léon m'apporte le petit déjeuner au lit le samedi matin, il me lit le journal, il perd exprès aux échecs pour me faire plaisir. Et il m'achète plein de choses. Bon, et maintenant, raconte-moi comment c'était hier au cirque. »

Elle a l'air tellement épuisée par son monologue que j'ai peur qu'elle s'endorme. Ses arguments, j'en ai déjà entendu une bonne partie, quoique moins concentrés et pas énoncés aussi longuement. J'en déduis que cet effort n'a pour but que de clore définitivement le sujet Léon. Je lui lance un regard résigné et concède que je suis d'accord avec chacun de ses mots. Qui suis-je pour lui apprendre à vivre ? À quoi bon polémiquer ?

« Tu es arrivée à temps pour voir les animaux ? » s'enquiert-elle, déjà indifférente à tout ce qui a été dit auparavant. J'avoue que je me demande parfois si elle n'est pas effectivement atteinte d'une forme rare de débilité mentale.

Je commence par lui faire un compte rendu précis de mes aventures nocturnes. Tous les détails, à commencer par les ongles de la conductrice du taxi, en passant par l'expression revêche du réceptionniste de l'hôtel, sont instillés dans ses oreilles avides. Je connais mon amie —

tout ce qui me touche, vraiment tout, l'intéresse. Ce n'est que lorsque j'arrive à la fin du dîner dans la suite de l'administrateur, que je décide de faire un tri et de ne pas lui raconter ce qui me semble par trop pervers et que d'ailleurs je n'arrive pas encore à digérer. Je termine donc mon récit sur un ton anodin, « après on était complètement bourrés et je ne me souviens même pas comment je suis rentrée à la maison. Quoi qu'il en soit, pour reprendre ce dont nous parlions tout à l'heure, le grand amour ne me viendra pas de ce type, ça, c'est sûr ».

J'éclate de rire, l'invitant à m'imiter.

Mais rien ne dissipe l'incroyable sérieux de la flaque grise qui reste braquée sur moi, refusant de se laisser distraire.

« C'est une très belle histoire, conclut-elle finalement. Vraiment très belle. Mais il y a un truc, Lily, que je ne comprends pas. »

Elle se lève, va jusqu'à la porte d'entrée, je me hâte de la suivre et n'ai même pas le temps de me demander pourquoi elle plisse le front, qu'elle a déjà pressé sur l'interrupteur du palier et indique un objet volumineux recouvert d'une toile de tente grise sur laquelle est imprimée une flèche pointée vers le haut et l'inscription « *UP* » en lettres vertes fluorescentes.

J'ai beau arborer une nette expression de « je n'ai pas la moindre idée de ce que c'est », Ninouch n'est pas dupe de ma pose hypocrite et elle se jette sur le paquet. Nous conjuguons nos efforts pour le traîner dans le salon et enlevons la toile. Sous nos yeux ahuris se révèle une grande cage aux solides barreaux, dont le sol est recouvert de sciure fraîche. Nous avons besoin de quelques secondes pour remarquer la bestiole. Recroquevillée dans son coin tel un immense frelon. Apparemment, elle dormait jusqu'à ce que nos secousses la réveillent. Le petit animal soulève une tête lourde, endormie, impossible de savoir s'il nous examine ou se contente de fixer un espace inconnu. Nous nous agenouillons de part et d'autre de la cage, en silence, comme si le moindre mouvement risquait d'effacer cette vision. Ce n'est que lorsque soudain sa gueule s'ouvre sur un gosier rose dans lequel se balance une langue humide et frémissante, que Ninouch est soudain tirée de son immobilité et, avec une infinie perplexité, comme si elle était à cet instant précis face à la septième merveille de notre univers usé, elle dit, « il bâille, Lily, regarde, il bâille ».

Un temps pour les oreilles, un temps pour le derrière,
Un temps pour le jamais, un temps pour tout de suite

Notre grand avantage, à nous, les hygiénistes, c'est
que bien que nous soyons des êtres sensibles à la douleur
et à la beauté, ce qui guidera nos pas, ce qui nous indi-
quera la marche à suivre, ce sera toujours le pragmatisme.
Et c'est pourquoi, tout de suite après avoir raconté, honteuse et presque bégayante, à Ninouch comment j'avais,
de ma propre main manucurée, signé le contrat qui me
rendait propriétaire de cette clémentine à fourrure, j'essaie de trouver une issue. Alors, tandis que mon amie,
allongée sur le ventre, s'ingénie à attirer le petit poilu
hors de sa prison, je m'assieds sur le canapé, commence
à ronger les ongles qui ont participé au délit et élabore
un premier plan d'action.

« Voilà ce qu'on va faire », dis-je avec un grand
sérieux tout en lançant le *Cosmopolitain* en français sur
Ninouch pour qu'elle m'écoute. « On va remettre la
bâche sur la cage, prendre un taxi et ramener le tout au
cirque. Il y a sûrement encore quelques responsables qui
sont restés sur place pour les dernières démarches. On
ne démantèle pas une telle construction en une nuit.
Nous, on va tout simplement le déposer là-bas et s'en

aller. Quelqu'un de l'équipe finira bien par le remarquer. Ils n'auront pas d'autre choix que de le reprendre.

— Et le contrat ? » me demande Ninouch. Bien que toute sa vie elle ait été systématiquement dupée, elle estime que le respect des contrats est de l'ordre de « mort à qui s'en dédie ». J'en profite pour lui faire la leçon.

« Il est grand temps que tu arrêtes d'être aussi naïve. Sache que chaque fois que tu fais ce genre de réflexion, ceux qui t'entendent se persuadent que tu as un grain. Est-ce que quelqu'un me connaît, là-bas ? Et puis, tu ne sais donc pas qu'on colle parfois aux gens des trucs qu'ils n'ont pas faits, parfois même on met de la drogue ou des documents compromettants dans les affaires de quelqu'un pour le piéger. Qu'ils essaient de prouver quoi que ce soit. Qu'ils viennent me chercher avec leur contrat à la noix ! »

Comme pour contredire mes paroles, à la seconde où je me tais, la sonnette retentit.

Nous nous figeons toutes les deux. Sur le qui-vive. La sonnette lance encore un appel isolé puis, après une pause qui nous laisse espérer que l'indésirable a renoncé, la sonnette reprend à un rythme déterminé et est soutenue, au bout de quelques minutes, par des coups frappés contre la porte.

« C'est peut-être Léon. » La bouche de Ninouch remue comme celle d'un petit poisson tiré hors de son bocal. Je lui lance un regard puis me lève, « si c'est lui, on n'a pas le choix, il faut ouvrir ».

Et c'est Mikhaëla qui déboule dans l'appartement, se déchargeant, par de véhéments reproches, de la frustration d'avoir attendu derrière la porte. J'essaie de la bloquer avec mon corps mais c'est une tentative inutile, elle fonce dans le salon tout en m'expliquant en détail les angoisses par lesquelles elle est passée.

« J'ai pas arrêté d'appeler toute la journée, et comme je suis tombée que sur le répondeur, je me suis dit, pas le choix, faut que j'aille voir ce qui se passe. Qu'est-ce que j'en sais — elle s'est peut-être suicidée. Moi, avec ton allure d'hier, pour sûr que je me serais suicidée. N'empêche, tu peux me remercier pour mon sens des responsabilités. Je me suis dit, je vais attendre. Tu sais pourquoi ? Parce que t'avais pas l'air d'une fille qui sait ce que c'est de traîner la nuit. Ça a pris des heures, j'en pouvais plus, mais je suis comme ça, si je me sens concernée par quelqu'un — je peux tout lui donner. Quand je t'ai vue en bas, dans le hall, avec ce travelo chinois, je me suis tout de suite approchée, *"mister,* j'ai dit, *I take her, give me fifty dollars and we close the business"*. Et toi — je te dis pas, j'ai eu un mal de chien à te faire cracher le nom de ta rue et ton numéro, et en plus, tu m'as vomi dans le taxi, quand je pense que j'ai changé les revêtements il y a deux mois. Wouah ! C'est quoi ce lapin ? On dirait un monstre ! T'as pété les plombs ou quoi ? »

À la décharge de Mikhaëla, il faut dire qu'elle comprend vite. Je fais les présentations officielles entre elle et Ninouch, et la voilà qui s'installe, boit un nescafé plein de saccharine, écoute mes phrases laconiques qui expliquent la présence de la bestiole dans mon appartement, et conclut, « bref, faut s'en débarrasser au plus vite. Tu t'es simplement fait enculer par ton Chinois ». À quoi je réponds en essayant de sauver mon honneur perdu, « ce n'est pas exact. Il s'agit en fait d'un cadeau, que, réflexion faite, je ne peux pas accepter.

— Ça, un cadeau ? Tu sais de quoi ça aura l'air quand ça va grandir ? Bon, moi, qu'est-ce que j'en ai à foutre ? Non, je suis pas du genre à me mêler des affaires des autres. Que chacun fasse comme il a envie », et elle croise les jambes, comme pour bien indiquer qu'elle ne va pas nous quitter de sitôt.

Elle s'en prend d'ailleurs maintenant à Ninouch, assise à côté de la cage.

« Dis donc toi, t'aurais pas par hasard posé pour la pub des slips en stretch de chez Sabrina ? Et c'est qui l'enfoiré qui t'a flanqué ce coquart ?

— Écoute, Mikhaëla » — je décide de prendre les choses en main —, « est-ce que tu pourrais nous déposer au cirque pour qu'on y laisse la bestiole là-bas ? Cette plaisanterie, comme tu le vois, a assez duré. Pour cent shekels, ça marche ? »

Son regard m'examine avec un mépris affiché, « pas de problème, pour cent shekels je peux t'emmener à Gaza, ou n'importe où... mais pas au cirque.

— Et pourquoi donc ? » L'instabilité de cette femme commence à me taper sur les nerfs.

« Pourquoi ? Parce que y a plus de cirque là-bas. Voilà pourquoi. Ils ont tout démonté et ils sont partis, j'en viens — y a plus rien. Si tu cherches vraiment bien, tu trouveras peut-être là-bas une crotte d'éléphant. » Et la salope éclate de rire, fière de sa grossière plaisanterie.

« Je suis sûre qu'au moins une partie de la direction est restée pour tout régler. Il doit bien y avoir un représentant, quelqu'un. » Je sens la détermination de ma voix faiblir légèrement.

« Tu devrais m'écouter au moins une fois. On se connaît que depuis hier, mais j'arrête pas d'avoir raison. Tout le temps. C'est moi qui ai raison, encore raison, toujours raison. C'est statistique. »

Son assurance autoritaire a raison de moi, « alors qu'est-ce que tu proposes ?

— Tu sais, ma chérie, c'est simple, tu as deux possibilités. La première, c'est d'aller chez les flics, de leur raconter toute ton histoire et de te foutre dans un bordel pas possible, avec enquête et tout le bazar. C'est pas une chose qui sera passée sous silence, vu qu'il s'agit d'un délit qualifié. Tu vas te retrouver dans la merde jusqu'au cou, les journaux s'en mêleront, sur ton lieu de travail ça va être la joie, bref, prépare-toi à ce que ton petit train-train quotidien, comme on dit, change du tout au tout.

— Et l'autre possibilité ? »

Le bébé tigre répond enfin aux injonctions de Ninouch et sort de la cage. Pour autant que j'y comprenne quelque chose, on dirait vraiment un nouveau-né. Il n'est pas plus grand qu'une boule de pain, mais la taille de sa tête et la rondeur de ses épaules de fourrure témoignent déjà de sa noble origine. Rêveur, il avance sans direction, lourde goutte de miel qui finit par se cogner contre Ninouch, assise en position du lotus. Il escalade les jambes repliées, pose sa tête dans le tendre giron et se rendort aussitôt, tandis qu'elle se penche vers lui, telle Marie-Madeleine sur le cadavre du Christ.

« L'autre possibilité, reprend Mikhaëla qui commence

par me lancer un coup d'œil avant de se fixer sur la Pietà incarnée par Ninouch et l'animal, c'est de faire ce qu'on faisait chez nous dans le Sud, au moshav, quand une chatte mettait bas. On prenait les petits tout de suite, ils étaient encore aveugles, exactement comme ton Simba, on les mettait dans un sac, on allait faire un tour à la source, et *yallah*, *bye bye*. »

Malgré la terreur qu'éveille en moi cette proposition, je me sens dans une telle impasse que je ne la repousse pas immédiatement. C'est alors qu'on entend la voix de Ninouch, tout en verre et cloches tintinnabulantes.

« Il y a une autre alternative. »

Bien que, quelque part au fond de mon ventre, là où s'entassent les couches de colère refoulée, je sente frémir la certitude que je ne pourrai pas refuser ce qu'elle va me demander, je déclare, « j'espère juste, Ninouch, que tu ne vas pas recommencer avec tes conneries.

— Il peut rester chez nous. Ici. Comme ça, il aura le meilleur traitement possible », dit-elle.

Évidemment ! Un temps pour les oreilles, un temps pour le derrière, n'est-ce pas ?

Ne serait-ce que pour sauver les apparences, je lui renvoie une salve d'arguments logiques, puis, comme cela ne sert à rien, je passe à de la pure démagogie, mais comme nous savons toutes les deux que cela ne relève que du rituel, elle respecte patiemment mon besoin de suivre une procédure convenable. Mikhaëla nous écoute attentivement, elle essaie de localiser les courants souterrains qui agitent le dialogue et très vite, grâce à son don de fin psychologue, elle trouve la phrase qui clôt cette interminable dispute, « allez, Lily, accepte. Qu'est-

230

ce qui peut arriver ? Avec le temps, tu finiras par trouver une solution. Pour l'instant, que la petite en profite ».

Je me tais encore quelques secondes incontournables puis je lâche, avec un sérieux extrêmement contrarié, « je te préviens, il est sous ton entière responsabilité, moi, j'ai toujours détesté les chats ».

Ninouch lance de petits cris ténus de fée à l'esprit dérangé, elle saute alternativement sur moi et Mikhaëla, laquelle reçoit ces marques de gratitude avec un sourire modeste, comme si elle n'avait pas proposé il y a quelques minutes à peine d'aller noyer la raison de toute cette joie. Ninouch prend le bébé tigre dans ses bras, lui embrasse le museau, souffle sur le duvet de sa nuque, nous le tend afin que nous puissions, nous aussi, admirer de près sa beauté — les oreilles, le petit nez, qu'est-ce qu'il est mignon, mon Dieu, mignon, pour finir par une exclamation affolée, « il doit crever de faim ! » et disparaître avec lui dans la cuisine, me laissant discuter avec Mikhaëla des aspects pratiques de ma décision.

Il s'avère que cette dernière appartient à l'engeance rare de ceux qui savent se rendre indispensables et irremplaçables, ceux qui arrivent à te convaincre très rapidement que tu ne pourras jamais te débrouiller sans eux. Bien que le premier mouvement de tout mon être soit de se révolter contre l'envahisseuse, je me prends, au bout d'un court laps de temps, à l'écouter, à lui poser des questions, à opiner, à lui demander conseil comme si elle était une autorité incontestée et m'avait suivie tout au long de ma vie. Plus prosaïquement cependant, les seuls animaux qu'elle ait jamais élevés sont des chiens, des chats et des enfants. Pourtant, elle fait preuve d'une assurance et d'une conviction intérieure dignes d'un organisateur de safari déjà blasé.

« T'inquiète, les animaux, c'est comme les mômes, à part que ça coûte moins cher. Qu'est-ce que tu crois, que je n'ai pas pigé la situation ? Que je ne vois pas à qui j'ai affaire ? Elle est quoi pour toi ? Une parente ? demande-t-elle en indiquant la cuisine.

— Plus ou moins, une cousine éloignée. » Je réponds à contrecœur, je n'ai aucune envie d'expliquer la nature de mes relations avec Ninouch.

« Si elle est de ta famille, rien à faire. La famille, c'est sacré. Et elle a l'air gentille, ça se voit tout de suite, et ce visage qu'elle a reçu du bon Dieu, un cadeau ! N'empêche qu'à part l'anorexie, elle a un autre problème dans la tête, et les animaux, pour ce genre de maladies, c'est très sain, crois-moi. Morann, mon aîné, son année de première, il l'a passée à la maison. Il mangeait plus, même la télé il voulait plus la regarder — ses copains lui manquaient, il avait peur d'être oublié, mais comme il faisait bronchite sur bronchite, on n'avait pas le choix. Finalement, je lui ai amené un chien. Eh ben, ça lui a fait passer sa déprime.

— Elle n'a aucun problème dans la tête ! » Elle m'énerve, cette Mikhaëla, mais Ninouch revient dans le salon, ce qui évite l'embrasement. Son nez tout fin et un peu aplati est rose de détresse.

« Il ne mange rien. Ni le lait ni le fromage. Je lui ai presque fourré sa petite frimousse dans l'assiette mais lui — rien. Que des prrr, prrrr.

— Une assiette, n'importe quoi ! lance Mikhaëla avec un regard plein de mépris. C'est un nourrisson, un bébé. Faut lui acheter un biberon, du lait maternisé, un rat en peluche, un répulsif contre les tiques et aussi du sable. Arrête de me regarder avec ces yeux de merlan frit, enfile tes chaussures et va acheter tout ça au supermarché. Toi, Lily, trouve-nous une boîte en carton dans laquelle il pourra faire ses besoins. Il faudrait aussi un truc doux pour qu'il dorme dessus, quelques bouts de chiffons, parce que ces bestioles-là, elles aiment se mettre en boule. »

Ne nous reste qu'à lui obéir avec l'admiration la plus totale. Devant un tel sens pratique, même moi j'ai l'impression d'être une gamine paumée mais drôlement chanceuse, j'ai d'ailleurs presque du mal à comprendre comment j'ai pu me débrouiller sans elle jusqu'à présent.

Ça leur prend une bonne heure pour se préparer et y aller. Je referme la porte derrière elles. Enfin seule, je peux commencer à réfléchir, faire défiler à l'envers le film de mes dernières vingt-quatre heures. J'essaie d'imaginer où se trouve Taro en ce moment, quelque part dans un amoncellement de nuages au-dessus de l'Asie, bien calé dans un siège de première classe, il chasse sans doute sa gueule de bois avec du champagne gracieusement offert, un costume Armani fripé cache le scintillement de sa magnifique poitrine, la fente de ses yeux détaille les fesses des hôtesses. Une amère sensation de manque envahit ma poitrine, mes tempes. Et si Ninouch avait raison, si moi, les autres, nous tous, étions trop intoxiqués, espérions trop, dépendions trop. Tous pris dans cette course effrénée au bonheur parce qu'une croyance puérile et annihilante nous laisse penser que c'est la seule option possible, nous rend aveugles aux leçons du passé et aux évidences du présent, nous pousse à aspirer à un avenir inconnu en nous gargarisant d'une promesse restée en suspens sans que nous sachions d'ailleurs qui l'a faite, cette promesse, et pourquoi nous devrions y prêter foi. Encore un pas, encore un petit effort, et nous allons nous allonger à l'ombre de l'épais feuillage des arbres d'Arcadie, plonger nos pieds tout pâles dans les sources limpides de Shangri-la.

Je vais devoir me résigner, tête basse, au manque. Cette pensée m'attriste, mais elle apporte aussi le soulagement du renoncement.

Je m'approche de la fenêtre ouverte. Le printemps a purifié le ciel. L'air transporte une odeur de pollen qui menace le sommeil des allergiques. De froides étoiles brillent de la fierté de mille feux.

DEUXIÈME PARTIE

TIGRIS

Bonjour, bonjour à toi été aux climatiseurs ronron-
nants, aux pics d'utilisation de déodorants, aux parties
cachées du corps humain soudain dévoilées dans les rues
ivres de pollution. Bonjour à toi, juillet, bienvenue !
Oh, Dieu tout-puissant, voilà le mois le plus cruel ! Et
voilà ma ville qui écarte largement les jambes pour
absorber ton flux brûlant.

On dit que la Terre se réchauffe. La sensation que
chaque été est plus chaud que le précédent n'est, paraît-
il, pas une vue de nos esprits bouillant de chaleur mais
bien un fait scientifique avéré. Dans les rues de Tel-Aviv
stagne un air poisseux et humide qui n'est autre que le
souffle putride du delta du Nil dont les marais dégagent
des vapeurs venant perturber le célèbre bien-être du cli-
mat méditerranéen.

Parfois, la forte luminosité se teint de brun sépia et
transforme la ville en cliché de vieil appareil photo. En
ces moments-là, on a vraiment l'impression de sentir
passer par les pores de sa peau dénudée ou à travers ses
narines le poison qu'on nous fait respirer. Le visage des
gens brille de sueur, ils se meuvent avec une lenteur

irréelle, comme si, à chaque pas, ils s'enfonçaient dans des sables mouvants, s'en extirpaient, s'enfonçaient encore et ainsi de suite pour avancer vers un but invisible, dont l'importance est surtout d'être quelque part afin qu'on puisse le désigner, le nommer, y aspirer.

Cet air vaporeux est aussi l'assurance de troubles et d'hallucinations — parfois, quand je marche vers la clinique dentaire, je pense croiser des gens que je connais mais eux se fondent dans la foule des passants, disparaissent dans des immeubles de l'autre côté de la rue, émergent de voitures qui ralentissent, font demi-tour à toute vitesse.

Une fois, à travers la vitre d'un bus, j'ai cru voir la tête blanche aux cheveux courts de grand-mère Rachélé, que je sais, sans le moindre doute, absolument morte. Devant son cadavre qui, comme tous les cadavres, semblait beaucoup plus petit qu'elle ne l'avait été dans sa vie, maman avait failli glisser sur la terre humide droit dans la tombe ouverte.

Cet épisode, soit dit en passant, avait tellement traumatisé ma mère qu'elle en avait fait une réaction hystérique et perdu la parole pendant toute la semaine de deuil. Au septième jour, c'est Micky Gafni, un avocat ratatiné et un peu véreux, qui lui avait rendu sa capacité d'expression : il était venu nous apporter le testament de grand-mère, un testament par lequel elle léguait à sa fille des économies totalement inattendues.

Parfois j'ai aussi l'impression de la voir elle, ma mère, qui, au bras de Poldy Rosenthalis, examine des prothèses dans une vitrine d'accessoires médicaux ou les plateaux de rogelekh du salon de thé Ougati, parfois mon regard est vraiment attiré par papa qui, arrêté comme à son habitude devant le kiosque, tord son long cou d'oie pour lire les gros titres des journaux.

Je suis aussi persuadée d'avoir vu, dans une jeep qui a stoppé à un feu rouge, la large nuque rousse d'Amikam, mais j'ai pressé le pas pour rien car la voiture a bondi dans un vrombissement de moteur avant que j'aie pu la rattraper, me laissant derrière, à inhaler les gaz d'échappement et à me demander ce que faisait mon général en ces temps d'Intifada. Accomplissait-il sa période d'armée annuelle qui lui offrait l'occasion d'aller donner à « nos cousins, ces fils de pute » deux ou trois bonnes leçons de politesse et de savoir-vivre quelque part dans un secteur qui s'étendait de Ramallah à Jenine ?

Il m'arrive aussi d'apercevoir des gens moins importants — des amies, des professeurs du lycée, des hommes avec qui j'ai couché. Tiens, il y a quelques jours, j'ai très nettement vu Brouria Zimmel, une fille qui a étudié avec moi l'hygiène dentaire à la faculté de dentisterie de l'université de Tel-Aviv. Elle était tellement solitaire, cette pauvre Brouria, que la nuit où Rabin a été assassiné, personne ne lui a téléphoné pour lui annoncer la nouvelle — du coup, elle ne l'a apprise que le lendemain matin. En voyant son dos empoté au coin de la rue Bougrashov, j'ai même crié : « Brouria ! Brouria Zimmel ! » et une femme inconnue s'est retournée, à mon avis tout aussi paumée que ma Brouria Zimmel.

Le seul que je ne vois nulle part, c'est Taro. De même qu'aucun chat de gouttière ne peut rappeler le bébé tigre qu'il m'a offert, personne ne me fait penser à lui dans les rues de ma ville. Taro, je ne peux le ressentir qu'en creux, et ce creux devient parfois tellement violent qu'il se transforme presque en un bloc tangible, contre lequel on peut plaquer une joue brûlante, comme si c'était un pilier de marbre. Même dans mes rêves, il refuse d'apparaître, et je suis obligée d'utiliser un sixième sens, particulier, pour garder un peu de lui, le sens qui détecte la présence de quelqu'un debout à côté de toi dans une obscurité totale.

*

Le tigre est le plus grand des félins. C'est un prédateur situé au sommet de la chaîne alimentaire.

*

En dépit de ce flou estival, en dépit aussi de la sueur qui dégouline de mon corps et de mon visage dès que je mets un pied dehors, je suis contente. Des journées gorgées d'un bonheur nouveau s'écoulent sous le toit de mon petit appartement, et cette sensation ne me lâche pas lorsque je pars, chaque matin, remplir mon devoir professionnel, ou que, penchée au-dessus de bouches grandes ouvertes à respirer l'haleine de l'humanité, je perce, je tapote, je polis, je brique, je détartre, je frotte les taches de nicotine et de café, sermonne doucement les négligents ou encore explique patiemment aux nouveaux venus (illustrant mes conseils sur un plâtre de mâchoire humaine), avec la facilité qui est l'apanage de notre profession, les mouvements du bon brossage de dents. Rien d'étonnant à cela — depuis toujours, mon travail m'a évité de me laisser entraîner dans mes abysses, ou comme le formulait grand-mère Rachélé, « il n'y a rien de mieux que l'action pour t'empêcher de farfouiller inutilement dans ton âme ». Même cette absence tangible et qui jamais ne s'effacera prend la forme d'une strate, devient une couche supplémentaire qui participe de la construction tectonique de ma joie de vivre.

La seule chose qui arrive à me désoler, quoique dans une moindre mesure, c'est une vague fatigue que je ressens dès mon lever, à l'aube comme d'habitude. Une fatigue maligne et fuyante, une espèce de somnolence qui, tel un voleur, se faufile dans mon attention et entache l'énergie pétillante qui a toujours fait partie de mes signes distinctifs. Parfois, je suis penchée au-dessus d'un patient, concentrée et précise, quand soudain un trouble si violent m'assaille que je dois m'asseoir et fermer les yeux un instant, comme si j'avais la tête qui tournait. Je m'excuse par un « ce n'est rien, juste un coup de vertige », marmonné à l'intention de mon patient, mais je suis mortifiée d'avoir ainsi ébranlé la sensation de sécurité qu'il avait jusque-là.

Israël Rickliss, quant à lui, explique cela différemment, « tu fais encore un de tes régimes à la con, Lily ! Quand comprendras-tu que tu dois apprendre à manger correctement, à manger sain et avec plaisir ! À ce propos, Adina vient de terminer un stage de nutrition, maintenant, même le rosbif, elle le fait au tofu et crois-moi, c'est délicieux. Mais le plus important, c'est de manger du poisson, du poisson, et encore du poisson ».

J'ai beau nier — depuis ma rupture avec Amikam, je ne fais plus de régime —, il refuse de me croire, il a l'impression que j'ai maigri, et bien que l'aiguille de la petite balance placée dans les toilettes de la clinique s'arrête toujours sur mes mêmes sempiternels 112 kilos, mon employeur affirme que ma silhouette s'est affinée. Moi, je hausse les épaules. À l'époque où il faisait son service militaire à l'institut de stomatologie de Tel-haShomer, Israël Rickliss séduisait toutes les infirmières en arrivant, d'un seul regard, à deviner leur poids exact. Loin de moi l'envie de priver le bon dentiste de sa plus éblouissante tactique de drague, surtout qu'il s'agit là de quelque chose de l'ordre de la brebis du pauvre.

À part cette petite ombre au tableau, et comme participant de la bonne période que je traverse, mes relations avec lui sont au beau fixe. Les dieux de la fécondité ayant décidé de mettre son assistante habituelle, Shoshi Abecassis, en arrêt maladie pour surveillance de grossesse, il a recours — jusqu'à ce qu'il trouve une remplaçante convenable — aux services de sa vieille secrétaire, qui gère aussi la clinique, Aharona Pertshik. Mais parfois la pauvre se retrouve engluée jusqu'au cou dans les affaires courantes, et c'est donc moi qui vole au secours du patron.

Au début, mes réactions à la vue de la souffrance ou des saignements d'autrui étant de notoriété publique, nous avions tous les deux craint cette collaboration, mais la main du hasard, qui m'obligea un beau matin à aider le docteur Rickliss à arracher une dent de sagesse, démontra qu'à l'inverse de ce qui arrive au corps de l'homme, pour ce qui est de l'âme, le temps nous la bonifie et nous la consolide. J'en veux pour preuve les yeux terrorisés du petit Tal-Tal Rosenbaum tandis qu'il recevait six piqûres d'anesthésie, les tenailles dans la main du dentiste, l'arrachage de la dent, des choses qui, même séparément, auraient suffi dans le passé à m'envoyer dans les pommes pendant au moins une heure, et qui, cette fois, n'ont éveillé chez moi que de la curiosité. Et lorsque Tal-Tal s'est redressé pour se rincer la bouche, je n'ai pas pu m'empêcher de fixer l'éclat du sang mêlé à la salive qui s'écoulait dans le petit lavabo.

Au cours des nuits qui suivirent, je me suis beaucoup réveillée avec des bribes de rêves tournant autour de dents arrachées. Parfois c'était moi l'huissier, le juge et le bourreau, je me penchais sur une bouche qui était un gouffre sans fond et terrassais, d'un geste professionnel, le lien ténu qui subsistait entre la dent et la gencive. Parfois, j'étais la victime impuissante mais qui, non sans plaisir, s'abandonnait bouche ouverte aux agissements de quelque corps que mes yeux ne distinguaient pas mais qui me couvrait de toutes parts, dans une présence totale.

Je me réveillais en sursaut, yeux grands ouverts dans l'obscurité éclaircie par la lumière des réverbères. Loin de ressentir l'ombre de la terreur qui aurait logiquement dû accompagner des sujets aussi violents, j'étais galvanisée par la certitude d'exister et que mon existence relevait d'une espèce de jeu dont le danger ne faisait qu'en souligner les règles immuables, la frontière nette et protégée. Mon corps était traversé par un frémissement d'excitation érotique, et il m'arrivait de rester allongée à sourire dans le noir pendant de longues minutes. Mais au bout de quelque temps l'émotion provoquée par l'arrachage de dents s'estompa et les rêves cessèrent.

*

Après avoir mis bas, la tigresse ne sera prête à s'accoupler à nouveau que lorsque ses petits seront suffisamment autonomes — autonomie atteinte entre un an et demi et trois ans.

*

Et le bébé tigre ? Je ne pense pas exagérer en disant avec lyrisme que c'est comme si la main du destin avait arraché un morceau du soleil de juillet et l'avait envoyé, pour des raisons non encore élucidées, illuminer nos vies.

Outre l'exotisme de sa présence qui a instantanément avivé en nous trois les glandes réservées chez les femmes aux petits d'homme, il y a, à la base, quelque chose de très stimulant dans le simple fait de s'occuper de lui quotidiennement. Afin d'aiguiser ses sens, de la musique classique passe en boucle à la maison — exclusivement du Mozart ou du Vivaldi pour la joie et l'énergie qu'ils apportent —, presque chaque jour est organisée une présentation artistique de feux d'artifice miniatures, à usage domestique, achetés dans un magasin de jouets. Les fesses collées au sol, la queue en tic-tac de droite à gauche, le bébé tigre observe attentivement les fontaines étoilées puis, tout à coup, il se jette sur ces étincelles insaisissables et grogne de frustration. Certains des soins qu'il exige sont aussi beaucoup plus terre à terre : nous devons exciter son anus avec un morceau de coton imbibé d'eau tiède afin de provoquer l'émission de selles, chose dont, dans la nature, se charge toute mère responsable en léchant sa progéniture. Mais même cette obligation journalière nous met en allégresse et nous rions de bon cœur, exactement comme s'il s'agissait d'un petit humain.

La maison déborde de joie de vivre et d'amitié. Y a-t-il une chose qui unit davantage des êtres distincts que l'amour pour une même créature ?

Pourtant, je dois avouer que j'éprouve aussi une certaine réticence envers cette bestiole, que je m'explique par le fait que chez moi, dans mon enfance, nous n'avons jamais eu d'animaux domestiques. Mes parents, qui portaient en eux cette angoisse existentielle héritée de la diaspora, ne pouvaient que rejeter de telles pratiques, ils les considéraient comme le privilège inconséquent des puissants et des favorisés, quelque chose de réservé aux seigneurs du pays. À ce rejet prolétarien s'ajoutait la certitude que les animaux domestiques étaient sales, porteurs de maladies et qu'ils ne servaient à rien. C'est pourquoi mon rapport au bébé tigre reste un peu rude, dénué de tendresse et d'exclamations émerveillées, exactement comme le rapport qu'ont les paysans avec leurs vaches ou leurs chevaux.

Cette explication psycho-sociale, je la sers au tout-venant, c'est-à-dire en l'occurrence à Mikhaëla et à Ninouch. En dedans de moi, dans mon for intérieur, je perçois, sous l'enveloppe friable de la logique, une répugnance dont la nature est bien plus profonde et mystérieuse que le simple raffinement de gosse d'immigrés sans le sou, et parfois, tandis que je vaque à mes activités quotidiennes, lorsque je sens le regard jaune suivre mes mouvements, des frissons parcourent ma colonne vertébrale.

Celle qui s'occupe le plus du bébé tigre, c'est Ninouch, et indéniablement l'énergie dégagée par ces deux astres est aussi contagieuse et revitalisante que l'énergie solaire.

Jamais, depuis que nous nous connaissons, je n'avais vu mon amie si vive, si rayonnante. Elle débarque chez moi tous les matins avec des sacs de litière parfumée pour chats, du lait maternisé et des boîtes de conserve de viande hachée enrichie en vitamines. Tout ce à quoi tend présentement sa vie, c'est à ce que le bébé grandisse dans des conditions optimales de bonheur et, après s'être bien amusée, avoir batifolé avec lui à travers tout l'appartement, lorsque son protégé somnole sur ses genoux, elle plonge le nez dans un vieux *National Geographic* entièrement consacré aux tigres du Bengale, la race à laquelle appartient notre gaillard.

On dirait même que son corps s'est musclé, sa voix a pris une nouvelle épaisseur, ses biceps se sont renforcés et se gonflent comme des petites pommes chaque fois qu'elle porte d'un endroit à l'autre son protégé qui grossit de jour en jour. Parfois j'ai peur que leurs jeux ne deviennent par trop dangereux. Se dégage de lui une douceur de peluche trompeuse car il n'a aucune conscience de la docilité propre aux animaux domestiques. Plus le temps passe, plus la sauvagerie de son tempérament se révèle, il blesse la fine peau de sa gentille nounou, laisse sur ses jambes ou son cou les marques pourpres de ses

dents et de ses griffes, faites pour dépecer les vaches égarées autour de villages indiens reculés. Mais elle, fière et
heureuse de le voir se développer, lui émiette dans la
bouche des comprimés de calcium afin de consolider
encore un peu plus ces instruments de tuerie. Elle le
caresse, les mains en sang, « avale, avale, espèce de petit
clown, sinon, tu vas devoir te faire soigner par docteur
Israël ».

Afin que toutes ces blessures n'alertent pas ce jaloux
de Léon, Mikhaëla nous a emmenées à la SPA et nous
avons adopté un vieux couple de chats persans appelés
Jules et Jim que nous avons installés chez Ninouch.
C'est sur eux qu'elle fait retomber la responsabilité des
multiples griffures qui lui décorent les bras. Son compagnon ne manque pas de lui faire des reproches — elle
doit veiller sur sa santé et sa beauté, surtout qu'elle est
très sensible à « ce genre de trucs », mais elle répond
par son non-non-non caractéristique, en secouant sa
mâchoire aux lignes lissées, les chats la rendent heureuse, elle est joyeuse, et il se résigne — ne donnerait-il
pas la moitié du monde pour son insatiable princesse de
glace ? D'ailleurs, une femme qui passe sa journée à
s'occuper d'animaux n'a pas le temps d'avoir des aventures adultères.

Il m'arrive de tomber sur les petits papiers que
Ninouch a éparpillés à travers l'appartement et sur lesquels elle a inscrit — tels des camées qui viendraient la
tirer du confort douillet de son petit amour pour lui
rappeler qu'elle s'est attachée à un chat sauvage et
majestueux — des commentaires sur les tigres du
Bengale. Par exemple :

247

*

Les mâles du Bengale peuvent mesurer 3 mètres de long, du bout du museau jusqu'à l'extrémité de la queue. La queue, quant à elle, fait environ 1 mètre. Ils peuvent peser jusqu'à 250 kilogrammes. Les femelles sont en général plus petites.

Ou :

Le tigre du Bengale *Panthera tigris tigris,* vit principalement en Inde, mais il est aussi distribué au Népal, au Bangladesh, au Bhoutan et en Birmanie.

*

Par acquit de conscience, Léon a emmené Ninouch chez un homéopathe classique doublé d'un diététicien. Ce célèbre thérapeute lui a prescrit vitamines et minéraux à des doses quotidiennes qui auraient suffi à soigner un stade entier de scorbutiques et de rachitiques. Ces médicaments sont censés renforcer tous les systèmes de son organisme et la vacciner contre tous les maux de la terre. Malgré les réserves que j'ai exprimées en la voyant tirer de son sac des dizaines de fioles en verre foncé contenant d'étranges mixtures, je dois admettre ma défaite — moins de trois semaines après le début de ce traitement alternatif, j'ai moi-même constaté que les blessures de Ninouch cicatrisaient à une vitesse phénoménale.

Mikhaëla en revanche n'a toujours pas renoncé à sa

méfiance instinctive. Elle a examiné les petits flacons et grimacé en prenant une mine dégoûtée.

« C'est sûrement bourré de cortisone. Un remède comme ça, moi aussi je peux l'inventer. »

Mais Ninouch a réfuté l'argument avec son habituel non-non-non du menton, puis s'est hâtée d'avouer que de toute façon elle n'avalait pas ces potions mais les jetait directement à la poubelle, dénégation qui reste sans effet sur Mikhaëla. Forte de son expérience avec ses cinq enfants et de toutes les années où elle a été en contact permanent avec la médecine publique, celle-ci est persuadée que les seuls médicaments capables d'agir sur le corps humain sont les stéroïdes et les antibiotiques.

« Mais puisque je te dis que je ne prends rien de tout ça !

— Peut-être qu'il te les mélange à ce que tu manges.

— J'aurais senti le goût !

— Alors je suis sûre qu'il les dissout dans de l'eau et te les injecte quand tu dors. Il y a un type comme ça qui a injecté du pétrole à sa femme.

— Tu es complètement parano.

— Non, simplement je connais la vie en général et les hommes en particulier.

— Et moi pas ?

— Toi si, mais uniquement en dessous de la ceinture. »

J'évite d'intervenir — entre Ninouch et Mikhaëla est en train de se construire une relation indépendante, et j'aime regarder mon amie qui répond à Mikhaëla avec une assurance que je ne lui connaissais pas, celle de quelqu'un habitué à être estimé par son entourage. À ces moments-là, le timbre de sa voix change et devient plus souple, plus chaleureux, son intonation se nuance et perd un peu de son uniformité austère, parfois, on pourrait même la qualifier de chantante.

« Tu dis n'importe quoi, Mikhaëla. Le tigre stimule mon système immunitaire, rien d'autre. Il a ce genre de vertu. Sache qu'en Chine on fait de la poudre avec leurs os, et les hommes là-bas en prennent pour renforcer leur virilité. »

Mikhaëla pose la fiole sur le plan de travail de la cuisine et retourne à sa tâche : sortir du plastique les boulettes de viande qu'elle nous a apportées pour les mettre dans un plat digne d'elles.

« Pourquoi ont-ils besoin de tant de virilité, ceux-là, puisqu'ils n'ont droit qu'à un seul enfant ? Si c'est juste pour emmerder leur femme la nuit, ils peuvent se débrouiller sans poudre. Tiens, prends une boulette, mange-la comme ça, à la main, allez, mange au lieu de blablater.

— *Oïè*, Mikhaëla, tu ne cherches qu'à m'énerver. » Ninouch abandonne le bébé tigre pour sauter sur le dos de sa nouvelle amie. Elle se pend à son cou, entoure sa taille de ses jambes en caoutchouc et fait semblant de lui mordre la nuque.

« Tu as une chance, c'est que tu sens tellement bon ! »

L'autre essaie de se débarrasser de cette pieuvre humaine et, étrangement, rougit.

Ninouch commence à se souvenir. Et il ne s'agit plus de bribes qu'elle nous transmet comme des informations dénuées d'émotions, mais d'images vivantes, qui respirent et allument ou éteignent ses yeux. Je précise cependant que ce nouveau phénomène se focalise principalement sur la réminiscence d'un film qu'elle a vu un grand nombre de fois avec sa mère dans son enfance, *Née pour être libre*, et qui retrace l'histoire d'une petite lionne élevée parmi les humains puis remise en liberté à l'âge adulte.

« Mais c'était un lion en Afrique alors que, nous, on a un tigre indien, un animal totalement différent ! » lui crie Mikhaëla qui se fait le chantre de la précision. En ce qui me concerne, je l'écoute avec la même curiosité que si elle me révélait chaque fois de nouvelles informations. Certes, par le passé, Ninouch a réussi à me raconter certains souvenirs anodins liés à sa mère, mais la distanciation de ses récits, la faiblesse de son esprit ainsi que la perfection extérieure de son corps m'avaient toujours empêchée de lui trouver cette vitalité physique que j'associe, dans mon imagination, au fait d'être la progéniture de quelqu'un. À présent, elle commence à concevoir l'avenir, et cette prise de conscience ressemble au bourgeon tardif d'une plante saisonnière. Elle qui sombrait dans une étrange perplexité chaque fois qu'elle devait convenir d'une sortie au cinéma pour la semaine prochaine, la voilà en train de fomenter une machination pour ramener le bébé au Bengale. Elle a accroché, dans le coin de la chambre à coucher où est posé l'oreiller sur lequel il dort, une grande carte de l'Inde — qu'elle a arrachée de ce fameux numéro tout abîmé du *National Geographic* — sur laquelle les réserves de tigres sont marquées par des cercles verts.

*

Les nouveau-nés pèsent entre 800 et 1 500 grammes, et mesurent entre 31 et 40 centimètres. Leurs yeux ne s'ouvrent que vers le dixième jour.

*

En parallèle, Ninouch a commencé à rassembler les moyens qui permettront d'organiser cette expédition. Tous les quelques jours, elle subtilise un objet dans les trésors de Léon et le range dans une boîte à chaussures qu'elle a cachée dans la buanderie, un endroit où, par définition, Monsieur n'entre jamais. Des boutons de manchettes Dior en or 24 carats, une statuette étrusque en onyx noir, un encrier français vieux de quatre cents ans, un œuf de Fabergé extrêmement rare, un collier d'émeraudes et de rubis de chez Bulgari — fidèle reproduction d'un collier romain ayant appartenu à Messaline en personne.

Tout cela, ainsi qu'un tas d'autres objets décoratifs de grande valeur, dont nous espérons toutes les trois que Léon a oublié l'existence, se retrouve dans son coffre-fort improvisé. À dire vrai, cette pratique m'inquiète, mais je préfère ne rien formuler de mes angoisses.

Mikhaëla, quant à elle, ne se prive pas de jouer les Cassandre.

« Il finira par t'attraper, cet Hitler de merde, et il te réduira en cellulite que même ton Simba ne saura pas comment te manger. »

Mais Ninouch secoue le menton dans son non-non-non souriant, rien à craindre.

Effectivement, force m'est de reconnaître qu'en ce moment, côté Léon, c'est le calme plat. La sérénité la plus totale. Pourquoi ? Parce qu'il est occupé. Grâce au succès phénoménal du Lady-little-schinken-friend, Léon a été élu homme de l'année par la presse féminine israélienne. Or, pour reprendre ses propres termes, il considère sa glorieuse carrière internationale comme nulle et non avenue face à cette distinction honorifique obtenue dans le pays de ses ancêtres.

Et le destin d'une star étant de se dévouer à son public, Léon, en ce moment, passe tout son temps dans des congrès féministes, il se fait photographier avec des bénévoles d'organisations d'aide aux victimes de viol ou avec des responsables de l'association de lutte contre le cancer du sein, des top-modèles, des actrices, des députées, des femmes d'ambassadeur, il a même un cliché avec la femme du Président. On peut le voir aux infos et dans des talk-shows à la télévision, il participe à toutes sortes d'événements mondains comme le lancement d'un nouveau parfum ou l'inauguration d'un restaurant, il fait aussi des discours sur les violences conjugales ou l'exploitation de la femme dans la population druze.

Un exemple :

Léon, assis sur une chaise en face d'un journaliste, expose un des dilemmes qui tiraillent l'opinion publique : devons-nous permettre à toute minorité ethnique d'agir selon sa culture, son mode de vie et ses coutumes ? Avons-nous le droit d'intervenir si, dans une tribu druze, on choisit d'égorger une fille pour cause de déshonneur familial ? Quelle minorité prime sur l'autre — l'ethnique sur le genre ? Le genre sur le social ? Quelle vision du monde est-elle plus importante — la druze ou la féministe ?

Mikhaëla, très excitée, grignote des pistaches et fait taire Ninouch qui râle parce que les plateformes ne sont déjà plus à la mode et qu'on les a remplacées par les talons aiguilles.

« La réponse est claire et nette, sans ambiguïtés. » Léon sourit devant la grande perplexité qui se peint sur le visage du journaliste, indéniablement, la question morale soulevée par le compagnon de Ninouch est extrêmement complexe. « La vie humaine. La vie humaine est la valeur suprême mais il ne faut pas oublier, poursuit Léon en s'appuyant sur des articles d'Edward Saïd, que l'Occidental ne doit jamais intervenir dans les traditions antiques de l'Orient, comme dans ce cas par exemple, sauf pour sauver une vie humaine. »

Profondément impressionnée par la manière dont les arguments sont formulés, Mikhaëla ne peut qu'exprimer son étonnement qu'un homme aussi intelligent que Léon soit totalement privé de logique et submergé de jalousie dès qu'il s'agit de Ninouch. C'est moi qui éclaire sa lanterne et vole à son secours — qui aurait cru que viendrait le jour où j'aurais du plaisir à citer mon père !

« L'intelligence est le propre de l'homme, mais ça ne le rend pas logique pour autant. À ton avis, que s'est-il passé pendant la Shoah ? Où est la logique ? Les Allemands ne sont-ils pas un peuple intelligent ? Quel rapport entre l'intelligence et le comportement humain ? Lis donc Schopenhauer.

— Il y a quelque chose là-dedans, concède-t-elle. Mais s'il te plaît, fais-moi un petit résumé de ton Schopenmachin, parce que, moi, je suis plutôt branchée littérature israélienne. »

Étant donné que notre Léon est devenu une *persona* très *grata*, on n'hésite pas à lui demander son avis sur des sujets plus importants encore, comme par exemple sur les négociations avec la Syrie, un retrait unilatéral ou encore les chances de relancer le processus de paix. Et quels sont ses pronostics quant à la possibilité d'instaurer un nouveau Moyen-Orient ? D'évacuer les colonies ? Et le massacre de Jenine ? Le rejet de déchets empoisonnés dans l'embouchure du fleuve Kishon ? Pense-t-il qu'Israël ait une chance de rejoindre l'Union européenne avant la fin de la décennie ? Des hypothèses sur le lieu où se cache Ben Laden ? Et le meurtre d'Arlozoroff, alors ?

De plus, comme si tout cela ne suffisait pas, eh bien, une équipe vient de commencer le tournage d'un soixante minutes pour retracer sa vie. Et devinez qui sera l'invité prestigieux du prochain concours des Miss ?

La gloire et les honneurs qui pleuvent sur Léon le plongent dans une douce mélancolie aux accents nettement philosophiques. Lorsqu'il rentre la nuit, il pose la tête sur les genoux de Ninouch, caresse du bout des doigts sa peau un peu sèche, violacée, et pleure. La relation de dépendance qu'il éprouve vis-à-vis d'elle, affirme-t-il, est la source de leur souffrance. Jamais il n'a autant aimé qui que ce soit et cet amour le rend furieux, impuissant, incapable de se maîtriser. La peur qu'elle le quitte le rend fou. Il sanglote, lui mouille la jupe de ses larmes et ses glaires, implore son pardon, exige des promesses de fidélité, et elle effleure son front d'une étroite main fraîche, « assez, Léon, assez, je ne m'en vais nulle part ». Pour le prouver, elle accepte qu'il la porte jusqu'à la salle de bains, elle le laisse lui laver les cheveux, lui savonner le dos et lui raser précautionneusement les aisselles. Elle s'allonge ensuite dans la mousse odorante pour jouir des fables de Krylov qu'il lui lit d'une voix mesurée, assis sur la cuvette fermée des toilettes.

Ninouch vit dans la hantise de retomber dans la pauvreté, ce qui se traduit aux yeux de Léon par de la cupidité, et il fait tout ce qui est en son pouvoir pour rassasier ce trait imaginaire du caractère de sa belle. Les jours où il s'absente, il s'arrange pour que, à intervalles réguliers de quelques heures, débarquent chez eux des coursiers avec d'énormes bouquets de lis étincelants, des roses bleu ciel (résultat de croisements et d'améliorations génétiques), des sandales Manolo Blahnik, des lunettes de soleil Prada, un jeu antique de pièces d'échecs chinoises sculptées dans de l'ivoire, des sacs contenant des vêtements de couturiers que personne ne portera, des romans à peine publiés que personne ne lira et des disques avec de remarquables interprétations de Prokofiev ou de Debussy que personne n'écoutera.

Des boîtes de pralines Godiva, des bouteilles de Mouton Cadet et de Cristal, des œuvres de Gershoni ou de Kadishman, un petit dessin de Picasso, du papier de riz très cher avec feutres et pinceaux japonais parce que Ninouch aime peindre des miniatures (avec l'arrivée du

256

bébé tigre, elle a complètement négligé cette activité) s'entassent devant sa porte, attendant son retour le soir. Elle, la seule chose qui la désole, c'est de ne pas avoir pu donner de pourboire aux coursiers... mais que faire, sa présence est requise ailleurs.

Parfois aussi, il l'appelle sur le minuscule téléphone portable qu'il lui a offert uniquement à cet effet. Elle me lance alors un coup d'œil, jette vers Mikhaëla un regard dont la placidité n'arrive pas à masquer l'embarras, puis va s'isoler dans la cuisine. Là, elle a droit soit à des déclarations enflammées, soit à des menaces, puis vient rapidement un interrogatoire sur son emploi du temps. Elle répond en murmurant les phrases laconiques nécessaires pour le rassurer, ce qui est un bien léger tribut à payer en cette période bénie où il n'est pas beaucoup là. Il n'a même plus le temps de la battre. Et dire qu'on prétend que la célébrité corrompt l'être humain !

*

Les tigres du Bengale vivant dans le parc naturel de Ranthambor, en Inde, se différencient de leurs congénères par une activité non seulement nocturne mais aussi diurne.

*

À la différence de Léon, notre Mikhaëla est, elle, extrêmement disponible. Méïr, son ex-mari qui vit à New York et possède un magasin d'électricité et de gadgets à Manhattan, a invité les enfants pour les grandes vacances. Mikhaëla lui a donc envoyé leur marmaille par charter, à l'exception, bien sûr, de Morann le soldat. Étant donné que la situation dans les territoires ne s'arrange pas, elle se change les idées en s'occupant de Ninouch, essaie de la faire grossir et de lui mettre un peu de plomb dans la cervelle. En fait, elle passe le maximum de temps avec sa jeune protégée.

Elle nous tombe dessus par surprise et toujours avec des casseroles remplies de mets végétariens. Alors nous nous installons toutes les trois devant la chaîne de la mode ou nous zappons à la recherche de la prestation quotidienne de Léon.

Mikhaëla doit d'abord et avant tout se rendre utile — oui, si on s'entête à lui trouver une raison d'être, c'est bien celle-là. Elle ne sait exprimer autrement que par une efficacité incessante, qui lui permet d'avancer fièrement sur le podium peu favorisé qu'est sa vie, la profondeur de ses sentiments envers Ninouch. La faire manger, la déposer en voiture, lui inculquer un peu de bon sens.

Et même si elle ne s'est pas encore rendu compte de la nature de l'attirance qu'elle éprouve envers mon amie, moi, j'y discerne un élan affectif caché mais tumultueux qui va bien au-delà du souci maternel qu'elle affiche. Dernièrement, elle a même troqué ses éternels jeans contre des jupes multicolores, elle a reteint ses cheveux dont on voyait les racines noires et elle les rassemble avec une nouvelle pince, incrustée de brillants en verre. Quant aux effluves de Gauthier qu'elle laisse sur son sillage, elles me rendent folle — cet été, je supporte de moins en moins les odeurs insistantes.

Force m'est d'admettre que j'éprouve une certaine

tristesse, voire même de la compassion, envers notre si pétulante conductrice de taxi. Je connais par cœur, dans ses moindres détails et à tous ses stades, l'effet que produit Ninouch sur les êtres humains. J'ajoute que, bien sûr, l'influence de sa beauté sur son entourage n'a rien d'intentionnel, elle est totalement indépendante de sa volonté — je suis bien placée pour savoir qu'elle n'a ni volonté ni intentions personnelles —, quant à sa volonté schopenhauerienne, comme mon père aurait certainement appelé le frissonnement vital qui la traverse, cette volonté-là est amorphe, totalement instinctive, comme l'est l'instinct de vie d'une amibe ou d'une petite sole.

Une des qualités dont je peux, sans fausse modestie, me targuer, est de me montrer toujours d'une méfiance tatillonne envers moi-même — surtout lorsqu'il s'agit de la pureté de mes motivations. Cette merveilleuse vertu, c'est grand mère Rachélé qui me l'a inculquée.

« Quand tu te demandes si tu es en colère pour une question de principe ou une question d'argent, sache que dans quatre-vingt-dix pour cent des cas, c'est la deuxième option qui est la bonne », rétorquait-elle chaque fois que je me plaignais de ma condition de prolétaire exploitée par le docteur Boyanjo.

C'est précisément pour cette raison que j'ai mis du temps avant de me décider à avertir Mikhaëla. Le besoin de m'assurer que je n'étais pas mue par la possessivité mesquine retarda la discussion d'une semaine, puis d'une autre semaine, jusqu'à ce qu'enfin je réagisse.

J'ai attendu d'être en forme et profité d'une soirée que Ninouch passait « en amoureux » avec Léon. Tandis que, en pleine crise d'activités nocturnes, j'avais réquisitionné Mikhaëla pour m'aider à descendre et faire le tri dans tout un tas de vieux objets que j'avais remisés dans le débarras agencé dans mon faux plafond, j'ai abordé le sujet par un « Mikhaëla, tu dois faire attention à toi. Te préserver. Ninouch peut facilement induire en erreur sans le faire exprès. Je te dis ça parce que je la connais très bien — c'est quelque chose qui n'arrivera pas. Et toi, ouste ! ». Du pied, j'ai légèrement repoussé le bébé tigre qui a pris la sale habitude de se choisir une aire de jeux dans un cercle de cinquante centimètres de diamètre autour de moi.

« Qu'est-ce qui n'arrivera pas ? » Ai-je rêvé, ou l'échelle sur laquelle elle se tenait, avec entre les mains un antique toaster Oven, a-t-elle vraiment oscillé ? Quant au bébé tigre, il s'est arrêté de griffer la chaussette militaire de Morann qu'on a bourrée de coton, pour nous lancer un regard tout de perplexité.

« Rien, ai-je répondu. Enfin... pas ce que tu risques d'imaginer, enfin... d'espérer qu'il arrive... enfin, avec Ninouch, je veux dire. »

Je m'attendais peut-être à des protestations et j'ai bien failli prendre la mouche devant la surprenante réaction de Mikhaëla.

« T'inquiète pas pour moi, Lily, me répondit-elle avec un calme étrange. Je suis, comme on dit, un vieux de la vieille, je ne me vexe pas facilement, ne m'effraie pas facilement non plus et — ce qui est encore plus important — je ne veux rien non plus. Tu peux être rassurée. »

Ne me restait qu'à hausser les épaules dans une indifférence forcée — comme tu veux, ma belle, moi j'ai dit ce que j'avais à dire. Le bébé tigre reprit son jeu, arrachant de ses dents des lambeaux de coton du trou qu'il avait réussi à creuser dans la chaussette militaire.

Depuis, j'observe les relations de Ninouch et de Mikhaëla d'un œil dénué de jugement. Neutre. Que chacune d'entre nous suive sa voie, fasse ses erreurs, enrichisse son expérience. Car sous mon toit l'harmonie est si parfaite qu'on pourrait la croire dotée d'une force immanente qui la protège, comme si c'était un matériau tangible et non de l'énergie pure extraite de trois femmes et un fauve.

Et qui mieux que moi sait que l'impact qu'auront sur toi les êtres humains est toujours différent de ce que tu avais prévu au départ — ce qui ne l'empêche pas d'être au moins aussi satisfaisant et agréable, entre autres grâce à l'effet de surprise, justement. Taro a rendu encore plus profond le gouffre de désir qui bée en moi depuis des lustres mais il m'a donné le bébé tigre en échange. Qui peut prédire quelle bénédiction la douce et glaciale folie de Ninouch amènera sur notre conductrice de taxi ?

*

Le rugissement du tigre peut s'entendre à 4 kilomètres à la ronde.

*

Et elles se sont trouvé un centre d'intérêt commun : elles adorent toutes les deux les vieux albums photos.

Pour ma part, le peu de clichés qui jalonnent ma vie,

Ninouch les connaît par cœur. Mes parents n'ont jamais eu d'appareil, si bien que toutes mes photos ont été prises par des professionnels ou des amateurs qui pérennisaient les premières au théâtre yiddish ou des événements familiaux. Par contre chez Mikhaëla, Ninouch a trouvé une mine de documentation. Depuis qu'elle a débarqué chez moi avec sa pile d'albums, la conductrice captive mon amie avec d'interminables histoires compliquées sur ses parents, son ex-mari et ses enfants — leurs dons, leurs maladies, leurs bons mots ou les bêtises qu'ils ont faites à tel ou tel âge.

Ninouch l'écoute bouche bée et sourcils froncés, émerveillée par la simple existence de ce phénomène familial qu'elle découvre. Elle s'intéresse à tout et en détails — aux anniversaires, aux jours fériés, aux vacances, aux animaux domestiques élevés dans la cour de la maison.

Quoi d'étonnant : sa vie, depuis toujours, est déconnectée de tout, à tel point que si l'on s'amusait à rassembler les mots formés sur le même radical que « différence » on créerait un champ sémantique l'enveloppant tel un fléau tenace. Différente, indifférente, différenciée, avec ces deux « ff » soufflant comme un petit vent démoniaque pour pousser les jeunes filles perdues hors du havre de paix de la normalité. Si vous conjuguez à cela les divers emplois du mot « beau », facteur non négligeable dans la vie de Ninouch, cela donne une *différence* congénitale puis l'apparition précoce d'un *beau*-père, l'homme que sa mère a épousé environ deux ans avant de se suicider, événement qui a donc rapidement fait entrer en scène une *belle*-mère — une femme, ingénieur mécanicien, deuxième épouse du *beau*-père. À peine un an plus tard, Ninouch se retrouvait déjà avec un frère et une sœur totalement *différents* d'elle : les jumeaux à qui le jeune couple avait donné naissance. Lorsque la famille immigra en Israël, les choses ont carrément proliféré et elle s'est retrouvée avec une *belle*-famille qui s'est reproduite en accéléré, exactement comme dans cette expérience de physique que l'on fait à l'école primaire et qui permet de constater l'accélération croissante d'un objet lancé de haut. Elle se vit donc affublée d'oncles et de cousins à la fois du côté du *beau*-père et de la *belle*-mère, sans compter les *beaux*-frères et les *belles*-sœurs, les neveux, les petits-neveux et elle alla même jusqu'à avoir un *beau*-grand-père — l'oncle de la *belle*-mère, un vieux rondouillard qui avait le teint aussi jaune qu'une dent de sagesse tardivement poussée.

Si les deux caractéristiques qui font de Ninouch un être unique sont le hasard et le temporaire, Mikhaëla, elle, est par essence la stabilité incarnée et absolue. Sa présence a non seulement la solidité d'un rocher, mais d'un rocher qui fait lui-même partie d'une chaîne de montagnes, laquelle est un élément indissociable de la Terre et du système solaire, et pour continuer dans le lyrisme — de tout l'univers. Or qu'y a-t-il de plus naturel que l'attraction des contraires ?

« Ce qui est sûr, assène Mikhaëla aux oreilles de Ninouch, c'est qu'à la fin nous ressemblons tous à nos parents, peu importe ce qu'on décidera et ce qu'on essaiera. Si vous aviez vu mon Méïr ! Je m'en suis choisi un de particulièrement gentil, qui était toujours dans mes jupes. Un petit mec, plein d'acné. Un garçon calme. J'ai sacrifié les gènes de mes enfants pour ne pas avoir une réplique de mon père ! Parce que mon vieux, bénie soit sa mémoire, nous quittait chaque fois pour une nouvelle pouffiasse à qui il faisait un ou deux gosses, puis il revenait foutre en l'air la vie de ma mère — bonjour, me revoilà, salut tout le monde ! La famille de Méïr tenait un magasin d'électricité au centre-ville, il y travaillait comme vendeur. Ni bac ni shmac. Bref, rien à voir entre lui et mon don Juan de géniteur. J'étais sûre de tenir le bon Dieu par les couilles pour tout ce qui était lié à la sécurité et l'avenir pénard. Eh ben, n'empêche que ça s'est reproduit à l'identique. Méïr a quitté la maison quand Morann a eu treize ans, pour sa bar-mitsva, la nana avec qui il vit maintenant, c'est sa troisième épouse et je vous garantis qu'il n'a pas encore dit son dernier mot.

— En quoi je ressemble à ma mère ? demande Ninouch, la bouche en cœur.

— Quelle question ! Mais par ton dévergondage, poupée, à nul autre pareil, comme on dit ! » Voilà bien une opinion à la Mikhaëla, révélatrice du scénario qu'elle s'est elle-même fabriqué à partir de bribes d'information récoltées sur la vie de sa fragile amie.

Ce qui est sûr, c'est qu'il est difficile de discutailler avec les gènes évidents de « dévergondage » qu'a hérités Ninouch. D'après ce que nous savons, on ne pourra jamais déterminer l'identité de son père biologique, car la nuit où sa mère, Louditchka Arseniéva, l'avait conçue, ont été inscrits sur la liste des géniteurs potentiels une trentaine de danseurs du célèbre ballet Kirov, auxquels il faut ajouter le chorégraphe, l'attaché de presse et les trois danseurs étoile. En tournée, la troupe s'était arrêtée dans la ville champêtre de Briansk avec une adaptation ultramoderne de *Casse-Noisette*. Dans un soupir, Ninouch avalise le diagnostic de Mikhaëla :

« Bon, mais ça, c'est parce que le dévergondage est héréditaire. C'est médical. »

J'essaie d'appliquer la théorie génétique de Mikhaëla à ma propre personne. D'examiner ma personnalité comme résultant de mon père et de ma mère. Les traits de ressemblance, les différences, les merveilles du croisement des caractéristiques distinctes, ce que j'ai hérité, ce à quoi j'ai réussi consciemment à échapper et ce qui me colle à la peau de tout le poids de l'inéluctable. Mais ces derniers temps, l'introspection m'est laborieuse, elle manque de naturel, si bien que je suis obligée de me contenter de vivre en acceptant l'intangible et ses yeux clos — Ninouch, Mikhaëla, juillet, la télévision muette, les caresses, les voix des enfants dans la rue. Un soir d'été.

J'éprouve un plaisir quasi sensuel dans le silence, et je sens la vacuité des mots avant d'avoir eu le temps de les prononcer. Je m'enfonce dans ce monde de somnolence situé quelque part entre veille et sommeil, je me laisse gagner par une conscience inconnue dans laquelle des images du passé surgissent comme des bulles de savon multicolores, apparaissent et disparaissent vraiment comme des bulles de savon, je me demande d'ailleurs si ce sont des souvenirs ou des hallucinations, fruit de mon inconscient qui se réveille.

*

265

Le coït des tigres ne dure que quelques secondes, mais les tigres peuvent s'accoupler plusieurs fois par heure.

*

Je vois maman, attentive, le visage tendu. Papa lui tient la main. Ils sont assis devant la grande table couverte d'une nappe jaune sur laquelle des documents signés ont été éparpillés. L'avocat choisi par grand-mère Rachélé, Micky Gafni, nez et tête allongés, nous communique les détails du testament. Il s'agit d'une modeste somme que grand-mère a réussi à économiser et qu'elle lègue intégralement à sa fille. À moi, son unique petite-fille, elle donne son appartement.

« Bien évidemment, cet argent est pour nous trois ! » Les yeux de maman se remplissent de larmes.

« Il faut réfléchir comment nous allons l'investir », répond papa.

Je roule un coin de la nappe entre mes doigts, incapable de déterminer la source du malaise qui m'assaille à ce moment-là. Quelque chose d'artificiel, comme l'odeur d'un désodorisant pour W.-C., envahit la pièce. Quelque chose d'hypocrite ? Un mensonge caché ? Un adultère en gestation ?

Quelques mois plus tard. Maman annonce sa volonté de se payer un lifting chez un spécialiste israélien qui s'est installé en Suisse. Papa est dans tous ses états. C'est une idiotie. À quoi bon — maman est très belle comme elle est. Et puis, tout de même, c'est un acte chirurgical et intrusif. N'importe quelle opération comporte un risque non négligeable. Arguments sans effet. La décision a déjà été prise, elle nous en a parlé par pure politesse.

Maintenant papa et moi agitons la main vers maman qui sort par la porte des arrivées, elle pousse un chariot avec des valises et des sacs en plastique remplis de toutes les promesses du duty free, la moitié de son visage est dissimulée derrière de grandes lunettes de soleil à la Jacky Onassis, lorsqu'elle les enlève dans le taxi qui nous ramène de l'aéroport à la maison, je vois une peau tuméfiée et enflammée, des hématomes foncés autour des yeux, mais malgré tout cela, il est déjà évident que non seulement elle paraît plus jeune, mais qu'elle est méconnaissable, que le changement est profond, fondamental. De son nez court et droit et de ses yeux soudain un peu bridés, de ses sourcils remontés, émane une distance menaçante, dont l'essence et les conséquences sont encore invisibles mais dont la signification introduit déjà dans le taxi une sensation de danger, de catastrophe imminente, de dynamite enfouie trop près du sol, attendant le léger mouvement qui suffira à déclencher son fatal détonateur.

Je vois maintenant maman qui va et vient dans l'appartement, écarte les mains comme l'un des personnages de théâtre qu'elle a l'habitude d'incarner, hors d'elle parce que Mounia Schneidermann a refusé de lui confier Cordélia dans sa grosse production de *A yiddishe King Lear*. Car pourquoi, nom de Dieu, s'est-elle infligé la torture d'une opération esthétique sinon pour se sacrifier sur l'autel du théâtre en général et, pardonnez-moi l'expression, de celui de Mounia en particulier ? Elle en voulait pour preuve sa nouvelle beauté, dont la fraîche jeunesse convainquait même les plus sévères et les plus clairvoyants des spectateurs des premiers rangs. On était venu lui parler, on le lui avait assuré. Alors que ce pédéraste, ce dégénéré de Mounia lui préfère une gamine à la con de Bessarabie, pas même pubère ! Quoi, on faisait du théâtre ou du cinéma-vérité !?

Maintenant elle entre avec un grand plat rempli de cubes de pastèque, apporte des petites assiettes et du fromage bulgare à mon père et à Poldy Rosenthalis assis sur la terrasse, Poldy qui refuse, malgré la chaleur, d'enlever la veste de son costume clair, éternel immigré, rejetant la familiarité israélienne qui permet aux hommes de rester en compagnie d'une dame avec un simple maillot de corps et un pantalon — à l'instar de papa.

Poldy parle un yiddish rapide et bien lisse dans lequel même moi je capte une intonation étrangère, venant d'un autre village, d'un autre monde et, sans m'en rendre compte, je pique ma fourchette dans le cendrier parce que j'ai les yeux braqués sur ses chaussures blanches qui dévoilent des chevilles maigres et sans poils, croisées avec la magnifique nonchalance des gens dotés de membres longs.

Il parle presque sans marquer de pauses et décrit à papa ce qui l'occupe en ce moment, l'œuvre de sa vie en fait : la rédaction d'un lexique universel de la culture yiddish. Maman se permet d'intervenir de temps en temps pour apporter ses propres éclaircissements ou précisions, même si cela ne fait que deux semaines qu'elle est devenue l'enquêtrice et l'assistante de Poldy — pas avant, il faut le préciser, d'avoir claqué la porte de l'administration du théâtre avec tellement de violence que la photo de Mounia dans les bras du mime Marceau est tombée du mur où elle était accrochée.

Quelque chose me captive dans l'expression de maman, peut-être parce que je cherche à détecter si déjà à ce moment-là, en ces jours d'été, les signes de sa fuite imminente étaient visibles ou bien non, elle était encore naïve, sans secret, mais l'image se brouille et s'efface soudain, laissant la place à celles qui viennent après, et ainsi de suite, à l'infini.

Dans ma tête, les bulles apparaissent et éclatent, apparaissent et pac ! Elles ne sont plus là. Mes paupières s'alourdissent, de plus en plus chaudes, et c'est à travers leur doux bien-être que j'entends la voix de Mikhaëla :

« Et qu'en penses-tu, toi, Lily ? »

J'entrouvre les yeux, fentes voilées de cils, consciente que Ninouch et Mikhaëla sont là, à moitié affalées sur le canapé. Je reste dans ce même état de somnolence, vois Ninouch approcher son tendre visage et chuchoter presque sans voix, « chut, laisse-la dormir, la pauvre », à l'intention de Mikhaëla qui, un peu ivre de liqueur de pêche, lui effleure le menton anguleux, ses lèvres s'écartent, mais... houlà ! En un éclair, la vision qui se trouvait au-delà de mes yeux mi-clos se dissipe : maladroit, le bébé tigre a surestimé ses forces et, en essayant de sauter d'un seul bond du sol droit sur mes genoux, il glisse lourdement, s'agrippe à ma djellaba d'intérieur blanche, y plante ses griffes, arrache des fils, déchire, me laboure les cuisses, je retrouve ma lucidité, le renvoie, « allez, ouste, va-t'en, malfrat, vous avez vu — quel salaud ! ». Et Ninouch se hâte de le prendre sur ses genoux, lui murmure des mots tendres, secoue la tête comme si elle me reprochait ma dureté sans concessions, « *oïe*, Lily, vraiment ! ».

Je dois préciser que mes dons de pédagogue, qui me valent d'être considérée comme une des meilleures hygiénistes de la ville, trouvent avec ce petit fauve leur plus totale expression. Tandis que la relation que Ninouch développe avec lui se laisse guider par toutes sortes de sentiments qui germent de son for intérieur en grinçant — comme toute chose dont on ne s'est pas servi pendant longtemps —, moi, je prône le bon sens, je suis les recommandations réitérées dans les rubriques éducation du *Monde de la femme* ainsi que dans les suppléments loisirs des quotidiens, et m'entête à placer des limites claires.

« Je suis désolée, Ninouch, mais j'insiste sur l'importance de limites claires. »

Et comme pour prouver l'attrait cruel qu'exerce effectivement l'autorité, le bébé tigre se dégage en toute hâte des mains de son avocate et vient s'aplatir contre mes jambes, il sent, avec son instinct de félin, que les limites que je lui impose sont justement celles qui définissent son petit monde, le protègent dans l'infinité des phénomènes ambiants.

« Allez, on remballe pour aujourd'hui ! » lance Mikhaëla qui retrouve rapidement son sens de l'efficacité — il n'y a que ses joues qui se couvrent de taches roses. « Viens, Nina, si tu veux que je te dépose. »

Le bébé tigre se prépare à les suivre, mais il comprend tout à coup, s'arrête, braque ses yeux de citron transparent sur les deux femmes et ne bouge pas. Sa place est ici. Ici est sa maison.

Pauvre Mikhaëla, que je plains les amoureux, tous autant qu'ils sont ! Le ventre de la passion ne se rassasiera jamais, mais comme la faim devient précise et aiguë lorsque apparaît l'objet qui l'éveille !

*

Les tigres sont une espèce en voie de disparition.

*

De nouveau la nuit.

Malgré la fatigue agitée que j'ai ressentie pendant la journée, je suis maintenant éveillée, en pleine possession de mes moyens, et je comprends que cette nuit, comme toutes les précédentes, je vais avoir du mal à m'endormir. C'est la chaleur. Je le sais. La chaleur de juillet qui passe même à travers la muraille de la climatisation et envahit l'appartement. La pression d'une nuit d'été chargée d'angoisse qui ne me laissera pas en repos et m'obligera à me tourner et me retourner sur mon lit, jusqu'à ce qu'à travers les volets fermés commence à filtrer la lumière grisâtre de l'aube.

En ces nuits-là, je m'initie à une réalité que les insomniaques connaissent depuis toujours. J'apprends ce que c'est que l'état de veille tendue, vaine. L'état de veille qui ne sert à rien. Toute tentative pour remplir ces heures de stérilité d'occupations qui appartiennent à la journée et à la lumière est vouée à l'échec. Sur les pages des magazines, les mots et les lettres ne sont que des formes géométriques sans signification, l'écran de la télévision une bulle transparente hermétique et lointaine qui baragouine en charabia-bia-bia-bia, renvoie l'écho d'un cri dans une grotte. Ranger la maison, remplir ou vider la machine à laver, me vernir les ongles, arroser les plantes sur le balcon — tout cela devient un ensemble de gestes mécaniques privés de l'habituelle sensation qui les accompagne, le plaisir du devoir accompli.

Et comme si cela ne suffisait pas, mes insomnies s'agrémentent d'une petite faim taraudante et insidieuse, pas assez présente pour me déranger pendant mes heures d'activité mais qui devient agressive une fois la journée passée. Mes tentatives pour la calmer en me goinfrant ne servent à rien, et je crains de plus en plus que cette insatisfaction ne fonctionne comme une allergie (qu'est-elle, d'ailleurs, sinon une maladie chronique ?) qui se baladerait dans mon corps, passant du système respiratoire à la peau, louvoyant entre mes différents organes, changeant de forme en permanence, passant du chatouillis à l'irritation, du manque sexuel au manque affectif, du sentiment de vide dans le cœur en un vide tangible dans l'estomac et ainsi de suite — en cercle vicieux.

Comme je n'arrive pas à traiter le mal à la racine, je ne peux que me résigner à m'occuper des symptômes. Je me tourne donc vers la cuisine et essaie, une fois de plus, de trouver le réconfort en mangeant.

J'appelle le bébé tigre par un « psst psst psst » bruyant pour qu'il me suive, viens, tu ne le regretteras pas, autant en prendre notre parti puisque nous sommes là à une heure indue. Dans le recoin sombre où il se trouve, ses yeux luisent d'une lumière argentée et plate tels deux petits miroirs, leur chaud doré habituel est comme recouvert d'une membrane métallique qui leur donne le même éclat que chez les chats allongés dans les arrière-cours à côté des poubelles, quand leurs yeux renvoient le peu de lumière captée dans la pénombre. *Wilde khayes.*

« Un chat, voilà ce que tu es », lui dis-je et, dans un élan de tendresse soudaine, je m'agenouille et lui ouvre les bras, le laisse venir frotter son front contre moi et me marquer pour la millionième fois de son odeur unique. À mon avis, c'est un chat fils de chat, mais Ninouch, qui explose de tous les renseignements qu'elle a réunis, ne manque pas de me corriger : ce n'est pas un chat. Le chat est un petit félin, *felis*, et ça, c'est de la race des grands félins, *panthera*. Ce n'est pas du tout la même espèce. Ils se sont séparés il y a des dizaines de milliers d'années en deux sous-groupes totalement différents — il y a ceux qui miaulent et ceux qui rugissent.

Je me lève, me dirige vers le réfrigérateur. Le « rugissant » me suit aussitôt. Il dérape, tant il s'est précipité, et j'entends le léger heurt de ses griffes sur le carrelage. Je suis maintenant plantée devant le réfrigérateur ouvert. Malgré ma faim, rien ne me tente. Je pourrais, bien sûr, faire un effort et espérer que, comme le dit le vieil adage, l'appétit vienne en mangeant, mais d'après mon expérience de ces dernières nuits, je sais qu'il n'en est rien, que le sentiment de satiété est éphémère, passager, un répit très bref, un cachet d'aspirine, un rappel douloureux de la vraie sensation de satisfaction, rassurante, durable, à laquelle j'aspire en vain.

Et comme la nourriture me paraît fade ! Un goût pâteux de carton, de purée de papier, de coton, de chewing-gum mâché ou de banane pas mûre gagne même mes aliments préférés : le chocolat, les fromages, les raisins, les cornichons ou les sablés danois. J'examine à nouveau le contenu du réfrigérateur, soupire, remets en place un yaourt aux fraises des bois.

« Qu'est-ce que tu fiches, là, à réciter tes prières devant le frigo ? » grognait grand-mère Rachélé de son baryton enroué chaque fois qu'elle me voyait perdue face à toutes les possibilités offertes. Choisir avec détermination. Éviter les hésitations. Mais que peut engendrer la profusion, sinon la nausée ?

Le bébé tigre en revanche n'a pas ce genre de problèmes. Son désir est un, unique et univoque — il veut atteindre le premier rayonnage, celui situé juste au-dessus du bac à légumes. Là, soigneusement enveloppée dans un sachet en plastique, trône la barquette déjà entamée de nourriture pour chats Whiskas que nous avons depuis quelques jours commencé à intégrer à son alimentation. Auparavant, il se contentait du lait spécial bébés animaux dans lequel Ninouch ajoutait de la crème fraîche liquide afin d'en augmenter la teneur en lipides ainsi qu'en protéines et atteindre la quantité exacte nécessaire aux bébés tigres — toujours cet inépuisable numéro du *National Geographic* !

Je vide la barquette dans son bol en inox, ajoute du lait, mélange la mixture et le laisse se jeter dessus, y plonger tout le minois, mouiller ses moustaches et ses joues, emplir le silence de bruits de mastication accompagnés de ronronnements et de petits rugissements qui expriment le plaisir certes, mais aussi la hâte et l'angoisse de se voir soudain privé du bonheur qu'il vient d'obtenir.

Et comme il a grandi ! Il pèse déjà plus de dix kilos. Quand il est en colère ou qu'il a peur, il dévoile ses crocs dans une grimace sauvage et rageuse, fait le dos rond ou au contraire se creuse en plaquant son bassin au sol. Ses dents pointues étincellent comme du sucre, et seules ses canines ont une nuance un peu jaune, plus mûre.

La plupart du temps cependant, il est de bonne humeur et joue jusqu'à épuisement, il s'entraîne en vue d'une vie adulte exotique et inconnue, faite de chasse, d'autodéfense, de courses-poursuites et de fuites. Qu'il s'agite dans l'appartement ou se fasse les griffes sur une de ses poupées en chiffon, chacun de ses gestes est chargé du charme invincible de la force jaillissante, de la jeunesse et de l'insouciance. Lorsqu'il ne joue pas, il somnole — son univers n'est pas des plus variés. Il est sans illusions quant à sa capacité à influer sur son sort, fataliste par nature, tout instinct, expérience intuitive et programmée à l'avance, comme si, en lui, était gravée la certitude génétique, aussi antique que la vie elle-même, de n'être qu'une minuscule particule d'une entité qui le dépasse. C'est cette même entité qui fixe les règles de son comportement, le protège, décide pour lui et épargne ses forces, lui évite les efforts inutiles et lui permet de couler avec le flot incessant de l'existence.

Comme je l'ai déjà indiqué, je veille, depuis qu'il est arrivé ici et s'est imposé dans mon appartement comme partie naturelle et intégrante de ma vie, à garder une distance respectueuse avec lui. Je n'ai pas encore réussi à me donner des réponses sur cette retenue volontaire, ma pensée, mûre et indulgente, me permet de prendre tout le temps que je veux pour me rendre des comptes. Certaines choses remontent à la surface par étapes, comme un message écrit à l'encre sympathique et qui apparaît lentement sur une feuille chauffée à la flamme de bougie.

Et pourtant — je ne suis pas tranquille. Pas tranquille du tout.

Je me garde d'une trop grande intimité avec cet animal, comme si là était caché un danger secret, inconnu, qui pourrait m'aspirer vers un point de non-retour.

Désespérant de pouvoir soulager ma faim, je ferme le réfrigérateur, poussée par l'envie de me pencher, de prendre le ronronnant bébé tigre dans mes bras, d'éponger avec un doux chiffon sa gueule tout en fils de fourrure mouillés et dressés, de frotter mon nez contre le sien. Mais non ! Je m'empresse de détacher de lui mon regard prêt à se laisser tenter, sors de la cuisine, traverse les pièces de l'appartement, éteins les lumières, toujours affamée, tellement affamée que même essayer de dormir me semble, en ces instants, plus réaliste qu'une énième tentative pour calmer mon estomac.

Je me déshabille, me jette sur le lit, éteins la lampe de chevet avec la ferme intention de triompher, de sombrer dans l'oubli, de m'endormir. Mais mon corps, lourd et en sueur, s'agite entre les draps, alors, mécaniquement, je me donne du plaisir dans l'espoir que la tension cédera enfin la place au sommeil porteur d'abandon béni.

Des mois ont passé depuis ma rencontre revivifiante avec Taro, des années depuis mes nuits d'amour avec Amikam. Combien de temps une femme peut-elle rester seule, sans sentir sur elle le réconfort d'une main d'homme ?

Le bébé tigre saute sur le lit, extrêmement intrigué par l'étrange activité à laquelle je me livre sur moi-même. Sa curiosité pousse sa grosse tête aux oreilles rondes à se glisser entre mes cuisses pour humer et comprendre, mais à son contact si proche, je suis gagnée par une terreur paralysante, voilà, maintenant il va m'empoisonner, me transmettre une maladie sans nom, alors je le repousse de toutes mes forces — allez, ouste, tu m'entends, ouste, va-t'en, quelle plaie, et je me bats pour repousser ses pitoyables efforts de s'accrocher à moi, au matelas, aux draps. Et de cette lutte, si concrète, germe la solution.

Je dois sortir. Sortir dehors, aller dans l'un de ces endroits où il y a de la musique avec des gens pleins de vie qui se frottent les uns aux autres, se rencontrent, se plaisent, se regardent dans les yeux. Oui, il y a quelque chose de malsain, de sans lendemain, dans ce confinement chez moi avec mes deux amies. Je sais que je galvanise le désir. Que je suis incapable de déterminer si ce n'est qu'un moyen pour éviter d'être confrontée à la réalité, oui, oui, cette fameuse réalité qui pousse des millions de femmes célibataires à se poudrer le nez et à se montrer en public — malgré le courage que cela requiert.

En une minute, la lumière est allumée et me voilà en

train de retourner les entrailles de ma vieille armoire avec détermination. Une robe, encore une, un tailleur-pantalon d'été, une jupe espagnole en dentelle avec un chemisier en satin assorti — je sors tout, un vêtement après l'autre, mais même ceux que je préférais ne tombent pas bien sur moi, ça pendouille sur mon corps dans une espèce d'avachissement inesthétique comme on le voit parfois chez les grosses dondons qui s'entêtent à cacher leurs rondeurs. Et puisque j'ai des velléités de sortir chasser, une tente de camping cachant ma féminité ne serait pas le choix le plus judicieux.

Curieuse, je me précipite dans la salle de bains et monte sur la balance électronique. 112 kilos. C'est mon poids. Familier et habituel. Exactement comme le marron grillé est la couleur de mes cheveux, comme la taille de mes seins correspond à celle d'un melon cantaloup bien juteux — il y a des choses comme ça, immuables. Ne me reste qu'à me rabattre sur les vestiges de mon passé plus svelte, il y a des années de cela, peut-être dégoterai-je quelque chose de mon époque coquette, celle où j'étais à la fac.

Je tire une chaise et grimpe pour atteindre les étagères d'en haut, là où sont entreposés mes anciens vêtements. Même la blouse dans laquelle j'ai étrenné ma vie professionnelle chez le docteur Boyanjo se cache quelque part, boule jaunissante de plis loqueteux — je ne jette rien. J'attrape, retourne, tire, envoie sur le sol une cascade de haillons rongés par les mites, qui dégagent une légère odeur de poussière et de naphtaline.

Je trouve enfin une robe en coton à peu près correcte. Pas trop démodée, en tissu de tee-shirt noir assez épais, une robe qui moule jusqu'à la taille puis s'évase en douce cloche plissée. Je me glisse dedans, renonce à mettre une culotte, je rampe sous le canapé du salon à la recherche de mes sabots, je me coiffe en me tirant les cheveux devant le miroir de la salle de bains, je me passe sur la bouche un rouge à lèvres foncé, m'asperge de parfum superflu qui révulse mes narines. Et je fonce dehors, dehors, oui, dehors les rues nocturnes m'emporteront loin de l'appartement de grand-mère Rachélé, loin du bébé tigre, loin de moi-même.

*

Les bébés tigres naissent aveugles et sont livrés à eux-mêmes deux ans plus tard, après avoir appris tout ce qu'ils doivent savoir pour leur survie.

*

Tandis que nous dansions joue contre joue et alors qu'il ne m'avait encore rien révélé de sa nouvelle identité, Taro, dos raide, légèrement écarté, avait dit, « il n'y a pas de plus profonde solitude que celle du samouraï, si ce n'est celle du tigre dans la jungle ».

Ninouch, elle, trouve que l'humour est largement surestimé. Elle dit, « ce n'est qu'une question de style mais ça n'aide personne. Les choses restent telles qu'elles sont ».

N'étant qu'apparence, elle recherche toujours le concret de la matière. Au contraire, Taro, lui, croit dans la force du rire. Mais comme son apparence est aussi son

279

essence, il ne fait pas de différence entre les deux. Moi aussi, je crois dans la force du rire. Davantage en tant qu'habitude acquise que théorie bien construite. C'était comme ça dans le théâtre yiddish — le rire était roi. Peut-être est-ce la raison pour laquelle j'avance à présent en souriant, que je ricane de temps en temps à l'écho d'une pensée exceptionnelle qui m'éclaire fugitivement, et pourtant, pour conserver ce sourire, je sue sang et eau, il requiert de moi un effort suprême, beaucoup d'optimisme et de bonnes intentions. Pourquoi ? À cause du bruit.

C'est un tapis acoustique trop laid, tissé avec tous les fils sonores composant la nuit, ça commence par le grondement sourd des voitures au loin sur la voie rapide d'Ayalon et ça passe par la stridulation permanente des pylônes à haute tension. Dans cette trame s'intercalent des centaines, non, des milliers de sons, d'ultrasons, d'échos, de sonneries, de sifflements, de raclements de gorge et de toussotements, de tintements, de froissements et encore toutes sortes de bruits et bruissements, d'une stridence douloureuse ou d'une banale inaudibilité, des voix primitives encore jamais perçues, ou d'autres que même un malentendant pourrait reconnaître — le vrombissement d'un hélicoptère solitaire qui tourne audessus de l'aéroport de Sdé-Dov, un éclat de rire — féminin ou autre —, des crissements de pneus, le souffle lourd du dernier autobus qui disparaît au sud de la rue Allenby, des pleurs de bébé qui jaillissent d'un dernier étage, des boum boum boum de musique techno par la fenêtre ouverte d'une jeep, le baryton du présentateur des infos sur les grandes ondes à la buvette toute proche, les cris de guerre d'une bande de gamins qui prennent d'assaut la rue Sheinkin, le tintement des assiettes ramassées sur les tables par des serveuses au nombril et aux sourcils percés, les heurts de verres qui se brisent — ce qui porte toujours chance —, les clics des briquets, le bourdonnement des moustiques repus du sang des habitants de la ville, des ronflements, des plaintes, des respirations, des hoquets, des éructations, des bâillements, des murmures, des gémissements de plaisir et bien sûr des conversations, mon Dieu, il y a tellement de conversations que parfois on dirait qu'une horde de sauterelles à langues bien pendues s'est abattue sur la ville et la détruit lentement, l'enterre sous un insupportable nuage de paroles.

Et il y aussi les fréquences, trop hautes pour l'oreille humaine mais qui réveillent de leur grincement de scie les chiens endormis, les poussent à déambuler dans les appartements de leur maître, les font frissonner. Celles-là aussi, je les entends.

Et la puanteur ! La puanteur des rues nocturnes est si violente, si dominante, que je me focalise sur l'effort pour respirer par la bouche (oh, ma bouche optimiste qui s'acharne à sourire !), afin d'éviter toute inhalation imprudente qui brûlerait mes narines avec des émanations fétides d'excréments, de tas d'ordures en putréfaction, d'ammoniaque et d'œufs pourris, par instants il me semble que même ainsi, nez bouché, j'ai sur la langue des particules dégoûtantes.

Je m'arrête au coin des rues Herzl et Lilienblum, m'adosse un instant au poteau qui porte les deux panneaux éclairés indiquant le nom des rues. La phase programmée de mon expédition nocturne s'arrête là. À partir de maintenant, tout ce qui se passera résultera du croisement électrique entre le hasard et la volonté. Je repousse une pensée liée au bébé tigre — davantage image qu'inquiétude, celle d'un être nocturne souple qui se meut dans mon appartement, ne se cogne pas malgré l'obscurité et dont les yeux jettent de temps en temps un éclat fou. À pas feutrés, il déambule à travers la chambre, décrivant le chiffre huit couché, signe de l'infini — tout expectative.

La rue qui s'étend devant moi est un secteur qui m'offre une multitude de possibilités. Mikhaëla en parle souvent, elle conduit ici des jeunes gens dégageant des effluves d'Hugo Boss et de testostérone bien fraîche. Pleins d'ardeur, qui ne cherchent qu'à s'amuser. J'ai les sens en éveil, je ne peux compter que sur eux pour choisir le lieu dans lequel j'entrerai — je n'ai aucun renseignement sur les différents bars devant lesquels je passe. Où y a-t-il de quoi se mettre sous la dent, lequel faut-il éviter ? Tout m'est étranger, tout me semble branché, fonctionnant en vase clos et pourtant, malgré cette uniformité lointaine, dès que je vois mon endroit, je le reconnais sans l'ombre d'un doute — c'est ici.

Quelques marches descendent jusqu'au seuil éclairé, et je m'enfonce, le long d'un couloir doré aux murs ornés de vieilles photographies, jusqu'à un espace bondé. Si ce n'est pas Sodome et Gomorrhe, c'est une scène de mariage tirée d'un film gitan. De la fumée et du gaz carbonique, des exhalaisons de shampooing, de parfum et d'haleine de dizaines de personnes. Les corps suintent la transpiration éthylique, l'after-shave et l'adrénaline, les bouches enduites de rouge à lèvres qui lâchent des mots feutrés me semblent suspendues, sans corps, dans l'air épais, tandis qu'une musique inconnue, la bande-son de ce fameux film gitan, résonne plein tube avec de l'accordéon, des tambourins et des dents en or.

Je me fraie un chemin plus avant, jusqu'à la courbe du bar autour duquel pâlissent, les traits flous dans cet espace artificiel, les visages des consommateurs qui suivent d'un regard lourd la danse nonchalante que les deux barmaids, ventre à l'air, exécutent dans leur cage, entre verres et bouteilles. Mes yeux épient, mes oreilles se dressent pour saisir ce qui se cache dans le vacarme, j'ai même l'impression que mes terminaisons nerveuses dorsales pourraient examiner les gens... jusqu'à ce que je trouve l'unique, le seul dont j'ai besoin. L'élu.

La vitesse avec laquelle la chose se passe est étonnante, même pour la Diane chasseresse que je suis. Il est adossé au mur au bout du comptoir, un type plutôt mignon si l'on ignore quelque chose de nigaud dans le sourire qui révèle de longues dents tachées de nicotine. Sa pomme d'Adam pointe en avant lorsqu'il rit, tête en arrière, ou qu'il tousse. De taille moyenne, il est de ces hommes qui, au cours d'un examen plus intime, risquent de dévoiler des jambes maigrichonnes ne correspondant en rien à leur somptueux poitrail, mais le principal de sa force réside dans ses yeux, sombres et agités, des yeux juifs, comme on les aimait chez nous à la maison. Je jette mon dévolu sur lui. Il me remarque en quelques minutes mais détourne vite le regard, bien décidé à profiter de son statut de désiré, sans rien donner en retour. Jouissant de sa belle indifférence, il ne fait que lancer des coups d'œil fortuits dans ma direction, histoire de s'assurer que je suis toujours avec lui. Mais non, ce n'est pas pour cela que nous nous sommes réunis ici cette nuit, et je lui fais un discret signe de main. Il glisse quelques mots à la personne avec laquelle il discute et traverse, difficilement, la faune humaine pour arriver jusqu'à moi. Une expression mécontente lui déforme la bouche : il ne s'approche que par politesse, bien sûr. Ses joues, minces, bleuissent sous les poils de sa barbe à peine repoussée, oh Byron, oh, révolutionnaire.

Il n'y a pas de plus profonde solitude que celle du samouraï, mon Taro, et j'accueille l'homme avec un petit sourire étroit, assurée que dès l'instant où ma proie entrera dans mon petit périmètre existentiel, elle ne pourra plus reculer. Et c'est ainsi que cela se passe. Exprès, je parle tout bas, ce qui l'oblige à approcher son visage jusqu'à ce que je sois certaine que mes cheveux lui chatouillent la joue.

S'il y a bien une chose au monde que connaissent les hygiénistes, c'est la nature humaine. Chaque insuffisance et chaque défaut, chaque crainte et chaque besoin, nous les détectons au premier regard, et dès cet instant le patient est entre nos mains, au sens littéral du terme. Car notre force de persuasion, à nous les hygiénistes, nous l'exerçons tous les jours face à une foule d'autodestructeurs idiots et ignorants. Et si tel est le comportement de l'homme vis-à-vis des questions d'hygiène buccale, pourquoi voudriez-vous qu'il agisse différemment dans les autres domaines de sa vie ? Non, il continuera à se priver d'une existence à la fois plus agréable et plus saine.

En ce moment donc, je déploie tous mes trésors de séduction, de persuasion, j'hypnotise — si ce n'est qu'au lieu d'insister sur une utilisation plus fréquente du fil dentaire, je parle tout bas d'un autre genre d'activité, non moins utile. Et quand je lui propose de me suivre dehors, mes mots sont si évidents qu'il n'envisage même pas de résister.

Je guide mon chéri le long du trottoir jusqu'à une soudaine bifurcation sur la gauche qui mène à l'arrière-cour d'un vieil immeuble. Nous passons devant des poubelles qui débordent, les branches de la haie d'hibiscus nous fouettent les épaules, je trébuche contre l'arsenal des bonbonnes de gaz et manque de tomber, une odeur de détritus et de moisi nous frappe au visage lorsque nous arrivons derrière l'immeuble au ciment tout craquelé. Je prends appui contre le mur frais, y plaque le front comme si nous allions jouer à cache-cache, mais au lieu de compter tout haut, je retrousse ma robe noire de la main gauche, écarte les jambes et tends mes fesses vers l'arrière, dans une invite silencieuse qui ressemble à une révérence — vous dansez ?

Derrière ma nuque, je sens que ça s'attarde, que la chose dure plus de temps que nécessaire pour ouvrir une braguette.

« J'enfile une capote », me rassure-t-il, et aussitôt, comme si, sans le savoir, j'attendais cette diversion superflue, je marmonne, « c'est inutile, j'ai fait un test au laboratoire d'Ichilov la semaine dernière, j'ai les résultats dans mon sac, on peut retourner au bar, si tu veux, je te les montrerai ».

Le besoin de jouir du frottement d'une membrane vivante contre une autre membrane vivante est si violent et si urgent que je suis prête à risquer ma vie. Et le soulagement envahit mes poumons lorsque je sens enfin cette antique pénétration, d'une simplicité miraculeuse, d'un corps dans un corps.

L'acte dans sa totalité prend au maximum trois minutes. Nous réajustons nos vêtements et, l'un derrière l'autre, abandonnons l'arène de nos ébats pour retrouver la rue.

Là, j'effleure de la main la joue de mon ami qui se montre très généreux en me demandant, inquiet pour le contenu de mon sac abandonné dans le bar, si je ne veux pas rentrer à l'intérieur. Mais je suis déjà en train de m'éloigner et m'attarde juste un instant pour lui faire mes adieux définitifs par un « quel sac ? Je suis venue sans rien ».

*

Les tigres sont d'excellents nageurs. On connaît des cas où ils ont descendu des fleuves sur des dizaines de kilomètres. Cette capacité n'est pas innée, et la femelle doit apprendre à ses petits à aimer l'eau.

*

Alléluia ! Et il est encore long, le chemin jusqu'au matin. Cette constatation m'emplit d'une joie idiote, car un court instant la rue m'a paru si claire, avec un tel scintillement de couleurs, un tel éventail de perspectives et tant de détails, que j'ai eu peur d'avoir laissé échapper ces heures sans m'en être aperçue, d'avoir épuisé mon temps de liberté.

Mais je me suis trompée, craintes ridicules et rapidement balayées — c'est encore la nuit, cette nuit qui est devenue une vaste scène de jeu, un banquet de lucidité exaltée. J'ai du sperme d'homme qui me dégouline entre les cuisses et une chanson dans le cœur : vive, vive le temps qui reste encore, bénie soit la vie dans l'obscurité.

Légère et sans la moindre hésitation, j'entre dans l'établissement suivant. J'en ai presque le souffle coupé d'émerveillement. Où que je pose mon regard, derrière le bar, autour des tables, au milieu de la queue pour les toilettes, dans les petits recoins ou le long des murs, il y a debout, assis, adossés, marchant — des hommes. Ils boivent, ils fument, ils discutent et se meuvent avec un charme infini, tels des étamines de fleur d'amande, des anges dans un champ d'alysses, artefacts d'un art cinétique qui ne serait que chair humaine.

Respire profondément, Lily, lentement et profondément, c'est tout. Voilà, comme ça.

Je commande une bière, trempe mes lèvres dans la mousse. Exactement comme quand j'étais petite et que je restais plantée devant le réfrigérateur rempli d'un tas de bonnes choses, ça déborde tellement que je n'arrive pas à choisir, et soudain, il me semble que j'entends dans mes oreilles (deviendrais-je folle ?) la voix de grand-mère Rachélé, « qu'est-ce que tu fiches, là, à réciter tes prières devant le frigo ! Prends quelque chose, après, si tu veux, tu pourras prendre autre chose ! » et je touche l'épaule de l'homme assis à ma droite.

Profil propret au nez court, crâne rasé comme se le doivent (la mode d'aujourd'hui !) tous les hommes qui ont encore des âmes d'enfant mais souffrent déjà de cette dégarniture traîtresse qui sonne le glas de la jeunesse. Il tourne vers moi un visage ouvert et rayonnant, à la structure délicate et aux lignes droites, seuls ses yeux ronds — globuleux mais profondément enfoncés dans les orbites — lui confèrent un aspect un peu dément qui ne fait qu'augmenter mon excitation.

Je ne remercierai jamais assez les dieux de m'avoir fait choisir le métier que j'exerce, que de surprises vais-je pouvoir tirer de ma calotte, voilà qu'enfin m'est donnée l'occasion d'utiliser les talents que j'ai acquis grâce à cette occupation, comme par exemple l'art de la conversation ! Au lieu d'affoler mon élu par trop d'assurance, je lui permets de jouir de l'illusion que les rênes, exactement comme on le recommande dans le dernier numéro de *Cosmopolitain*, sont entre ses mains. Profil délicat aux cils baissés, je le laisse poser sa première liste de questions, et lorsqu'il arrive à celle que j'attends depuis le début, à savoir quelle est la nature de mon activité professionnelle, je sais que le piège vient de se refermer.

Il faut bien avouer que c'est gagné d'avance vu que je commence par des morceaux choisis du congrès annuel des hygiénistes qui s'est déroulé à l'hôtel David Intercontinental sur le thème : « Mauvaise haleine et sexualité ». Au bout de quelques minutes, mon chauve est tout ouïe, suspendu à mes lèvres.

« Et moi qui pensais, fait-il remarquer à la fin de mon petit discours d'introduction, que la mauvaise haleine venait surtout de l'estomac.

— Conneries et superstition. » J'éclate de rire, ravie de faire voler en éclats le mythe idiot. « La mauvaise haleine vient de deux raisons, mon cher : soit d'une mauvaise hygiène, soit d'une langue géographique, avec des fissures.

— Incroyable.

— Tu sais que je vois tout de suite si on me ment, et cela uniquement grâce au langage du corps ?

— Vraiment ? » — il recule légèrement — « mais pourquoi quelqu'un...

— Mentirait à une hygiéniste ? »

Je pose une main sur son genou.

« Oui. Exactement. Mentirait... à une hygiéniste.

— C'est effectivement absurde.

— Dis quand même. »

Je chuchote, « pourquoi les gens mentent-ils en général ?

— Effectivement, pourquoi ?

— Il peut y avoir des tas de raisons. »

Ma main remonte le long de sa cuisse musclée, je prends plaisir à sentir la chaleur sous son jean.

« Lesquelles ? Tu dois me donner un exemple. »

Voilà que lui aussi, à son tour, pose une main prudente sur ma cuisse.

« Des tas. »

Nos visages sont si proches que nos souffles se rencontrent et se mélangent en une vapeur sucrée. Je braque un regard sérieux sur le sien, « par exemple parce

qu'ils ont honte. Imagine-toi qu'un patient ait un pace-
maker mais ne veuille pas en parler.

— Et alors ?

— Quoi, "et alors" ? Je peux le tuer. » Ma main s'est
arrêtée avec une douce assurance sur le renflement de
son entrejambe. « Dans la bouche se baladent soixante-
dix sortes de microbes, et chez quelqu'un qui n'a pas
une bonne hygiène buccale, le nombre peut atteindre les
cinq cents.

— Cinq cents ? »

Il a des lèvres viriles, à la courbe sévère.

« Et sache, à propos, que la bouche est en relation
avec tout le corps. Si je la blesse », je ponctue par une
petite pression à l'endroit où est posée ma main afin de
renforcer l'élan dramatique de mes paroles —, « si je la
blesse, même très légèrement, tout ce que le type a dans
la bouche pénètre dans son système sanguin. »

Il retient un soupir d'étonnement et de peur.

« Et imagine-toi qu'il ait un microbe du groupe A A.
C'est dangereux, non ? Parce que les A A, dans l'estomac, ils sont tout mignons, inoffensifs, mais s'ils pénè-
trent dans le sang, là, tu vois, c'est la cata. »

Nos mains se baladent déjà sur nos corps respectifs.
Excités, pleins d'ardeur, mais encore sous contrôle, avec
la conscience d'être dans un lieu public, nous nous en-
voyons des petits baisers furtifs, baisers d'affection mêlée
de désir, sur les joues, le menton. Il rit, n'en revient pas
du tourbillon qui nous emporte et nous piège tel un
couple de mouches dans un filet.

« Continue. »

Mes chuchotements se font précipités, chauds, dans

quelques secondes nous allons être obligés de décamper vers les premières toilettes libres que nous trouverons.

« Et s'il s'agit d'un patient qui me cache qu'il a des prothèses orthodentaires ou orthopédiques ?

— Oui, que se passe-t-il alors ? »

Il pose la main sur mon sein.

« Il lui faut une couverture antibiotique ! »

Il glisse de sa chaise, m'attrape, m'attire à lui, puis se colle à mon dos pour quasiment me pousser vers les toilettes. Sous les regards obliques des malchanceux que nous dépassons le désir accroché au revers de nos vêtements, nous nous engouffrons dans un étroit réduit faiblement éclairé.

Je me coince à côté de la chasse d'eau en plastique jaunâtre sur laquelle les visiteurs ont écrasé un grand nombre de mégots de cigarettes. L'eau dans la cuvette est grise et trouble, mais l'heure n'est pas à l'esthétisme pinailleur. Si moi, Lily, ne sais pas comment baiser dans des toilettes publiques — qui le saura ? D'ailleurs pourquoi ai-je rencontré mon pervers japonais qui m'a aveuglée à trente mille pieds au-dessus du niveau de la mer ? Et qu'est-ce que cela induit sur le sens et le goût des choses en général ?

Une jambe sur la lunette, la robe remontée jusqu'à la taille, j'ai continué à discourir, frémissante tout en dedans de moi, tandis que mon partenaire s'escrimait sur la fermeture de sa braguette qui s'était coincée à cause de son impressionnante protubérance.

« Et si par hasard il est porteur du virus de l'hépatite B ? Il peut contaminer tous mes patients. L'un après l'autre. Il suffit d'une goutte de sa sueur sur le fauteuil de soins. Ou d'une goutte de salive. Dans un tel cas, il est obligatoire, mais vraiment obligatoire, de désinfecter toute la pièce. Qu'est-ce que je dis, la pièce, il faut désinfecter toute la clinique ! »

Il y arrive enfin, baisse son slip et son pantalon jusqu'aux genoux, s'approche de moi en sautillant. Nous voilà en train d'exécuter un numéro d'acrobatie haletant, seule Ishtar sait comment nous arrivons à nous attacher l'un à l'autre, à imbriquer vis et écrou humains.

« Et s'il s'agit d'une femme à qui on a enlevé un sein », je continue à l'exciter bien que l'impétuosité de son désir soit évidente, « et qui sort d'une chimiothérapie ? Elle n'a presque plus de défenses immunitaires. Que faire si sa bouche est pleine de tartre ? Je peux lui flanquer une infection en moins de deux... et c'est fini... je l'achève ! »

Nous sommes dans une posture compliquée, il se plaque contre moi de tout son corps, d'une main il se tient au mur, de l'autre il entoure ma taille et la guide tandis que son oreille est presque collée à mes lèvres. Je commence à ressentir quelque chose qui ressemble à du plaisir, alors pourquoi faut-il que justement maintenant, en ces instants qui deviennent de plus en plus jouissifs, la gamine capricieuse qui est en moi, celle aux chaussures vernies et aux bonnes manières, se rebiffe contre la crasse sanitaire dans laquelle je suis en train de me vautrer ? J'augmente le va-et-vient de mes hanches afin de pousser mon élève en orthodontie à terminer sa besogne au plus vite et lui décris brièvement un patient dont j'ai dû m'occuper à la fin de mes études, pour passer mon examen de travaux pratiques. Il s'agissait d'un cas particulièrement difficile : un SDF russe dont les couches de tartre étaient si importantes qu'elles avaient entraîné le déchaussement des dents. Les malheureux chicots qui lui restaient dans la bouche branlaient à chaque effleurement de curette, et faillirent se dresser — ou plutôt devrais-je dire se coucher — en travers de ma route vers le diplôme tant convoité.

Cette horrible histoire obtient le résultat escompté. Mon amant pousse un lourd soupir. À la lumière de l'ampoule jaune, des perles de sueur brillent sur sa calvitie, et il lâche un dernier gémissement, total, aussi faible que le bêlement d'un agneau, avant de laisser tomber sa tête sur mon épaule.

J'attends une minute, l'écarte doucement de moi et tire ma robe vers le bas. Toujours avec la même tendresse maternelle, je m'extirpe du réduit tandis que mes lèvres formulent des mots d'adieu qui m'émeuvent déjà presque comme le souvenir d'un agréable passé, « je vais juste récupérer mon sac que j'ai laissé à côté de ma chaise ».

*

Le tigre peut consommer jusqu'à 20 kilos de viande par repas.

*

Les rues de ma ville me ramènent à la maison. Légère, les cuisses collantes, les cheveux en bataille. Avec un mélange de salives masculines dans ma généreuse bouche, la langue spongieuse et couverte d'une fine pellicule farineuse, épuisée, elle aussi.

Je ne sais pas si tous ceux que j'ai choisis au cours de cette nuit étaient aussi merveilleux qu'ils le paraissaient à mes yeux aveuglés par le désir sur le point d'être satisfait, mais ce n'est qu'une preuve supplémentaire de la clairvoyance de Platon quand il disait que nous n'aimions pas une chose parce qu'elle était bonne, mais qu'elle était bonne parce que nous l'aimions.

Après ces deux succès, j'ai eu des envies de diversité. Étant donné que mes premiers chéris avaient aux alentours de la trentaine, j'ai cueilli, dans le troisième bar où m'ont conduite mes pieds, un éphèbe au visage large, chevelure ondoyant jusqu'aux épaules, ongles sales et sourire étincelant. Lorsque nous sommes sortis de l'antre enfumé pour trouver une cour adéquate, il alla prendre son vélo, qu'il traîna à la main, tenant le guidon tel un guerrier minoen conduisant par les cornes un taureau à offrir en holocauste.

Justement lui, qui représentait la force fière de la jeunesse, eut du mal à rester en érection et, afin qu'il puisse achever la besogne, je dus me porter à sa rescousse, d'abord avec la main puis, dans un soupir de résignation — bon, pas le choix —, avec la bouche. J'ai aimé la rugosité du mur contre lequel j'appuyais mon front, la manière dont ses mains agrippaient mon ventre et dont, tout à coup, il m'a mordu la nuque, une morsure qui n'avait rien d'artificiel, un joli mélange de foi et de douleur. Au moment des adieux (oh, les adieux, toujours les adieux), j'ai éprouvé une telle sympathie pour son visage sincère et d'une simplicité de paysan, que si j'avais eu mon sac à la main — le fameux grand absent, sans cesse rappelé, de cette nuit-là — je lui aurais filé un billet de cent shekels pour qu'il aille s'acheter des bonbons... mais ne nous abandonnons surtout pas à regretter ce qui aurait pu être.

Après avoir terminé ma tournée des bars, je suis sortie pour, comme disent les politiciens, rencontrer l'homme de la rue. J'ai jeté mon dévolu sur le réseau urbain au sud d'Allenby. Je dois souligner que je me suis conduite avec un égalitarisme qui devrait être le lot de nos députés : je l'ai fait avec deux policiers qui, dans un crissement de pneus, avaient arrêté leur voiture à ma hauteur et exigeaient que je leur montre une carte d'identité, comme toute citoyenne qui se respecte. Lorsqu'ils comprirent, à leur grande contrariété, que je ne l'avais pas sur moi, ils eurent un instant l'idée saugrenue de m'arrêter pour vagabondage — rebondissement particulièrement désagréable car dans les cellules, les hommes et les femmes sont séparés. Comment donc aurais-je pu poursuivre, dans un contexte social aussi répressif, mes activités nocturnes ?

Mais j'ai calmé cette première tension entre moi et les forces de l'ordre en leur proposant une fouille au corps, et je dois avouer qu'agrémenter mes accouplements de la nuit (qui, vu les conditions sportives, m'avaient demandé une sacrée endurance physique) par une bonne baise en missionnaire sur le capot de leur Ford blanche m'a fait grand bien.

Je me suis ensuite offert un quick sympathique avec trois ouvriers étrangers, sortis s'aérer un peu de l'appartement confiné où ils habitaient avec dix autres de leurs compatriotes. Je les ai guidés dans un petit jardin public et là, le banc destiné aux grands-mères et aux nounous qui surveillent leurs bambins dans le bac à sable ou glissant avec des cris heureux et terrorisés sur le toboggan coloré, ce banc nous a été d'un grand secours. Nous nous sommes séparés bons amis. Tandis que je m'éloignais, ma mansuétude m'a inspiré une certaine fierté et j'ai décidé de demander à Ninouch combien d'argent ces joyeux drilles avaient économisé grâce à moi.

Juste après eux, un jeune religieux qui marchait dans la rue Allenby eut la chance de croiser ma route. Il semblait presque fuir quelque chose, gardait le regard braqué sur les pavés du trottoir, les pans de son caftan voletaient et son chapeau noir à larges bords cachait un visage mince, à la barbe enchevêtrée et aux yeux qui s'agitaient dans tous les sens. Pour le faire avec lui, j'ai choisi le hall d'entrée d'un immeuble jouxtant la synagogue, et j'ai failli ressentir une certaine affection en le voyant s'empêtrer dans ses habits, arracher les franges de son talith qui s'étaient prises dans les boutons de son pantalon puis se hâter, la chose faite, de disparaître dans les rues vides, plus inquiet que satisfait de mon refus de faire payer mes faveurs.

Je me suis amusée en compagnie de deux soldats du régiment Golani en permission, joyeux, les cheveux ras, qui parlaient très mal et ne cessaient de raconter des blagues sur les Arabes. Mon rire s'est élevé comme le vent au-dessus du grand parking derrière l'ancienne gare, résonnant entre les piliers des immeubles. Ensuite j'ai attrapé dans mes rets un Russe mélancolique et poilu qui était sorti faire prendre l'air à son bébé. Le nourrisson souffrait de coliques et pendant toute la manœuvre, j'ai bercé d'une main son vieux landau (don d'une association caritative de collecte d'objets et de nourriture pour personnes dans le besoin). Comme par miracle, dès que son père eut joui dans un déchirant « *oïe, oïe, oïe* » digne d'Anna Karénine se jetant sous les roues de son train, le bébé qui, jusqu'à cet instant, hurlait à se dessécher le gosier, se tut et sombra dans le sommeil du juste.

Malgré le léger frémissement de ma fibre patriotique, j'ai aussi entraîné derrière moi un jeune Arabe barbu aux traits sévères qui portait un gros sac qu'il refusa, étrangement et avec beaucoup d'énergie, de glisser sous mes fesses, ce qui m'aurait évité de salir ma robe avec la terre de derrière les lauriers-roses qui nous servirent de cachette.

Après avoir cueilli encore quelques passants, je mis un point final à ma nuit avec deux éboueurs, un jeune à l'expression courroucée, les joues rongées par de courts poils de barbe noirs qui accentuaient encore son aspect voyou, et le second plus âgé, doux et lourd, le front marqué par les rides de la défaite.

J'aurais pu continuer encore et encore. Mon envie ne se calma pas mais s'émoussa à cause de l'épuisement qui gagna tous mes organes, y compris ma bile, mon pancréas et mes vaisseaux sanguins. Et puis, il y a des actes auxquels la lumière diurne ne sied pas.

Car le soleil commence à ourler d'argent les nuages et je dois me hâter de rentrer à la maison. Le pauvre bébé tigre est resté tout seul, à tracer son huit infini, et il n'a pas la moindre idée de l'endroit où je peux être. Surtout que les bébés, tout le monde le sait, n'ont aucune notion d'avenir meilleur et considèrent chaque absence comme un abandon définitif.

Malgré l'heure matinale, une première vague de chaleur arrive déjà à traverser la fraîcheur. Je presse le pas, ce qui m'empêche de digérer ou d'analyser le laps de temps que je laisse derrière moi. Pendant toute la durée de cette nuit, je ne me suis pas autorisée à m'écarter, ne serait-ce qu'un instant, du présent hermétique comme une bulle, et maintenant, je n'ai qu'une pensée en tête, une seule obsession qui me pousse à parcourir la dernière rue, qui envoie le reste de mes forces jusqu'aux muscles de mes jambes, et je grimpe les marches deux à deux, je manque presque d'arracher la porte de l'armoire électrique du palier en cherchant la clé que j'ai cachée au-dessus du compteur, le tour et demi familier dans le trou de la serrure et voilà, ça y est — l'odeur de son urine qui a déjà imprégné tous les coussins. Moi. Lui. Nous.

Je m'accroupis comme si j'allais accoucher, me stabilise, ouvre les bras, il bondit sur moi, ne cesse de frétiller contre ma poitrine, tigre, tigrounet, boule rayonnante, douceur et fourrure, pouls précipité, petit nez rugueux et plein de moustaches, ça chatouille, ça pique, glorieux, j'embrasse cette gueule encore et encore, tendresse et bruissement de cœur, de mes lèvres je répète toujours les mêmes mots, mon chéri, me voilà, bébé tigre fou, amour de ma vie, et je continue, même des mots doux en yiddish remontent des souterrains de ma mémoire, *oyf mir zol zayn far dir*, m'hypnotisent moi, l'hypnotisent lui, nous hypnotisent et nous mènent vers le sommeil qui dans quelques minutes nous enveloppera tous les deux sous ma couverture en piqué colorée, dans ma chambre à coucher aux volets baissés, car je l'y traînerai dans mes bras, ravie de porter un tel poids — le poids majestueux d'un héritier royal au parfait développement. Alors nous sombrerons, nous mourrons dans le sommeil qui est une union éternelle, une profonde respiration silencieuse, l'existence elle-même. Le sort en est jeté. Fini le temps de l'éloignement.

*

En captivité, le bébé tigre doit recevoir six repas par jour.

*

Très loin, encore très très loin m'emporteront mes nuits sur leurs noires vagues de transparence. Je m'y suis jetée à corps perdu. Suis devenue une planche de bois emportée par un tourbillon. Et si elle avait eu, cette planche, un minimum de jugeote boisée, elle se serait régalée de ce ballet dans le chaos, régalée de cette perte de contrôle, oh, comme elle se serait régalée de l'illustration de sa situation et de tous les possibles offerts par l'univers qui l'entoure.

La pénombre des bars est un ciel piqué d'étoiles, la Voie lactée, quoi la Voie lactée — α Centauri ! Et moi, je suis la petite Hanna du conte avec sa robe de shabbat, toutes les taches, toutes les saletés disparaissent sous l'éclairage des antres masculins, dieux mortels, tous à portée de main, tous splendides, tous peuplant un présent éternel.

Dans chaque établissement où j'entre avec un plaisir qui va croissant, je choisis un des hommes qui se trouvent là pour commettre mon forfait. Je ne nous embarrasse plus, ni mon amant ni moi, du banal cérémonial de la drague. Même les expédients dont je me servais au début de mes rencontres sont devenus fades et vulgaires à mes yeux — inutiles, surtout.

La réalité dans laquelle j'évolue est beaucoup plus simple. Dès que j'ai réussi à pénétrer dans le rayon respiratoire de mon prochain chéri, je n'ai plus qu'à agrémenter ma courte attente d'une gorgée d'irish café ou de liqueur de chocolat, et l'homme, aussitôt empoisonné par mon odeur et mon envie, s'y soumet.

La ville qui inspire et expire un souffle brûlant d'août me transportera de long en large, comme si j'étais un globule de sang dans ses artères, jusqu'à ce que je sois débarrassée de cette tension qui m'opprime jusqu'à étouffement, que je me vide, me calme, trouve le salut.

Quand je pense que papa disait : au bout de la volonté il y a l'anéantissement.

*

Ne pas gaspiller son énergie est une nécessité pour le tigre qui vit selon un cycle perpétuel : se nourrir et se reposer.

*

« Je ne sais pas quoi dire — putasse ou nymphomane »,
grommelle Mikhaëla pour la dixième fois de la soirée.

Ninouch ajoute, rêveuse, « moi, un jour, à l'époque de
Norman, j'ai fait vingt-cinq passes en quatre heures »,
et elle se hâte d'expliquer, de peur d'avoir l'air de se
vanter, « c'était un groupe de touristes venus en voyage
organisé de Saint-Pétersbourg.

— Évidemment, avant l'Intifada, il y en avait encore,
des touristes, dans ce pays », dis-je, saisissant la perche
tendue pour ramener la conversation vers des préoccupa-
tions quotidiennes d'ordre national. Mes agissements
irréfléchis des nuits précédentes sont la source de multiples discussions entre nous. À la différence de Ninouch,
qui considère cet épisode dénaturé avec la sérénité de
quelqu'un qui connaît parfaitement ce genre de problèmes, Mikhaëla, elle, s'inquiète énormément, ce qui était
d'ailleurs prévisible.

« Quand je t'ai rencontrée, t'étais une fille bien.
C'était écrit sur ton visage — je suis une fille bien. Et
regarde ce qui t'arrive depuis ton maudit travesti ! »

Je hausse les épaules, « parfois l'être humain sait tout
simplement dans son for intérieur ce qu'il doit faire.

— Ce qu'il doit faire ? Baiser chaque nuit comme
s'il n'y avait pas de lendemain, c'est un devoir ? Arrête
de déconner ! Et si on t'emmenait chez un médecin,
qu'il t'examine ? J'ai entendu parler de quelqu'un de
très compétent qui a un cabinet près de Bat-Yam.

— Quel genre de médecin ?

— Tu le sais très bien. » Mikhaëla tapote du doigt
sur son front. Dernièrement, elle s'est teint les cheveux

dans une couleur qui ressemble à celle de Ninouch, et son coiffeur lui a fait une coupe courte très branchée.

Les stridulations des grillons et l'oxygène dégagé par le feuillage des eucalyptus rendent l'air capiteux et difficilement respirable. Et cette humidité ! Il fait tellement humide que nous nous métamorphosons en amphibiens, ces créatures aventureuses capables de vivre avec autant de facilité émergées qu'immergées.

Un de nos grands plaisirs de cet été, c'est de passer une nuit comme celles qui nous attendent chaque fois que Léon est retenu en tournage pour le documentaire consacré à sa vie. Lorsqu'il s'agit d'une prise de vue normale, la prudence est de rigueur, Ninouch doit l'attendre chez eux vêtue de son pyjama à lapins imprimés, les poils du pubis rasés, allongée dans leur lit à baldaquin. Mais cette semaine c'est la fête, car Léon et toute l'équipe du film ont été tourner aux environs de Prague, dans les sources thermales de Karlovy Vary, endroit où a été recensée une très forte utilisation de l'invention révolutionnaire du milliardaire. Et, tandis qu'il se fait interviewer en compagnie de doctes dames qui, grâce au Lady-little-schinken-friend, ont récupéré carrière et maris perdus, nous attendons les petites heures de la nuit, lorsque le parc haYarkon se vide de ses sprinteurs sur le retour et de ses couples aux mains baladeuses, pour nous offrir, oh yé, un pique-nique tardif.

Avant de partir, nous remplissons notre glacière de tout un tas de bonnes choses, de bouteilles de vin et de Coca, nous prenons la grande couverture piquée de mon lit et une grosse torche que j'ai spécialement achetée dans une droguerie. Le bébé tigre et Ninouch montent sur la banquette arrière, tandis que moi et Mikhaëla — le capitaine et le pilote — nous nous installons devant puis, chantant à tue-tête " hey la jeep, hey la jeep ! ", nous démarrons.

Notre but va bien au-delà de la simple envie de passer une bonne soirée dans la nature, il a des visées pédagogiques et salutaires : notre protégé doit faire travailler ses muscles en courant dans de grands espaces. Il est devenu si impressionnant que même le cœur le plus sec se serrerait en voyant ce corps souple et sauvage tourner comme une âme en peine dans mon appartement, tel un écrivain en manque d'inspiration qui compte les pas d'un mur à l'autre dans l'espoir que surgisse enfin l'idée qui le mènera à la gloire.

Ces équipées nous trouvent en pleine forme, pétantes d'énergie. Mikhaëla est, de par son métier, une sacrée noctambule, pour Ninouch la nuit et le jour, c'est kif-kif, quant à moi, je suis ravie d'avoir trouvé une solution à mes insomnies.

Je me mets debout, m'étire. Mon corps nu scintille dans le noir.

« Je cherche l'amour, Mikhaëla, je te l'ai déjà expliqué cent fois. Si c'était quelque chose que l'on pouvait "traiter" comme tu dis, le problème de l'explosion démographique de la planète serait résolu depuis belle lurette. Je vais piquer une tête, vous venez ?

— J'ai entendu que la syphilis était de retour, et tu es allergique aux antibiotiques, Lily ! » pépie Ninouch. Elle se fait une place sur la couverture entre les reliefs du repas, s'allonge et pose la tête sur les genoux de Mikhaëla.

« Tu vois, dit cette dernière, Nina pense comme moi. Tu devrais écouter la voix de la majorité.

— Votre démocratie ne me plaît absolument pas. C'est un système complètement ringard. L'être humain est un animal hiérarchisé. Et je me permets de vous signaler qu'il y a des gens qui ne se contentent pas d'un amour platonique, bisous-bisous en se tenant par la main. La majorité, justement. »

Sur ces derniers mots, et sans l'avoir décidé, comme si mon corps avait son libre arbitre, je prends mon élan et exécute une superbe roue, mouvement qui, apparemment, a marqué ma mémoire motrice à l'époque des cours de gym de l'école primaire. De quoi ont l'air mes 120 kilos féminins (oui, oui — c'est mon poids en ce moment !) qui pirouettent ainsi, je ne peux que l'imaginer... ou plutôt le lire sur les traits de Mikhaëla, qui me fixe comme on examine quelqu'un qui aurait une énorme tache de naissance sur le visage ou porterait une perruque, quand les bonnes manières ont du mal à cacher la curiosité et l'angoisse. Dans les yeux de Ninouch en revanche, je capte un éclair entendu, la conscience soudaine d'assister à la naissance de quelque chose qu'elle n'a encore jamais vu.

Quant à moi — je ne baisse pas les bras et essaie sincèrement de comprendre ce qui se passe dans ma vie. Je questionne, j'exige des explications, et en même temps, j'interpelle mon ange gardien et lui demande de reprendre du service. Mais plus je tends l'oreille, moins je capte en moi cette voix intérieure qui, depuis toujours, m'a épargné les blessures, une voix intériorisée pendant toute mon enfance et mon adolescence et à laquelle j'obéissais aussitôt quand, par exemple, elle me dictait de mettre des pièces dans le chapeau du violoniste russe du coin de la rue. C'est la voix de la retenue et de la politesse, celle qui assure à mon existence des frontières mentales équilibrées, civilisées, protégées, la voix à qui je dois d'être arrivée là où je suis aujourd'hui.

En l'absence de cette voix, je suis obligée de discuter avec une intelligence obscure, primaire, qui s'est incrustée en moi comme si elle faisait partie de mon ADN et affirme, avec une assurance à toute épreuve, que ce qui m'arrive participe totalement de ma personne et de ma nature.

Je lance, « alors, une de vous vient à l'eau avec moi ou pas ?

— À quoi bon entrer dans l'eau, l'air est tellement humide que je suis déjà trempée », râle Mikhaëla. Elle a raison — la pelouse est aussi mouillée qu'après un orage, tout comme la couverture fleurie que nous avons apportée avec nous et sur laquelle elle se vautre avec Ninouch. Pour nos vêtements, c'est pareil, ils sont gorgés de cette même humidité fraîche. Mais l'eau boueuse du lac entouré d'épaisses nuées de moustiques m'attire, et je veux y ramener le bébé tigre, dont la robe est encore mouillée de sa précédente immersion et qui gambade sur le versant de la colline, courant derrière son ballon, un authentique ballon de foot avec la signature de tous les joueurs du haPoel Ben-Yehouda — Mikhaëla l'a prélevé dans les trésors de son aîné, Morann le soldat.

« Qu'est-ce que tu as maigri ! » Dans sa voix transpire une nuance de jalousie. « Comment y arrives-tu, avec tout ce que tu t'enfiles ces derniers temps, grands dieux ! »

Ninouch aussi affirme que je maigris, et si la nouvelle balance électronique que j'ai achetée ne m'indiquait pas 120 kilos en chiffres sacramentels blancs, je serais moi aussi encline à croire mes amies, si ce n'est que, en femme de sciences, j'ai toujours prêté davantage foi aux faits concrets qu'aux sens humains peu fiables. J'en déduis donc que la raison pour laquelle je flotte dans mes vêtements qui ont pris deux tailles vient sans doute d'un quelconque dysfonctionnement de ma machine à laver, à moins que ce ne soit ma nouvelle poudre de lessive, peut-être trop agressive.

Effectivement — pourquoi ne grossirais-je pas, moi qui, malgré la fadeur de tous les aliments ces derniers temps, mange justement beaucoup. En fait, j'avale des quantités de nourriture que, par le passé, je ne me permettais qu'au cours de crises de boulimie destructrices, lorsque mes amours ou mes notes d'examens m'avaient déçue.

Le vrai problème est que, malgré les tonnes de victuailles que j'ingurgite avec une facilité digne d'étonnement, je ne suis jamais rassasiée. La faim est devenue mon accompagnatrice permanente. Et comme si cela ne suffisait pas, eh bien, mon ventre m'envoie toute une série de symptômes révélateurs de troubles digestifs, et il m'arrive de plus en plus souvent de rougir devant mes patients parce que mon estomac et mes intestins entonnent des concertos dont les grondements et les vents ne sont que les moindres sons, les plus humains. Je suis constamment ballonnée et une légère nausée, aussi discrête qu'un parfum de fleur mais néanmoins bien présente, ne cesse de me tarauder. Et les diarrhées ! J'évacue des flots d'eau trouble charriant des morceaux de nourriture non digérée au moins quatre fois par jour, ce qui engendre un malaise social autant qu'une détresse physique.

Mais assez. Je m'intime l'ordre de stopper net toute pensée dérangeante. Au-dessus de ma tête, il y a un charmant croissant de lune de fin de mois, rien de plus éloigné de mes embarras gastriques et je lance un long « heyyyyyy ! » puis dévale la pente, telle une Brunhilda menaçante, vers le carré de pelouse que le bébé tigre est en train de conquérir, aussi rapide et dangereux que David Beckham.

Au bonheur enivrant qui me submerge lorsque je joue avec lui, s'ajoute la satisfaction du devoir accompli. Depuis que le mur transparent qui m'empêchait de faire corps avec lui a été brisé, j'essaie de passer le plus de temps possible en sa compagnie. À vrai dire, la séparation quotidienne du matin, au moment où je pars travailler à la clinique, me rend inexplicablement triste et nostalgique. Ma réussite professionnelle, qui me remontait toujours le moral, n'arrive pas à m'empêcher de penser à cette créature sauvage. Parfois il me semble que même le regard de Ninouch, qui n'a pourtant jamais connu le moindre sentiment mesquin, se trouble légèrement en voyant avec quelle ardeur il remue autour de moi, frotte sa belle tête contre ma cuisse, attendant un jeu ou un signe d'affection.

Mais maintenant nous sommes ensemble, que peut-on désirer de plus, les étoiles sont si claires qu'on dirait qu'elles couvrent tout mon champ de vision d'une lumière grâce à laquelle je peux distinguer chaque brin d'herbe, chaque ligne, chaque nuance d'orange, de doré, de blanc ou de brun foncé dans la fourrure zébrée du bébé tigre. Je le regarde avec un émerveillement incontrôlé, religieux, de ces émerveillements que l'on ressent face à un lever ou un coucher de soleil, face à d'immenses incendies, ou encore en regardant le bleu infini de l'océan, et je me demande, admirative, quelle puissance a bien pu donner à un simple mammifère, un animal mortel, un parmi tant d'autres, une telle beauté, si brûlante, si expressive.

C'est d'ailleurs cette beauté surnaturelle qui me permet d'accepter son égoïsme et ses exigences sans bornes. En effet, au lieu d'en être énervée et rebutée — comment se plier à un tel despotisme — je sens au fond de moi que sans ce trait de caractère, la perfection de sa beauté et la pureté de ses contours auraient été altérées, brouillées dans la confusion de l'égalité.

« Viens ! » Je l'appelle, essaie de l'entraîner à ma suite, mais il résiste et me glisse entre les bras de toute sa lourdeur musclée — quelle fille pourrait être plus forte que lui ? Je m'entête, parce que ces nuits m'offrent la parfaite occasion de lui apprendre à nager, comme il sied à tous ceux de sa race.

Cette caractéristique des tigres, je l'ai lue sur un des pense-bêtes que Ninouch a éparpillés dans tout l'appartement, et depuis, je ne cesse de faire tout mon possible pour l'habituer à l'eau, lui en donner le goût. Il faut souligner que j'ai déjà, dans ma salle de bains, connu de francs succès, et dès qu'il entend le robinet couler, il déboule en sautillant et escalade le rebord de la baignoire, impatient de se plonger dans la fraîcheur liquide. Mais là, en pleine nature, il est saisi d'angoisse de l'inconnu. Avec Ninouch, il nous faut déployer de gros efforts pour le convaincre d'entrer dans le lac et y rester allongé suffisamment longtemps pour apprendre à nager.

Jusque-là, je dois bien l'avouer, nous avons échoué : même quand nous arrivons à le maintenir dans l'eau un certain temps, il se débarrasse de nous dès qu'il le peut et effectue une sortie dégoulinante. Ensuite, pour bien marquer son mécontentement, il éternue à répétition et se secoue longuement, projetant autour de lui des millions de gouttelettes, tel un arrosage automatique poilu.

Maintenant aussi, il préférerait sans doute la sécurité de la terre ferme sous ses pieds, mais je prends son ballon et descends la pente à reculons tout en tapotant sur ma cuisse nue, « viens, allez, suis-moi, espèce de trouillard ». Il m'écoute, hésite, zigzague sur la pelouse puis enfin sautille à ma suite vers l'obscurité du lac.

En chemin nous passons devant notre refuge éclairé où roucoulent de leur amour platonique, tel un couple de colombes paresseuses, Mikhaëla et Ninouch, laquelle en profite pour encourager en russe son bébé-adoré, « *nou vot kharochi moï, ty idi, poplavaï*, nage un peu mon chéri », tandis que Mikhaëla la sceptique déclare, « excusez-moi, les filles, mais j'ai du mal à me faire à l'idée qu'un chat doive nager. Vous êtes sûres que vous n'êtes pas en train de le martyriser ? Pitié pour les animaux. Et ça lui donne une de ces odeurs — on dirait une serpillière. Franchement, c'est juste un matou monstrueux ».

Mais lui et moi galopons déjà vers le bas, vers l'eau noire.

Le croassement des grenouilles résonne, forme l'image d'une nature autre, lointaine, aux branches enchevêtrées et à la dense végétation tropicale. Le bébé tigre s'arrête à quelques pas de l'eau qui se dissimule dans l'obscurité. La lutte ne sera pas facile tant il est devenu fort. J'entre dans le lac et m'y enfonce jusqu'à la taille puis je lui tends des mains encourageantes, « allez, vas-y ! d'un coup », mais il reste sur le rivage, ombre foncée, regard mécontent qui se cache dans la nuit, je l'appelle encore et puis ça y est, je perds patience et ressors, prête à me jeter sur lui de tous mes muscles pédagogiques. Cette fois, au lieu de le prendre dans mes bras et de maintenir courageusement contre moi son corps qui se tortille, j'empoigne à deux mains le pli épais de sa nuque et, avec une force soudaine qui me vient de je ne sais où, je le soulève et l'emporte vers les profondeurs. Mes seins deviennent deux balises claires et, sans desserrer ma prise, je le plonge lentement mais avec détermination dans le lac.

Puis à nouveau — je le soulève précautionneusement et le replonge. Une fois, et encore une fois, comme si je baptisais un petit chrétien célébrant l'union éternelle avec son Créateur. Lorsque je me sens faiblir, je me contente de le maintenir dans l'eau, sans le lâcher, je desserre juste un peu la pression mais il sent toujours ma présence protectrice.

Puis je me mets à reculer de plus en plus, je le tire vers moi avec douceur, marche en arrière sur des algues visqueuses, mes pieds s'enfoncent dans une boue glissante, et puis tout à coup, je serais bien incapable de dire à quel moment, je le lâche et m'éloigne en vitesse — plus profondément encore. Effrayé, le bébé tigre que j'ai laissé à quelques mètres donne des coups de patte désordonnés.

Maintenant il est seul, sa tête étonnée reste à la surface de l'eau tandis qu'en dessous, son corps remue dans tous les sens. Et voilà qu'au bout d'un long moment de gesticulation ses membres trouvent un équilibre dans des mouvements de rame rapides — et il nage, s'approche de moi par ses propres moyens, un mètre, deux, et droit vers mes bras tendus pour retrouver au plus vite la sécurité de mon contact. Dès qu'il est assez proche, je le serre contre moi, étends sur lui mon aile protectrice tant désirée, presse son corps mouillé tout en envoyant des baisers vers son large visage, bravo, bravo, petit génie, et ma poitrine se gonfle d'une fierté grisante, joyeuse.

Nous recommençons l'exercice deux fois encore — je m'éloigne gauchement, me frayant un chemin dans l'eau sale, il me rattrape rapidement, de plus en plus assuré, et seulement alors que nous sommes tous les deux certains qu'il s'agit d'une chose acquise et non d'un coup de chance de novice, je lance, contractant le diaphragme pour éviter les aigus qui révéleraient ce qui vient de se passer, « Ni-nouch, Mi-kha-ĕ-la ! Venez ! »

Elles apparaissent en haut de la butte, deux longues ombres, commencent à descendre vers le lac — elles semblent plus glisser que marcher, fantômes dans leurs clairs vêtements d'été, s'appuyant l'une sur l'autre comme si elles descendaient une montagne très raide et non une pente douce couverte de gazon, et soudain, un poids s'abat sur moi — tout à coup, je comprends clairement que ces instants-là renferment leur fin inéluctable.

Le temps coule, s'étire, se fissure, mais il n'arrête pas de passer, pas même une seconde, et moi, je me sens envahie par une générosité cosmique enivrée, chaque être, voilà ce que je me dis, vraiment chaque être vivant sous ce ciel étoilé mériterait de voir deux créatures apparaître ainsi en haut d'une colline couverte de gazon au moment où il les appellerait, de les voir s'approcher, apportant l'assurance et la certitude qu'elles seront auprès de lui en quelques secondes chaque fois qu'il le demandera.

Je sais que, lorsque arrivera ce fameux avenir incontournable où mon cerveau s'abîmera et vieillira, quand mes neurones rétrécis se faneront, s'il y a des instants que je demanderai au Tout-Puissant quel qu'il soit de me laisser dans sa miséricorde, ce sera ces instants-là. Alors, je me les projetterai encore et encore sur l'écran de mes souvenirs, aussi usés et desséchés seront-ils, comme si c'était le film personnel d'une famille inconnue mais qui, étrangement, nous rendrait aussi mélancoliques que s'il s'agissait de nous et de nos proches : des enfants qui courent dans un champ, un bébé qui crapahute derrière eux coiffé d'une casquette enfoncée à l'envers, se cogne, tombe, se relève et galope à la suite des plus grands, une femme dans une robe d'été qui rit sur le balcon d'une maison paysanne, des hommes qui jouent au foot en soulevant des nuages de poussière sur un terrain de fortune, un chiot bâtard qui gambade entre leurs jambes, le tout passant à triple vitesse, dans un silence uniquement rompu par le crissement du vieux projecteur.

Oui, c'est exactement ainsi que cela traversera l'oubli qui recouvrira mon cerveau — Ninouch et Mikhaëla descendent la pente, « quoi, Lily, quoi, il s'est passé quelque chose ? », et moi, j'agite les bras vers elles, ménageant l'effet de surprise avec ce qui me reste de force, et elles finissent par obéir, se déshabillent, deux corps blêmes rayonnant à la surface du lac et qui s'arment de courage et se plongent dans l'eau en exultant.

Ce qui suit, ce n'est qu'un rire dément de nuit nue, les jets que trois paires de mains envoient, un petit tigre mouillé qui nage lestement, passe, ému, d'une femme à l'autre et revient inlassablement, sans comprendre la raison de ce carnaval de spectres qui trouble la surface noire du lac dans laquelle se reflète une fine lune, fraîche et agréable.

*

Tous les tigres, mâles ou femelles, marquent leur territoire en arrosant les arbres avec leur urine et leur odeur particulière.

*

Mes blondes amies se sont inquiétées en vain, il était inutile qu'elles craignent pour ma santé mentale et physique. Comme souvent, le destin mène son jeu impénétrable dans lequel nous, figurants naïfs de son grand son et lumière, pouvons tout à coup, au maximum, nous voir attribuer encore une réplique, encore une entrée en scène.

Un jour que je me baladais dans la rue à la recherche de quelque vêtement qui conviendrait à mes nouvelles mensurations, je tombe sur Amikam.

Ça avait commencé dans un magasin pour grandes tailles, quand les deux vendeuses m'avaient assuré qu'avec une silhouette comme la mienne je pouvais sans problèmes acheter toute ma garde-robe dans un magasin normal. Une envie coquine de gâterie, le besoin d'oser quelque chose qui dépasserait les limites de ma logique pragmatique, m'ont poussée à héler un taxi et à me faire déposer sur la très chic place haMédina. Là-bas, dans une boutique dont la surface est si réduite que par le passé j'aurais dû arrêter de respirer ne serait-ce que pour y entrer, tandis que j'essayais la robe d'un jeune styliste italien, j'ai senti deux bras m'attraper par les épaules et, dans un doux mouvement, me faire pivoter vers un visage familier, buriné et halé, un visage au menton carré dont les yeux riaient mais pas un seul muscle ne bougeait.

Nous voilà l'un en face de l'autre. Nous sommes de la même taille, comme toujours lorsque je porte des talons. Nous nous taisons un instant avant de pouvoir dissiper le silence par un feu d'artifice d'éloges, de questions amusées et de compliments bégayés qui viennent masquer notre embarras.

Eh oui, bien sûr, c'est moi, Amikam, et non, je n'ai fait aucun régime particulier, je te jure, à vrai dire, j'ai même pris un peu de poids.

Il réfute mes paroles de son rire aux dents carnassières, les prend pour une adorable plaisanterie, me fait tourner dans tous les sens, quel corps, Lily, un top-modèle, une bombe, Nicole Kidman, et il insiste pour me payer la robe en chiffon bleu ciel que j'essayais, un quarante-quatre — de l'avis unanime la taille des femmes tout en attirantes rondeurs. Le prix inscrit à la main sur l'étiquette est de deux mille dollars après réduction de quarante pour cent puisque nous sommes en période de soldes.

Ensuite, de courtes scènes se succèdent rapidement. Nous marchons dans la rue mais à l'intérieur d'une bulle qui nous protège du flot des gens normaux, pressés, nerfs à vif ou malheureux ; nous prenons un verre de vin dans un café et laissons un pourboire supérieur au prix de la consommation ; nous nous reposons un instant sur un banc quelconque ; nous écoutons, enlacés, un musicien russe mélancolique qui joue *Ava naguila* au violon ; nous nous serrons en murmurant main dans la main dans le taxi ; nous examinons tête contre tête le menu de cuisine fusion du restaurant chic où nous nous sommes installés.

Et tout ce temps, nous parlons. Nous avons tant à rattraper, il faut combler la gueule béante de deux ans de séparation — avec des questions, des aveux, des battements de coulpe, des rejets de culpabilité lèvres serrées ou avec des grimaces qui fondent en larges sourires tendus d'une oreille rose d'émotion à l'autre, une émotion au bout de laquelle, tel un chat allongé sur sa couverture télé, se prélasse le bonheur.

Terminée ma période d'errance. C'est comme ça, simplement, qu'arrivent les choses vraiment importantes — un après-midi, une boutique de fringues, des mains qui se posent sur tes épaules, un regard.

Tard dans la nuit, je laisse Amikam endormi sur le canapé du vieil appartement si familier que le kibboutz a mis à sa disposition pour ses activités extérieures, et je sors marcher, essayant de retenir au maximum ce moment de douce certitude que voilà, j'étais rentrée à la maison. Et je déborde de reconnaissance envers le Tout-Puissant, d'une part parce qu'il m'a fait choisir Amikam dès le début, d'autre part parce qu'il m'a donné la patience qui m'a ramenée à lui par-delà les méandres du temps, par-delà le piège de l'oubli, par-delà les brisures d'un cœur fragile.

Tête baissée, j'avoue, à moi-même autant qu'à toi, Tout-Puissant quel que tu sois, Dieu ou Moloch, que la violence du désespoir de la séparation ainsi que ma courageuse acceptation présente de ravaler ma dignité pour retomber dans les bras bronzés d'Amikam sont la conséquence directe de mon besoin inassouvi, plus profond chaque jour, d'atteindre un rivage ferme, d'échapper pour toujours à la voix grégaire qui résonne en moi comme une pierre tombant dans un précipice.

Même maintenant que des années ont passé, je revois comme si c'était hier l'image enchanteresse de ce dîner de vendredi soir dans le kibboutz de mon homme, un dîner où étaient réunis tous les représentants de la famille Lumière-de-Chaldée, dont le père Dan-Dan et le grand-père Nahtshé, déjà atteint d'Alzheimer. De l'extérieur, le vaste réfectoire disparaît derrière un foisonnement sauvage de bougainvilliers blancs et pourpres, mais dès que tu entres, tout fond dans la lumière douce qui éclaire l'harmonie intérieure et bruissent dans la salle les vibrations des particules prises dans une évidence globale : des hommes et des femmes qui travaillent dur. Les camarades et leurs épouses se sont douchés et se laissent confortablement gagner par l'ivresse de cette soirée de liberté âprement gagnée à l'étable, aux champs ou à la nurserie. Plateaux, œufs, fromage blanc, odeur d'omelette, crudités entassées sur des chariots roulants.

Déjà à l'époque j'étais une divinité, une puissance, une surhumaine. Déjà à l'époque je savais que j'étais à ma place. Qu'avais-je à faire de mes chagrins passés ou d'une quelconque angoisse de l'avenir, lorsque, parée d'une veste claire achetée dans une boutique pour grandes tailles, j'éloignais ma manche d'un reste de purée dégoulinant des lèvres du grand-père Nahtshé, lequel coupait, avec un sens étonnant de la déconstruction, la conversation entamée par Amikam et son père au sujet de la fameuse barrière de séparation. Par bribes éparses, le vieillard tenait à nous faire partager les anecdotes que s'échangeaient ses copains au cours des soirées organisées autour de feux de camp sur lesquels mijotait un *finjan*.

Un passant me regarde avec étonnement — une jeune femme dans une robe de chiffon bleu ciel qui rit tout fort au milieu d'une nuit tel-avivienne. Mais comment ne pas rire au souvenir du morceau de bravoure que le pépé répétait sans cesse, tel un artiste obsédé par un seul et unique sujet. Le récit, il prenait toujours soin de le commencer par le milieu et remontait ensuite jusqu'au début, nous privant ainsi de la catharsis finale. Il s'agissait d'un vol de poulets dans la basse-cour du kibboutz, une bien grave affaire où étaient impliqués le gros Yoské, Motké le Rouquin et Freuïké la Charrue.

Dès que résonnaient les premières phrases de cette histoire archi-connue, le regard du fils et du petit-fils se voilait, mais moi, Lily, descendante d'une famille de saltimbanques yiddish, je l'écoutais avec beaucoup d'intérêt, tout en me représentant comment, lorsque Amikam se serait endormi, épuisé par le sillon nocturne qu'il aurait creusé sur mon corps, je me faufilerais jusqu'au réfrigérateur de l'intendance pour manger des restes de tartes aux légumes. Mon acte ne serait pas une nouvelle expression banale de boulimie mais, dans ce cadre, prendrait une dimension rituelle et s'inscrirait dans la perspective historique de quelque coutume antique.

Certes, ce kibboutz n'était déjà plus vraiment un kibboutz, entré comme tant d'autres dans un processus de privatisation, certes, dans le réfectoire et les cuisines, les sévères cantinières et les beaux volontaires suédois dorés avaient été remplacés par des immigrants russes employés par des sous-traitants, mais on pouvait tout de même se laisser griser par la fraîcheur de l'air qui transportait le parfum des vergers en fleurs, et par la certitude que nous faisions partie intégrante du pays où nous nous étions installés. Beaux et droits, moi, mon homme et sa famille.

Oui, tandis que je déambule dans la rue en pleine nuit, un sourire involontaire me monte aux lèvres à l'évocation du visage de ces trois hommes de la dynastie Lumière-de-Chaldée, trois générations de vaillants guerriers d'Israël, assis en face de moi à ce dîner de vendredi soir : le hâle de leur peau claire a pris des nuances dorées et cuivrées, leurs yeux rayonnent d'un bleu aryen, et seul leur nez, hélas, un grand nez charnu et busqué, marque le dernier reste de diaspora honteuse qu'a conservé leur profil.

Ce n'est qu'en rentrant dans mon appartement, alors que je dois reculer sous la poussée du bébé tigre fou de joie qui m'a sauté dessus, en entendant la voix chargée de reproches de Ninouch, " *oïe*, Lily, où étais-tu, on a failli mourir d'inquiétude ici ! ", que j'atterris de mon petit nuage de souvenirs et d'images, droit dans la réalité — hop !

*

La vision nocturne du tigre est cinq fois meilleure que celle des humains.

*

« Je ne comprends pas ce qui m'arrive », dit Amikam, assis dans la position qu'ont adoptée avant lui et qu'adopteront après lui tous les hommes qui ne savent plus à quel saint se vouer — les fesses au bord du lit, le dos voûté, les genoux écartés, la tête enfouie entre les mains.

Et effectivement cette sensation de « ne plus savoir à quel saint se vouer » est la définition exacte — bien qu'un peu trop générale — pour décrire l'état d'Amikam.

Je ne suis pas inquiète. Bien sûr que les choses vont

rapidement s'arranger. Moi qui ai attendu de le retrouver pendant deux longues années, je peux tout à fait attendre le temps dont l'homme que j'aime aura besoin pour retrouver ses moyens. N'avons-nous pas toute la vie devant nous ?

« Je ne suis pas inquiète, mon chaton, dis-je. Nous avons la vie devant nous. »

Amikam tourne vers moi un visage aux yeux éteints, que déforme un sourire forcé et marmonne, « moi non plus, je ne suis pas inquiet, ma chérie à moi ».

Mikhaëla et Ninouch aussi sont extrêmement satisfaites d'Amikam. Elles partagent mon bonheur, et cela se voit en toute chose. Il y a deux jours, après un déjeuner officiel dans un restaurant japonais près de la mer où j'ai fait les présentations entre mon homme et ma famille de substitution, il a acheté trois roses rouges à une vendeuse ambulante et en a donné une à chacune. Mes deux amies se sont jetées sur lui en même temps, déposant de petits bisous sur ses joues viriles, déjà bleuies par la repousse drue de sa barbe rasée du matin, « Amikam, *solnitchko*, Dieu te garde ».

Et le soir, assises en face de moi, elles ont très sérieusement essayé d'unir leurs forces pour résoudre mon problème. Même le bébé tigre, allongé à côté de moi sur le canapé, ne cessait de me lancer ses regards jaunes, comme si lui aussi avait à proposer une solution amoureuse.

« Il est sans doute trop ému, assure Mikhaëla. Ces mecs-là, la première chose qui est touchée chez eux, c'est ça. Pas comme nous, les filles, qui pouvons le faire

320

par tous les temps et à toute heure, l'après-midi, sur la table, dans une valise ou après une journée de boulot.

— Peut-être qu'il t'aime trop », avance Ninouch, qui a toute une théorie là-dessus, le regard aussi absent que si elle allait tomber dans les pommes. « Peut-être qu'il ne veut pas le faire avant le mariage.

— Retourne à tes bouquins, Ninouch ! lui avons-nous crié en chœur Mikhaëla et moi. Tu n'y comprends rien. »

Au bout du cinquième jour où nous n'avions toujours pas réussi à sceller notre amour renouvelé par un bel accouplement, Amikam me fit part des problèmes qui assombrissaient son enthousiasme national : le grade de sous-chef de régiment de réserve venait de lui être refusé à cause d'un accident idiot commis sous son commandement. Eh oui, il avait donné l'ordre à trois tanks de rouler sur un groupe d'adolescents palestiniens (sans aucun doute des terroristes appartenant au bras armé du Hamas) qui, après avoir passé une soirée à s'amuser à Ramallah, rentraient beaucoup trop tard dans la nuit.

« Chez nous, les mecs sont super, ils étouffent ce genre d'affaires comme rien », soupira-t-il. Si ce n'est que les amis de mon héros n'avaient pas eu l'occasion de lui prouver leur fidélité — par miracle, deux des garçons qui avaient survécu s'étaient heurtés à une équipe de CNN et la télévision américaine s'était fait un plaisir de filmer leur témoignage. C'est ainsi que la tête claire d'Amikam avait été sacrifiée sur l'autel de la pureté des armes israéliennes.

Je lui chuchotai sensuellement, « mais tu auras encore des millions d'autres occasions », avalant en fait mes derniers mots en même temps que son membre tout mou.

En vain. J'eus beau investir deux bonnes heures de manipulations virtuoses et inventives, mélangeant techniques orales et manuelles, mon amant resta flasque.

Oui, aucun doute que durant ces derniers jours, j'ai fait d'immenses efforts pour repousser toutes sortes de pensées glauques qui avaient réussi à s'immiscer jusque dans les plus optimistes de mes zones cérébrales. Et qui pourrait me jeter la pierre ? Comment accepter une situation où mon homme, qui dans le passé pouvait, n'importe quand, se mettre au garde-à-vous pour moi, ait tant de mal à me trouver un intérêt sexuel, justement au moment où nous sommes tous les deux parvenus à la conclusion que notre amour va nous dicter un destin commun (surtout qu'il y gagne une sacrée prime à son goût : une femme bien foutue, fraîche et plus disposée que jamais à se mobiliser pour sauver son couple).

J'insiste sur le fait que j'ai, ces derniers temps, une imagination érotique débordante. L'appartement d'Amikam, où je passe tout mon temps libre, est jonché des sacs venus de magasins de lingerie de luxe, d'accessoires en plastique ou en silicone colorée achetés pour des milliers de shekels dans des boutiques spécialisées qui ne vendent que des objets faits pour réjouir et exciter corps et âmes des amants.

Des cagoules de bourreau en soyeuse peau d'agneau, des petites menottes recouvertes de fourrure violette, des porte-jarretelles élastiques, un fouet et des chaussures à talons gisent à côté du grand lit tels les derniers biens d'un suicidé par noyade. De la soie aux teintes pêche ou crème fraîche, de la dentelle grise, des corsets romantiques aux multiples lacets et crochets, des bas fins et brillants — tout cela virevolte autour de nous, léger et aussi beau que des bonnes fées venues à notre rescousse mais qui auraient échoué.

Les cassettes porno dernier cri qui s'entassent à côté du téléviseur n'ont pas davantage servi. Même les plus déviantes, celles qui montrent des gens en train de coucher avec des animaux, des enfants, des vieilles ou des femmes parlant hébreu, ont été ramenées penaudes au sex-shop du quartier.

J'ai épuisé ma mémoire en allant y repêcher d'anciennes sensations érotiques pour les murmurer, pimentées d'une multitude de détails anatomiques et d'une bonne dose d'exagération, aux oreilles de mon homme. J'ai passé des heures dans son lit en Shéhérazade excitée avec tout un stock d'histoires, en espérant que si j'éveillais en lui un peu de jalousie artificielle et inoffensive, son instinct viril se déclencherait enfin — la compétition n'est-elle pas le fil rouge de la virilité ?

Mais hélas, mille fois hélas, mes histoires aussi furent narrées en vain.

Je tourne entre les pièces tel un fantôme, enveloppée de chiffon bleu imprégné de fumée, de soie plissée, d'organdi azur, avec mes poils de pubis rasés en forme de cœur ou badigeonnés de rose fluo, je mange des kilos de fraises et de chantilly directement sur le bas-ventre de mon homme, allume des bougies parfumées qui remplissent l'air de musc et d'arôme de vanille, je vide des bouteilles de côtes-du-rhône dans des verres à pied en cristal, frotte mon corps contre le sien, me contorsionne de désir, je l'oins d'huiles odorantes et encore tout un tas de stratagèmes aphrodisiaques et exotiques impossibles à décrire.

Mais tout cela, ajouté à une large panoplie de techniques plus populaires, archaïques ou ultramodernes, reconnues par l'humanité entière comme inspirant l'amour, laisse mon lieutenant-général, hélas, mou, ramollo et ramolli.

En pleurnichant, je lui pose à chaque fois la même question, « et si c'était à cause de moi, et si je ne t'attirais plus ? Le corps ne ment pas », uniquement pour l'entendre encore une fois chanter mes louanges, célébrer ma féminité, ma personnalité, mon caractère et ma beauté.

« N'oublie pas que les hommes n'aiment pas qu'on les stresse. Fais comme si tu n'en avais pas du tout envie », m'a conseillé hier soir Mikhaëla quand je suis rentrée chez moi pour passer quelques heures avec le bébé tigre.

« Suce-le », intervint Ninouch qui ne reçut aucune réaction à une proposition d'une banalité si affligeante. Si ce n'est qu'en cette période troublée, et ne serait-ce que pour réduire au silence les démons du doute et de l'échec qui m'assaillent, je ne peux mépriser aucun conseil. Je m'agenouille donc encore une fois devant Amikam, assis dans sa position désespérée — au bord du lit défait, dos courbé, etc. — et, selon le conseil de Ninouch, elle est tout de même professionnelle, je glisse ma tête entre ses jambes.

Mais à nouveau, après de longues minutes de patience et d'effort — rien.

Du dos de ma main, j'essuie ma salive, « tu as faim ? Je vais nous préparer à manger », et je me relève.

« Super, j'ai très envie de me mettre quelque chose sous la dent. » Soulagé, Amikam se rassemble et va vite s'installer dans le fauteuil du salon, là où il pourra s'adonner à ce qui lui fait vraiment plaisir ces derniers temps : la lecture des suppléments des journaux du week-end, consacrés, comme toujours en cette saison, à de nouvelles révélations scandaleuses sur la guerre de Kippour.

Je cours dans la cuisine, ma robe de chambre en soie volette autour de moi. Mon estomac me taraude plus que d'habitude. Cela fait quelques jours que je dois déployer des trésors d'ingéniosité pour qu'Amikam ne prête pas attention aux gargouillis de mon ventre et à mes fréquents passages aux toilettes. La légère nausée qui fait maintenant partie intégrante de ma respiration s'est elle aussi renforcée, elle remonte en douces ondulations dans mon gosier puis redescend vers mes profondeurs intestines.

Et la faim. La faim qui devient chaque jour plus intense, je n'essaie même plus de restreindre les quantités de nourriture dont j'ai besoin. Par chance, Amikam est un homme qui aime regarder ses femmes manger — et bien manger. Il y voit la cohabitation de la sauvagerie et de la domesticité et trouve ce mélange rare et appétissant.

Comme d'habitude, je me rue sur la porte du réfrigérateur, me jette sur le fromage Philadelphia, la salade de pâtes, les boulettes de tofu achetées spécialement pour moi dans le magasin bio Queue de Cerise.

J'allume la cuisinière et y pose une lourde poêle à steak. Dans un paquet sanguinolent, une entrecôte de 700 grammes attend mon homme. Je l'attrape entre le pouce et l'index et la pose sur le plan de travail, tandis qu'un énorme cube de beurre fond en grésillant. Je dépose dessus le morceau de viande. Une odeur forte, grisante, me monte au nez.

Étrangement, cette odeur a un effet apaisant sur ma nausée et au lieu de fuir vers la fenêtre ouverte, je reste debout devant la poêle grésillante, à piquer de temps en temps ma fourchette dans le steak qui, sous la chaleur, se vide de son sang, un sang qui lui-même devient une sauce brunâtre et se mélange au beurre fondu. Mikhaëla a peut-être raison, qui sait si je ne devrais pas aller consulter. Pas un psychiatre — surtout pas ! —, mais un généraliste. Peut-être devrais-je faire quelques examens. Toutes les histoires horribles que m'ont récemment racontées des patientes à la clinique me reviennent en mémoire — à l'une, de deux ans plus jeune que moi, on a trouvé une boule dans le sein, une autre l'a justement chopé dans les glandes lymphatiques, et Ada Kaufmann, une riche importatrice d'équipement sanitaire, agonise d'un cancer du poumon.

Lorsque j'apporte le plateau dans le salon, Amikam est plongé dans sa lecture. Il m'envoie presque distraitement un baiser de remerciement aérien, fond sur sa viande, avale des gorgées d'une canette de bière et de temps en temps enfonce sa fourchette dans la moutarde de Dijon pour relever le goût.

Son visage est masqué par le journal.

Je m'allonge sur le canapé et essaie d'attirer son attention, « alors, quoi de neuf dans les journaux ?

— La même merde que d'habitude, répond-il dans une tentative pour éluder ma question par cette définition évasive de la situation politique.

— Mais que peut-on faire ? Qu'est-ce que tu proposes, mon chaton ? » Je lui octroie le grade de commentateur, bien décidée, au lieu de m'emmerder sur le canapé, à l'entraîner dans une conversation.

« Qu'est-ce que je propose ? Mais... la chose la plus logique... » Victoire, il a mordu à l'hameçon et pose son journal. Ses yeux glissent sur mon corps qui se dessine à travers ma robe de chambre entrouverte. Comment donc ai-je pu oublier que la situation au Moyen-Orient était le principal aphrodisiaque de mon homme ?

« Un droit de retour partiel et un retrait immédiat aux frontières de 1967. Qu'ils établissent déjà leur État de merde et nous foutent la paix ! J'attends de voir comment ces crouillats jouiront de leur indépendance, avec la corruption qui ronge toutes leurs instances gouvernementales. » Il quitte la table et se porte vers moi, sur le canapé.

« Pousse-toi, *ya habibti*, que je voie un peu ce que tu as sous ta djellaba. » Et moi je scande, « Israël, Palestine — deux États pour deux peuples ! » et glousse.

« Viens, viens, Pchouchkin, gauchiste de mon cœur », grogne Amikam en me faisant pivoter sur le ventre. Et il est encore en train d'enlever son boxer bleu qu'il me grimpe déjà dessus par-derrière.

« En avant, ma chérie, ma toute en miel. Allez, dis quelque chose, parle. »

Je fais semblant de vouloir me défiler, « non, je n'ai pas envie, mon chaton. Je ne me souviens déjà plus comment on dit quoi. D'ailleurs, je n'ai appris que l'arabe littéraire.

— Eh bien, dis-le en littéraire, Pchouchkin. » Je sens que son membre viril commence à se raidir contre mes fesses.

Avec un soupir de contrariété, je commence à marmonner en arabe, essayant de me souvenir de phrases toutes faites qu'il m'a apprises, j'en invente aussi de ma composition, les agrémentant de la toute récente actualité.

« *Saïdi a-dbet, be-hiat Allah, ana ma baaref ishi. Essal alshabab, min haress al hedoud. Ahi lam yaaoud illa albeith. Min wouaketh mana e-tadjouwal. Milat maa isshabi nishrab ishi einad Hamiss pi al-baled. Ma ramtish hajar jnab al mahsom, lani konnt pi al moustashfa ma imi aashan rassil al kila.* (Monsieur l'officier, sur la vie d'Allah, je ne sais rien. Demandez à vos types des gardes-frontière. Mon frère n'est pas rentré depuis le début du couvre-feu. J'ai fait un saut avec les copains pour boire un verre chez Hamis au village. Je n'ai pas jeté de pierres au barrage, parce que j'étais à l'hôpital avec ma mère pour sa dialyse.) »

Ce petit monologue agit comme une formule magique et, sur mon dernier mot, Amikam lâche sa semence dans un long gémissement de délivrance puis me chuchote à l'oreille des mots d'amour et de remerciements.

Une fois assurée qu'il dort, épuisé par les plaisirs de la chair que je lui ai concoctés, je m'habille et lui laisse un mot exactement dans le style de ceux qu'il me laissait à l'époque, chaque fois qu'il disparaissait pour un temps indéterminé :

« Mon chaton, suis partie. Besoin d'être un peu seule. De repenser à tout. T'aime. Pchouchkin. »

*

C'est vers l'âge de trois mois que les tigres peuvent commencer à manger de la viande.

*

La nuit, dans le noir, sur mon lit, à nouveau incapable de m'endormir. Le bébé tigre, comme s'il sentait mon agitation, ne cesse de me grimper dessus, de se tourner et retourner à côté de moi, il m'écrase et me secoue.

Mes yeux sont grands ouverts, mes pensées, qui ne me laissent pas une seconde de répit, n'ont pas de réponses non plus.

Par le passé, si on m'avait demandé de choisir une chose, une seule, dont j'avais l'inébranlable et intime conviction, j'aurais dit que ma seule certitude, dans un monde de phénomènes aussi instables que le nôtre, se résumait au fait qu'Amikam Lumière-de-Chaldée était un homme. Un vrai. Je le sais depuis le premier instant où nous nous sommes rencontrés. Je l'ai toujours su.

Je l'ai su à la seconde où, le voyant en uniforme planté au milieu du carrefour de Megiddo, mon pied a écrasé la pédale d'embrayage. D'un geste souverain, il m'a fait signe de m'arrêter et m'a demandé de le déposer à sa destination, laissant derrière lui, sans état d'âme, la Land

Rover poussiéreuse à plaque d'immatriculation militaire qui avait osé le lâcher et qui, à présent, se retrouvait sur le bas-côté, de la fumée grise s'échappant de son capot relevé.

Je l'ai su à la fin de notre premier dîner en tête à tête au restaurant chic Face à la Mer, lorsque j'ai tendu la main vers mon porte-monnaie afin de partager l'addition et qu'il a aussitôt arrêté mon geste en me mettant en garde de ne plus jamais recommencer quand j'étais avec lui. Et comme je continuais à me taire, les yeux braqués sur les homards brun-gris, encore vivants, qui flottaient dans l'aquarium, incapables de se mouvoir à cause du ruban adhésif qui leur maintenait les pinces, Amikam avait élevé la voix, juste un peu, pour me demander s'il s'était exprimé avec assez de clarté. Alors, au lieu de me récrier en lui présentant une liste d'arguments qui chanteraient les louanges de mon indépendance, j'ai ravalé ma salive et chuchoté, « oui, mon commandant ».

Je l'ai su lorsque ses ronflements secouaient les gouttes de cristal du vieux lustre de la chambre à coucher de grand-mère Rachélé, cette même chambre où je dors maintenant avec le bébé tigre.

Je l'ai su lorsque, au seuil de la mort, cloué sur son lit, à moitié inconscient, boursouflé par les liquides de perfusion, grand-père Nahtshé Lumière-de-Chaldée, chef de cette glorieuse dynastie, a essayé de glisser une main ridée et tremblotante entre mes jambes, moi qui, assise à son chevet, humidifiais ses lèvres fanées avec un bâtonnet recouvert de gaze.

Je l'ai su lorsque j'ai passé une « journée à s'éclater »

avec Amikam et ses deux enfants, ce qui m'a valu de croiser son ex, Inbar Aboulafia-Lumière-de-Chaldée — une femme mince, aux yeux ronds et clairs. Elle avait attrapé un champignon cutané rare qui lui avait fait perdre cils et sourcils, à leur place elle se dessinait au kohol foncé deux arcs exagérément symétriques, comme ceux qu'on voit sur les Pierrot tristes. À l'évidence, elle était prédestinée à l'abandon, on voyait bien que jamais cette femme, même dans ses rêves les plus fous et les plus généreux, n'aurait pu imaginer les besoins d'un homme tel qu'Amikam Lumière-de-Chaldée.

Je l'ai su lorsqu'il me refila un herpès, une chaude-pisse, des chlamydias et autres bactéries inconnues responsables d'infections vaginales, héritées des putains qu'il honorait dans tous les endroits exotiques où le menaient ses fréquents déplacements professionnels en tant que spécialiste international d'irrigation.

Je l'ai su lorsque nous prenions des bains ensemble et qu'il me lavait les cheveux.

Je l'ai su lorsqu'au point culminant d'un ardent accouplement, il se figeait soudain et me lançait un clin d'œil comme pour dire — vanité des vanités, tout cela est trop terre à terre, trop banal pour nous qui sommes spirituellement attachés par un lien éternel, bien plus profond que le regard.

Je l'ai su lorsque je posais ma joue et m'endormais sur son poitrail de taureau, montant et descendant au rythme de sa respiration comme si j'étais couchée dans une barque qui naviguait sur les eaux tranquilles du Kinnereth.

Et maintenant, exactement comme le philosophe au

seuil de la mort, la seule chose que je sais — c'est que je ne sais rien.

*

L'environnement difficile où évoluent les tigres ne favorise pas l'élaboration d'une société complexe comme pour les lions par exemple, car le manque de nourriture les pousse à chasser en solitaire.

*

Je suis née sous le signe de la Balance. L'équilibre, la capacité de peser le pour et le contre sont les mots clés de ce signe. Mon étoile est Noga, la scintillante Vénus, la déesse de l'amour, de la beauté et du plaisir des sens. Mon élément est l'air — le plus fuyant des éléments. Dans deux semaines, j'aurai trente ans.

Il me semble que ma vue baisse. Je n'arrive presque plus à distinguer le visage des gens à quelques pas et les reconnais essentiellement à leur silhouette. Le bruit dans la rue me devient insupportable, je me rends au travail dans un taxi aux fenêtres fermées, parfois c'est Mikhaëla qui me conduit, parfois un chauffeur inconnu.

Ninouch assure que je suis épuisée et que je dois prendre des vacances, mais je refuse catégoriquement. Mon travail est la rampe à laquelle je m'agrippe dans mon avancée sur le pont de corde qu'est ma vie.

Amikam m'a informée qu'il allait bientôt se rendre en Papouasie-Nouvelle-Guinée pour apporter aux indigènes sa théorie d'irrigation. Pourquoi ne pas me joindre à lui ? m'a-t-il gentiment proposé. M'éloigner de la tension permanente, des Arabes et de toutes leurs conneries ? Et ce serait une occasion exceptionnelle pour commencer notre vie à deux. Je pourrais m'occuper des dents des enfants. Essayer de leur inculquer quelques rudiments d'hygiène dentaire. La Papouasie-Nouvelle-Guinée est le seul endroit au monde où l'on peut encore trouver des tribus cannibales. En Papouasie-Nouvelle-Guinée, l'usage veut que les femmes âgées prennent de jeunes amants afin d'adoucir agréablement leur déchéance. Mais Amikam a beau m'agiter des brochures touristiques hautes en couleur qui présentent les côtes de la Papouasie-Nouvelle-Guinée, je réponds invariablement, « non, Amikam, vas-y sans moi ».

Ses petits yeux rieurs se voilent. Il insiste. Pourtant je suis déterminée et mon refus est sans appel.

Je lui dis au revoir par un « *a-salam alekoum*, mon chaton » auquel il répond par un « *alekoum a-salam*, Pchouchkin », digne de l'officier et de l'homme qu'il est, puis se tourne rapidement, grimpe dans sa Land Rover et disparaît.

Il m'arrive de me demander si mon cerveau agité n'est pas en train d'être miné par une espèce de cancer. Hier, Israël Rickliss m'a annoncé que chez Ada Kaufmann, l'importatrice d'équipement sanitaire, les métastases s'étaient généralisées. Je m'observe donc avec une angoisse de plus en plus aiguë — mais contrebalancée par une force intérieure qui continue à distiller en moi un apaisement obscur, qui me susurre tout va bien, comme un patch diffusant lentement sa morphine. Bien sûr, il se peut aussi que je me leurre, que je brouille et masque des peurs et même des sensations afin de pouvoir couler des jours paisibles dans la bonne humeur, c'est ma marque de fabrique, et de toute façon il n'y a pas de créature plus habile et plus maligne en matière d'auto-aveuglement que l'être humain inquiet.

Nos expéditions nocturnes dans le parc se soldent par des rencontres entre le bébé tigre et la nature sauvage qui l'entoure, si bien que maintenant je dois aller chercher dans sa fourrure de nombreuses tiques et autres genres de sangsues. J'ai peur de lui mettre de ces poudres répulsives utilisées pour les chats — il est encore jeune, se lèche beaucoup et ne fait pas de différence entre les goûts.

Ninouch est arrivée avec une énorme pile de magazines glamour dans un tas de langues étrangères — Léon est abonné à tous les mensuels qui font de la publicité pour son invention — et Mikhaëla les a feuilletés, tendue, les sourcils froncés. Elle a reçu un appel de ses enfants qui sont encore chez leur père à Manhattan. Ils lui ont demandé de ne rentrer en Israël que fin septembre, une fois la période des fêtes passée. Elle a accepté, mais après avoir fait la tournée des conseillères d'éducation et des professeurs pour expliquer la situation dans leurs écoles respectives, elle s'est sentie profondément contrariée. Maintenant, elle se demande si elle n'a pas agi à la légère.

J'accorde tellement peu de crédit à l'intuition et aux pressentiments que lorsque quelque chose me frappe tel un coup de poing dans la poitrine, que mon cœur se serre d'angoisse ou s'enfonce dans un incommensurable désespoir, je continue à chercher les tiques gonflées de sang et à les écraser dans une lingette Huggies. Mais soudain, j'entends Mikhaëla s'exclamer, « alors là, que je crève sur place ! ».

Ninouch et moi nous hâtons de la rejoindre sur le canapé. Entre ses mains qui tiennent une revue japonaise, s'étale en double page la photo d'une star, une diva aux épaules nues, vêtue d'une robe du soir en mailles dorées, avec de minuscules perles et un décolleté qui descend jusqu'à un nombril percé d'un anneau. Elle a les cheveux noirs et attachés mais les quelques mèches qui lui tombent sur le front et le cou cachent presque totalement des yeux effilés à la Mickey Mouse. La bouche en revanche se dévoile dans toute sa vulgarité, une piqûre de scorpion qui exulte dans un visage plat couleur de papier vélin.

« Rappelez-moi qui c'est, cette bonne femme ? » nous intime Ninouch.

Et après une rapide concertation, nous mettons au point notre plan : Mikhaëla et Ninouch vont aller chercher Mister Nonaka. Mister Nonaka est un traiteur, spécialiste de sushis, que Ninouch connaît par l'intermédiaire de Léon. Mister Nonaka nous traduira la phrase qui légende la photo — quelques lignes d'arabesques.

La petite taille de Mister Nonaka a quelque chose de poignant. Peut-être est-ce à cause de l'antique souvenir de ce couple simiesque que furent mes parents ? Oui, et c'est sans doute la raison pour laquelle, malgré son très mauvais anglais, j'arrive à comprendre et à ordonner la phrase qui apparaît sous la photo : Tout ce qui existe mérite d'être détruit.

Dans son message méphistophélique, mon amant me

parle pour la dernière fois. Mister Nonaka explique, « en fait, lui homme, lui fils d'un grand médecin. Okazaki. Un chirurgien esthétique. Très célèbre à Tokyo. Il a fait les femmes belles. Toutes. Actrices. Chanteuses. Des nouveaux nez, des seins. Là, c'est son fils-fille, Momotaro. Professeur philosophie. Célèbre aussi. Il a beaucoup fréquenté les riches, les artistes. Les fêtes. Là, c'est dernière photo. Avec une robe Donatella Versace. S'est tué. Il a tué lui, pas Donatella. Lui, c'est professeur philosophie. Écrire dans sa dernière lettre : Tout ce qui est peut mourir. Non, pardon, pas "peut", mais "a le permis mourir". Non, non, pas permis — le droit. Mourir. C'est tout ».

Tout ce qui existe mérite d'être détruit.

Mister Nonaka nous dit au revoir une fois, puis une autre, il roule entre ses doigts les cinq cents shekels qu'il vient de recevoir. *Arigato*, Nonaka-san. Après une première réaction d'effroi, je sens dans la nouvelle de la mort de Taro une vertu libératrice, comme la propulsion d'une balle qui déchire l'air en sifflant.

Très animées, mes deux amies discutent de ce qu'elles viennent d'apprendre. Mikhaëla y va de son portrait de Taro dans le hall de l'hôtel Dan Panorama, Taro avec moi accrochée à son bras comme un manteau.

Le bébé tigre est heureux de la pause dans son soin cosmétique, il court se réfugier sous le canapé. Mes amies, quant à elles, se sont recroquevillées au-dessus, presque collées l'une à l'autre, au milieu de toute la pile de journaux.

Moi, je suis assise dans le fauteuil. Dehors, il commence à faire nuit. Leurs mots tombent dans l'air comme des billes de verre dans un bassin vide. Ne disent rien, ne signifient rien, n'expriment rien. Des sons phonétiques.

Je ressens un étonnement sans bornes en constatant combien le barrage du langage est une fine pelure. Oui, en ces instants, vraiment sous mes yeux, la langue se transforme en une enveloppe de cellophane à travers laquelle le monde apparaît uniforme, sans coutures — d'un seul bloc qui commence aux pieds du petit tigre sous le canapé et va jusqu'au bout de l'univers, quel qu'il soit.

*

Les tigres étant décimés, il arrive de plus en plus fréquemment qu'un mâle ne parvienne pas à trouver de partenaire pour l'accouplement

*

La grotte d'Aladin, les jardins suspendus de Babylone, l'arrière-plan d'un tableau préraphaélique ou encore un de ces palais où Cléopâtre contenta Antoine — voilà à quoi ressemble, en ces instants, le modeste salon de mon appartement.

Mikhaëla avait exigé que nous nous retrouvions toutes les deux — rien que toutes les deux — après mon travail. Elle m'a retenue deux bonnes heures dans un café désert que je ne connaissais pas avec un discours qui m'a semblé incohérent et décousu, et ce n'est que lorsque Ninouch est apparue en racontant un baratin qui ne tenait pas debout — qu'elle passait soi-disant par hasard dans cette rue — que, là, j'ai compris qu'elles manigançaient quelque chose. Elles m'ont congratulée avec des « *mazal tov !* » enjoués en même temps qu'un jeune serveur aux joues couvertes d'acné sortait de la cuisine et se dirigeait vers notre table avec un petit gâteau décoré de cierges magiques et couvert d'un glacis blanc sur lequel s'étalait le nombre 30, en pâte d'amandes rose.

C'est donc ainsi, par surprise et dans la gaieté, qu'ont commencé les festivités de mon anniversaire. Rien dans le bien-être tranquille de ce début de soirée ne laissait présager sa triste fin. Mais c'est souvent ainsi que se comportent les événements heureux.

Après avoir mangé le gâteau, nous sommes rentrées chez moi, un chez-moi tellement métamorphosé qu'il m'a bien fallu quelques secondes pour reconnaître, sous le lourd décor qui l'enveloppait, ses formes habituelles. Le bébé tigre vint nous accueillir à l'entrée, un gros nœud doré attaché autour du cou. Étrangement, il ne m'a pas sauté dessus comme à son habitude, bondissant et me poussant en arrière, mais il a fait demi-tour, queue relevée, et nous a menées dans le salon illuminé par des centaines de bougies, mi-temple païen miniature, mi-loge de quelque Callas internationale.

En plus des bougies, ont été posés dans chaque recoin libre des vases, des bocaux, des récipients et des plats, remplis de toutes les variétés de fleurs qui éclosent en cette saison. L'air de la pièce est si fortement chargé de leur parfum que je chancelle et dois attraper le coude de Mikhaëla pour garder mon équilibre et pouvoir examiner consciencieusement la fiesta botanique autour de moi.

D'immenses gerbes de lis blancs et de lis Casablanca mouchetés à gorge déchirée sont la principale source de cette odeur entêtante. Je m'efforce de respirer de temps en temps par la bouche afin de ne pas m'évanouir.

Sur la table de la télévision et de la stéréo se dressent des dizaines de tubes d'où sortent des grappes d'orchidées laiteuses au cœur violet clair. Des centaines de roses, encore un peu fermées, aux tiges aussi longues que des fleurets et aux pétales qui foncent tant que leur rouge pourpre se perd dans la douceur d'un velours noir, remplissent deux seaux dorés posés de chaque côté du canapé. D'élégants glaïeuls brillant d'un rouge communiste ou d'un blanc de neige fleurissent dans des vases rangés devant les portes et le long des plinthes. Des bouquets d'œillets à corolle ébouriffée couleur sang de bébé, des paquets de roses aux pastels crème à la vanille, pêche et vieux rose, des iris et de charmants lisianthus remplissent encore d'autres vases placés sur les rayonnages, les chaises et les piles de livres à hauteurs différentes qui s'élèvent du sol. Dans des plats en verre creux flottent de minuscules renoncules à tige coupée, des petites bougies et une pâle grappe de jasmin.

Le canapé est recouvert d'un tapis mural géorgien dont le motif est une troupe de cosaques coiffés de hautes chapkas qui galopent sur des chevaux aux chevilles fines et dont les sabres étincelants frappent les maigres cuisses. Ils sont représentés kidnappant une superbe femme aux longues tresses et aux vêtements colorés. Ont été éparpillés sur la banquette tout un tas de coussins de velours ou satin, et c'est vers cette somptueuse couche que me conduisent mes amies. Le bébé tigre se hâte de bondir pour venir s'allonger auprès de moi et il commence à se faire les griffes sur toutes ces merveilles. Mon tapis habituel a été enlevé et le centre de la pièce est resté vide, apparemment prêt à accueillir quelque chose.

« Vous avez cambriolé le jardin botanique, les filles ? Ou alors c'est une descente dans la serre d'un agriculteur en difficulté du nord du Néguev ?

— Nous n'avons ni cambriolé, ni rien. »

Leur visage irradie de satisfaction. L'opération a réussi à cent pour cent, surtout l'effet de surprise, et Ninouch n'a plus qu'une hâte, c'est de m'énumérer tous les détails dénotant son ingéniosité et sa perspicacité : un magasin qui travaille avec Léon, succursale d'une célèbre entreprise internationale de livraison de fleurs à domicile, avait accepté de collaborer parce que Léon n'est pas un client comme les autres, quant au tapis décoratif et aux coussins, ils faisaient partie d'une collection que Léon a un jour empruntée pour organiser une exposition sur le thème « Tapis — art ou artisanat » dans une galerie d'ethnographie juive-arabe de Jérusalem, collection qu'on a oublié de lui réclamer.

Une sourde inquiétude me ronge toujours quand Ninouch décide de voler Léon, et peu importe que ce soit une crème hydratante qui vaut son pesant d'or ou les services d'un fleuriste pour un montant qui doit être égal au prix d'une voiture neuve. Mais je suis bien consciente de la duplicité de ma morale, j'en veux pour preuve la Breitling qui orne mon poignet. Je décide donc de ne pas jouer les rabat-joie.

Mes amies sont toutes les deux extrêmement élégantes : Mikhaëla porte une robe de viscose bleue à profond décolleté — l'influence bénie du sentiment amoureux sur ses goûts personnels —, tandis que Ninouch, plantée sur des sandales vernies à talons aiguilles, arbore une robe qui ressemble à une espèce de bandage aux extrémités effilochées, ingénieusement conçue et sans doute fort chère, en chiffon brun sur lequel sont cousues différentes pièces de tissus à la John Galliano — un des dispendieux cadeaux de son protecteur.

Je lance, « bon, eh bien attendez un instant, que j'aille moi aussi me faire belle », et cours dans la chambre à coucher pour troquer mes vêtements contre la robe bleu ciel que m'a offerte Amikam.

Quand je reviens, je trouve, devant le canapé, une table basse faite d'un plateau du diamètre d'un petit stade de foot, couvert de toute la gamme de sushis existants, directement sortis des chaînes de production de Mister Nonaka — se hâte de préciser Ninouch. « Et ça », elle indique la caisse de bouteilles de vin posée au pied du canapé, « a été prélevé de la réserve personnelle de Léon, qui renferme des crus dont le prix atteint des milliers de dollars », des vins si rares et qui lui sont si précieux que même le couple de Philippins qui tiennent la maison et qu'il tyrannise depuis leur arrivée en Israël n'ont pas le droit de s'en approcher. « Mais moi, j'ai réussi ! se rengorge-t-elle. Je l'ai suivi un jour qu'il y avait des invités et j'ai mémorisé la combinaison du verrou. »

Je suis à nouveau obligée de réprimer mon envie de protester, de m'inquiéter, de gâcher sa joie. Elle prend de plus en plus d'assurance. Maintenant, elle tient bien en équilibre, comme si on avait implanté en son centre de gravité un poids qui l'attirerait vers le bas, et dans son étroite poitrine une boussole qui la guiderait vers l'avant. Son temps s'est mis à s'écouler hors du cercle dans lequel il était emprisonné, la voilà à présent submergée de souvenirs, de projets d'avenir, de dates et d'événements qu'elle prévoit, et surtout, elle est habitée par une volonté qui la pousse avec son nez mince et ses traits doux vers un bleu céleste qu'elle est la seule à apercevoir. Finalement, je ne peux pas me retenir, « on aurait tout aussi bien pu boire du Carmel Mizrahi, crois-moi, aucune d'entre nous n'aurait senti la différence ». Il y a quelque chose de suicidaire dans la légèreté à la Robin des bois avec laquelle elle « emprunte » les trésors de son tuteur.

« Oh, arrête ! Et comment apprendrons-nous la différence si on ne connaît pas ce qui est vraiment bon ? »

Mikhaëla me fait un signe derrière son dos, laisse tomber, rien à faire, cette scène, je l'ai déjà jouée.

« Tiens, mais j'y pense tout à coup », je me redresse un peu sur le canapé, Mikhaëla, jambes croisées, est enfoncée dans le fauteuil tandis que Ninouch, le bébé tigre entre les jambes, vient me rejoindre, « où est notre bienfaiteur, celui à qui nous devons tous ces délices aristocrates. Ninouch, où est Léon ?

— Dans le cul de Mizrahi, répond la nouvelle-immigrante. Dis-lui, Mikhaëla.

— Il termine son tournage », répond l'interpellée

avec une obéissance résignée. Aucun doute, elle a déjà eu cette discussion inquiète. « Il est dans une maison de repos, les Forêts du Carmel. Depuis hier. Et il n'est pas censé revenir avant demain après-midi. Ils tournent de nuit, dans la piscine, figure-toi, avec deux femmes profs d'éducation physique et une nutritionniste. »

Nous remplissons nos verres, nous mangeons, nous papotons. Sur la stéréo tourne un CD de pop russe.

« Comment s'est passée ta journée de travail, Mikhitch ? » demande Ninouch.

Les anecdotes professionnelles de Mikhaëla sont depuis toujours son sujet de prédilection. D'autant que notre conductrice possède un don inné, réservé en général aux vrais comiques, pour raconter les histoires juteuses. Mais aujourd'hui, elle semble un peu étrange et j'aurais même dit — s'il ne s'était agi d'elle — mystérieuse.

« Que s'est-il passé ? Tu as rencontré quelqu'un d'intéressant ? »

Il arrive souvent qu'une femme au volant d'un taxi éveille chez la partie masculine de la clientèle un intérêt à nuances sentimentales.

« Dans le genre », esquive-t-elle.

Ninouch et moi lui sautons dessus avec des « raconte, allez, raconte ».

Elle ne peut plus s'échapper mais nous répond visiblement à contrecœur, « bon, alors il s'agit d'un type, mince et élancé. Avec une frange châtain, comme ça, qui lui tombe sur le front. Super-mignon ! Je lui aurais donné dans les trente-cinq ans, il m'a dit qu'il en avait cinquante ! Un écrivain qui a écrit un chef-d'œuvre mais seulement trente personnes ont acheté le bouquin. Un rigolo, quoi.

— Je ne vois pas ce qu'il y a de si rigolo dans un livre qui n'a pas marché. » La voix de Ninouch est ostensiblement froide, ses lèvres sont pincées comme celles d'une nourrice victorienne.

« Si, si, c'est drôle. Fais-moi confiance — quand je dis que c'est drôle, c'est drôle.

— Ben alors, qu'est-ce qu'il y a de drôle, vas-y, explique ! insiste Ninouch, déterminée à détrôner le prétendant occasionnel de Mikhaëla.

— Il a dit que j'étais splendide. Que j'étais une amazone urbaine aux yeux verts. »

Ninouch émet un « ha-ha-ha » méprisant. « Moi, je te le dis tous les jours, dix fois par jour, que tu es belle.

— Eh ben, quand tu le dis, ça n'en est pas moins drôle. » Mikhaëla ne lâche pas. L'autoritarisme latent de Ninouch l'incite justement à une révolte — latente, elle aussi.

« Il dit qu'il hait la laideur. À son avis, il faudrait des voies spéciales pour les moches, comme pour les vélos. Et aussi, il pense que les moches devraient recevoir une allocation handicap et qu'on devrait leur permettre de ne sortir que la nuit. Ou alors les parquer dans des réserves en plein Néguev, ou dans la Bekaa. »

Mikhaëla éclate de rire tandis que Ninouch est choquée.

« Et tu trouves ça drôle ? Pourquoi tu ne regardes pas des films sur la Shoah, ça te ferait mourir de rire. »

Je préfère ne pas m'en mêler. Une personne saine d'esprit ne doit jamais intervenir dans une querelle d'amoureux, au risque de se prendre un caillou par ricochet et sans rien avoir fait pour le mériter.

« Et tu as rencard avec lui ? continue Ninouch.

— Dis-moi, qu'est-ce qui t'arrive aujourd'hui ? Tu t'es levée du pied gauche ? Je lui ai donné mon numéro de téléphone. Il appellera s'il en a envie. Moi aussi, j'ai des besoins, où est le problème ?

— Tu lui as donné ton numéro de téléphone ? Tu as entendu, Lily, elle lui a donné son numéro !

— Je vous interdis de vous bagarrer le jour de mon anniversaire. » Je n'ai pas d'autre choix que d'essayer de peser de toute mon autorité. « Donne-moi ton verre, Ninouch, et mange avant qu'il ne reste plus rien. »

Ninouch renonce avec la contrariété furieuse d'un boxeur qui aurait été écarté de son adversaire par un juge pinailleur une seconde avant le K.-O., tandis que Mikhaëla reste avec ce même petit sourire mystérieux, cause de la dispute. En chacun de nous se cache un zeste de sadisme, qui pointe de temps en temps le bout du nez au milieu de l'honnêteté coutumière.

« Regardez comme il est heureux ! » J'essaie de faire diversion en attirant leur attention sur le bébé tigre qui, n'en revenant toujours pas, est en train de se goinfrer à grand renfort de grognements, suçotements et claquements de mâchoires, avec le kilo de pastrami acheté spécialement pour qu'il comprenne, lui aussi, que c'est jour de fête. Survoltées par son appétit qui nous rappelle notre propre faim, nous nous jetons sur les sushis. Le petit heurt entre mes amies semble, pour l'instant, évacué.

Mikhaëla ramène dans la cuisine le plateau avec la

mosaïque de Mister Nonaka dans laquelle ont été pratiquées de larges béances, nous avons déjà vidé une deuxième bouteille de vin. Ninouch coince alors des mèches de cheveux blonds derrière ses oreilles translucides et annonce, avec une solennité exagérée, les narines vibrant d'émotion, « et maintenant, le programme artistique ! ».

En un instant, les deux femmes disparaissent dans la chambre à coucher, entraînant avec elles le bébé tigre. Elles referment la porte et je me retrouve seule, un peu dans les vapes à cause du vin onéreux, du parfum des fleurs et des bougies. Je ferme un instant les yeux sur une furtive image de chat d'où me tirent les accords de l'*andante con moto* du trio n° 2 en si bémol majeur.

À peine quelques mois se sont écoulés depuis la soirée parfumée d'avril où, plongée dans mon bain, je l'ai entendu pour la dernière fois, cet *andante*, et voilà qu'il me semble que ces souvenirs n'appartiennent pas seulement à un autre temps mais aussi à une autre personne, à une autre Lily, trop étrangère pour qu'ils me reviennent, exactement comme il est impossible de se rappeler l'époque d'avant la formation de la vie telle que nous la connaissons, une époque où régnait l'organisme simplifié qui est à la base de notre chaîne d'évolution.

La table basse est toujours au milieu de la pièce mais dessus trône une valise Louis Vuitton — le nombre d'objets empruntés à Léon s'accroît de minute en minute.

À côté, Mikhaëla, en smoking noir (dont la longueur du pantalon — qui révèle ses chevilles — laisse deviner sans difficulté à qui il appartient) et nœud papillon, attend, debout. À nouveau, une petite angoisse sourd aux bords de ma conscience — Léon achète ses vêtements avec le plus grand soin, il les aime et les connaît tous.

Le bébé tigre est assis contre sa jambe.

Les sonorités de Schubert ajoutent du tragique à cette image théâtrale. Lentement mais résolument, Mikhaëla commence à avancer, d'une démarche empesée, presque dramatique. Le bébé tigre avance d'un pas mesuré à ses côtés. Son comportement est celui d'un animal parfaitement dressé, à croire que des gènes cachés de fils de cirque se sont réveillés et ont supplanté son habituelle sauvagerie.

Mikhaëla garde un visage fermé, le corps du bébé tigre réagit avec docilité. Après avoir effectué un tour de la pièce en rasant les murs, ils viennent se placer de part et d'autre de la valise, laquelle s'est lentement ouverte et laisse maintenant éclore Ninouch, oui, oui, éclore, car il n'y a pas d'autre mot capable de décrire le mouvement de son corps mince, qui, il y a un instant encore, était replié, Dieu sait comment, dans ce petit espace. Lentement, sous total contrôle, des jambes minces enserrées dans un collant blanc montent vers le plafond, elles sont suivies par le corps tout entier qui, enveloppé dans un costume d'acrobate à paillettes, s'élève, droit et ferme, telle la tige d'une des fleurs de la pièce.

Et ce corps s'allonge, s'allonge, jusqu'à ce que Ninouch tout entière se trouve à l'extérieur de la valise et se dresse sur la petite table. À la seconde où elle a terminé sa lente germination, Mikhaëla tend la main et toujours avec la même emphase théâtrale (où a-t-elle appris cela,

347

nom de Dieu), elle prend la valise et la pose par terre, comme si elle disait — maintenant.

Et me voilà hypnotisée par le lent mouvement d'un corps féminin qui s'imbrique si bien à la musique qu'on dirait qu'il s'agit d'un instrument supplémentaire et tellement nécessaire que l'on se demande comment on a pu écouter sans lui cet *andante con moto*, et pas seulement cet *andante*, mais toutes les œuvres si mélancoliques de Schubert jusqu'à ce jour.

Sa souplesse anormale, presque effrayante, je la connais bien — elle m'a souvent amusée en m'offrant ses numéros de cirque, mais en ces instants, tandis que son corps épouse la partition, ô combien triste, du violoncelle, la nuance humoristique, divertissante, de ses mouvements clownesques disparaît pour céder la place à la célébration solennelle d'un art inconnu, quelque chose entre le théâtre, le happening et la danse. Sous mes yeux, mon amie se transforme en sirène muette, en flocon de neige fondant lentement sur une paume de main ouverte, expression abstraite de pure énergie, cellule première de la vie de cet ovule primaire sur lequel je méditais quelques secondes auparavant.

Ses jambes se tressent comme une corde, descendent vers son crâne, se tordent en une espèce de nœud marin compliqué qui se défait aussitôt pour devenir un tronc avec des bras et des jambes qui remuent tels les tentacules d'un mollusque sur un récif de corail tropical, ondoyant dans les flots d'une mer invisible qui l'enveloppe par-dehors et par-dedans.

Que de rigueur et de force renferme ce corps squelettique que je connais si bien ! Un corps fragile qui cherche toujours à se relâcher, se reposer membres écartés, en totale opposition avec la sculpture cinétique qui se meut lentement et régulièrement sous mes yeux.

Mikhaëla se penche et — je le vois vraiment ou je rêve ? — il me semble qu'elle chuchote quelque chose à l'oreille du bébé tigre. En incorrigible animal de cirque qu'il est, il s'approche maintenant de la table. Son échine se tend, son bassin s'abaisse vers le sol, sa queue remue de droite à gauche tel un balancier et hop-là ! il bondit et atterrit sur le dos creusé de notre demoiselle en caoutchouc.

Il reste assis ainsi, sans bouger, jeune bébé tigre, au corps superbement lourd, les yeux reflétant la lumière dorée des bougies, tandis qu'elle se contorsionne autour de lui et crée des formes avec ses jambes, ses bras, ses mains, le voilà au centre d'un cadre rond, et enfin — dans une dernière torsion — elle le transforme en fourrage orange d'un immense biscuit.

Ils se figent un instant puis Mikhaëla, expression sévère, tend un bras vers eux tout en me regardant dans l'expectative. J'applaudis avec enthousiasme mais elle se hâte de me réduire au silence — ce n'est pas fini.

À nouveau l'enchevêtrement se défait, tout change, perd de sa froideur artificielle, et le ballet de Ninouch autour du bébé tigre se réchauffe, devient aussi naturel que l'écoulement du sang dans les veines. Elle saisit le fauve, le serre dans ses bras, le caresse, elle se frotte à lui, maintenant la voilà devenue elle aussi un animal, on dirait cet étrange paresseux que nous avons vu ensemble au safari, une créature de poils qui s'entortillait avec une lenteur fatiguée et sensuelle autour des branches de l'arbre de sa cage.

Dans un écoulement sirupeux, elle arque le dos, tend et croise les bras, déboîte des articulations, clavicules, épaules, elle se déconstruit membre après membre, jusqu'à se débarrasser définitivement de son apparence humaine pour s'enrouler autour du bébé tigre et, sur les derniers accords de piano et de violoncelle, elle se fond à lui pour ne plus former qu'un seul corps, créature femme-fauve bicéphale aux bras multiples.

*

Le tigre renverse sa proie à terre dans un bond foudroyant, extrêmement précis, gueule ouverte. Il plante ses canines dans la gorge ou la nuque de sa victime et maintient cette position jusqu'à ce que mort s'ensuive.

*

J'ai l'impression que jamais nous n'avons été aussi saoules. À nouveau s'élève la musique pop russe sur laquelle nous dansons et dansons, nous remuons seins et fesses dans une fête dionysiaque, Ninouch reprend à tue-tête chaque mot des refrains qui semblent débiles. C'est déjà la sixième bouteille que nous sifflons, deux autres sont ouvertes, elles « respirent », et nous n'avons pas encore dit notre dernier mot.

Après le spectacle, Ninouch insiste pour enfermer le bébé tigre sur la terrasse — trop d'agitation risque de le perturber, n'est-il pas encore jeune et très sensible ?

Nous trois, en revanche, nous nous abandonnons à cette excitation de plus en plus fiévreuse, nous montons le volume de la musique, gesticulons dans toute la pièce... jusqu'à ce que Mikhaëla nous demande de faire une courte pause. Ninouch et moi tombons sur le canapé, à bout de souffle. Elle disparaît dans la cuisine pour en revenir aussitôt, tenant à bout de bras un plateau rond sur lequel, gigantesque, blanc, aussi artificiel que la ballerine à qui il doit son nom et avec un diamètre qui n'a rien à envier aux célèbres crinolines, se dresse un énorme pavlova recouvert de chantilly, incarnation rococo exaltée de la démesure et de l'exubérance.

Mikhaëla pose cette merveille pâtissière sur la table basse et nous distribue des petites cuillères. Nous nous jetons sur la danseuse tel le troupeau d'admirateurs mielleux à fines moustaches qui attend les stars devant l'entrée des artistes, lavons les nuages de chantilly sucrée à grands renforts de gorgées de vin bues directement au goulot de la septième bouteille, creusons dans le blanc vaporeux du milieu, entrailles déchiquetées dans un meurtre d'opérette, faisons éclater les fruits rouges frais — groseilles, mûres, cerises, fraises et fraises des bois — encore une preuve des florissantes relations de Léon avec les fournisseurs de luxe du monde entier.

Mais voilà qu'à nouveau Mikhaëla semble ailleurs, un sourire imbécile s'étire sur son visage. Ninouch, tout de suite alertée, lance, « et maintenant, c'est quoi ? »

— Rien, je viens juste de me rappeler. Je lui ai demandé, à mon écrivain de ce matin, s'il pensait que dans la beauté se cachait une vérité profonde. Et lui, il a commencé à crier comme ça, à agiter les mains : une vérité profonde ? qu'il a dit. Mais la vérité se trouve à la surface, c'est juste que, comme elle n'est pas très agréable, les gens font comme s'ils ne la remarquaient pas. On s'imagine que lorsque la vérité sera révélée elle sera captivante, alors qu'en vrai, elle est tellement ennuyeuse qu'il est beaucoup plus intéressant de rester sans bouger à regarder passer les trains. Et il me dévisage comme ça, sérieux, à travers le rétro. Moi, j'ai dû me tenir le ventre tellement je riais. J'ai même failli emboutir un camion de livraison dans la rue Shlomo-haMelekh.

— De la neige, dit Ninouch méditative, ignorant totalement l'histoire de Mikhaëla et son rire. Voilà ce que ça me rappelle. Quand j'étais petite, on se retrouvait dans la cour, tous les enfants de l'immeuble. Et on faisait des boules comme ça, *sniejki* ! » Elle tend une main vers le gâteau et prend une poignée de crème chantilly. « Et après on faisait, comme ça... comment dire ?

— Vous les mangiez ? » Le visage de Mikhaëla se ressaisit et revêt aussitôt l'expression attentive réservée chez elle aux souffrances russes de sa chérie.

« Pas exactement », Ninouch paraît hésiter, « plutôt... comment dire, bon, enfin, quelque chose comme... », et avant que nous n'ayons le temps de voler au secours de la pauvre immigrante qui se casse les dents sur notre difficile langue hébraïque, la boule de chantilly atterrit droit sur le visage de Mikhaëla.

Qui se fige un instant. Moi aussi, fort étonnée, je cherche dans l'expression de Ninouch quelque chose qui indiquerait la plaisanterie ou la malice, mais mon amie semble encore plus fragile que d'habitude, le bout de son nez et ses yeux sont rouges, ses lèvres tremblent.

« Et tiens, prends encore ça », elle attrape une nouvelle poignée de chantilly, mais cette fois s'approche et vient carrément étaler la crème sur le visage de Mikhaëla.

« Et ça, et ça ! » Sa voix atteint des hauteurs que je ne lui connaissais pas. « Tu es vulgaire. Voilà ce que tu es. Pire que tous les autres. Pire que Tchinguiz. Que Norman. Que tous. Comment il a dit, ton nouvel ami ? La vérité est toujours à l'extérieur, simplement, elle n'est pas agréable à voir. Alors tu la caches. Tu me prends pour une poupée. Pour une rien du tout. Tu t'es trouvé un beau joujou, tu n'as pas d'homme, tes enfants sont partis alors ça t'amusait de t'occuper de moi. Tu t'es sentie charitable. Une vraie dame patronnesse. Et comme ça, tu t'es bien occupée. Tu as rempli ton temps et ton âme vides. Mais en trente secondes, voilà que tu t'es trouvé un autre centre d'intérêt. Un écrivain pêché dans ton taxi ! Et si c'est un pauvre solitaire, tu vas pouvoir l'aider. Jouer à la maman et en même temps te faire baiser. Va-t'en, va donc te dévouer pour lui ! Va, va te dévouer pour ce type ! Mais sache que, moi, je ne suis pas une poupée. Toi, tu n'es qu'une salope, va te faire foutre, sale pute, voilà ce que tu es ! » Et à chaque phrase, elle prend de la chantilly et finit par la fourrer carrément dans la bouche d'une Mikhaëla de plus en plus ahurie.

Je me secoue enfin de la surprise qui m'a saisie. Je n'ai jamais rencontré quelqu'un de plus hermétique à tout ce qui peut toucher à la jalousie ou à la violence que Ninouch. Il y a quelque chose d'effrayant dans cette fureur grinçante, mal rodée, quelque chose de paralysant qui m'empêche d'intervenir, mais je me ressaisis tout de même, c'est mon sens pratique qui hurle par ma bouche, « le costume, Ninouch ! Fais gaffe au costume ! », je me rue sur Mikhaëla pour commencer à lui enlever la veste de Léon, déjà bien tachée, puis la chemise en dessous.

Mais Ninouch me prend moi aussi pour cible, et une boule de chantilly graisseuse, mélangée à des fruits des bois écrasés, atterrit sur ma poitrine, salit la robe à deux mille dollars, ultime souvenir de mon lieutenant-colonel.

« Et toi aussi ! Tu crois que je ne sens rien. Que je ne vois rien. Tu crois que je ne sais pas ce qui t'arrive », continue Ninouch. Sa voix de moineau se brise sur les aigus, aussi peu habituée aux hautes sonorités que le clapotis d'un ruisseau de montagne.

« Qu'est-ce que tu racontes, espèce de débile ? » lance Mikhaëla qui aimerait un début de clarification dans ce déferlement de reproches et d'accusations.

Moi, je ne prends pas le temps de lui répondre. J'ai enfin réussi à l'extraire du costume bousillé et je cours me planquer dans la salle de bains où j'arrache ma robe bleu ciel, nuage de chiffon céleste taché de gâteau à la crème, me précipite sur le robinet et lave sous l'eau les grumeaux de chantilly, verse de la lessive sur le tissu, frotte du mieux que je peux puis laisse la robe tremper dans le lavabo, espérant que l'agent chimique agira et sauvera le joyau de ma garde-robe. Je perçois les voix de mes amies mais n'arrive pas à comprendre ce qui se dit.

Les mains mouillées, je reviens à toute vitesse dans le salon — je n'ai rien d'autre sur le corps que mon slip et mon soutien-gorge. On dirait que les esprits se sont un peu calmés. Ninouch, toujours en justaucorps, s'est assise sur une chaise et Mikhaëla, en soutien-gorge comme moi, se penche vers elle. Tout en s'essuyant les joues avec ses mains, elle murmure de douces paroles réconfortantes.

« Franchement, qu'est-ce qui t'a pris, t'es tombée sur la tête, je te jure. Qu'est-ce que t'as encore été t'imaginer ? Tout ça, c'est pas sérieux, j'ai pas besoin d'un écrivain. Comme si tu ne le savais pas, franchement. C'est toi que j'aime, espèce d'idiote. Je t'aime comme mes propres enfants. Je te le jure, je te le jure sur ce que j'ai de plus sacré. »

Ninouch reste silencieuse, obéissante. Son nez dont les narines tremblotent toujours est rouge, elle ravale à grand bruit des restes de glaires. Elle a le regard trouble, comme si les paroles de Mikhaëla refusaient de pénétrer en elle, d'être intégrées. Dans ces yeux, à part le scintillement de la lumière des bougies, c'est l'obscurité hermétique, totale.

Je m'arrête, attendant de voir comment ce drame idiot va évoluer, lorsque tout à coup un violent éclair électrique nous balaie toutes les trois, annule la douce lumière des bougies, les ombres, les recoins feutrés. La pièce est soudain illuminée, lorsque nous comprenons ce qui se passe et tournons la tête vers la porte et l'interrupteur qui se trouve à côté, notre regard se heurte à Léon, adossé au chambranle et qui observe la scène.

Mikhaëla se lève d'un bond mais se fige aussitôt,

comme si sa capacité de réaction ne pouvait pas faire plus. Ninouch, elle, reste assise à sa place, ni sa position ni l'expression de son visage ne changent d'un poil. Vraiment débile. Le cerveau ramolli.

Le présent est si poisseux qu'il est difficile de respirer cet air déjà très dense avant cette incursion. Tic et tac, et tic et tac. Le temps coule. Le temps se fissure. Depuis quand est-il là ? Adossé au chambranle. En pantalon clair et pull de tennis blanc. Très à l'aise, comme s'il suivait un jeu de golf. Son visage est rouge, brûlé de soleil, jusqu'à son crâne chauve qui a rougi bien que l'on puisse encore remarquer les taches brunes éparpillées sur toute sa surface. Il a le nez charnu, informe, une courgette, et ses yeux impénétrables sont retranchés, loin derrière les verres épais de ses lunettes. Un troll surgi de la forêt en tenue de sport, court sur pattes et épais comme un tronc d'arbre ou un immense champignon.

À partir de quel moment a-t-il été le témoin de nos jeux privés et intimes ? Depuis le début du petit scandale de Ninouch ? Avant peut-être ? Que pense-t-il de l'explosion de sentiments de sa maîtresse ? L'a-t-il déjà vue dans cet état par le passé ? Reconnaît-il son pantalon, sa valise ? Le tapis qui couvre le canapé ? Et d'ailleurs pourquoi est-il venu droit ici ? Et qu'est-ce qui l'a poussé à choisir ce moment pour appuyer sur l'interrupteur ?

Et qui est-il, merde, pour venir ainsi chez moi me mettre dans une telle situation ! Pourquoi est-ce que je me retrouve bâillonnée par la honte et la peur, comme si j'étais surprise en train de me livrer à quelque acte honteux ? Surtout que nous sommes presque nues, vulnérables, dévoilées, ridicules. Quasiment chaque fois que j'ai eu l'occasion de croiser Léon, j'ai été gagnée par ce même malaise infantile que j'éprouvais face aux parents des copines chez qui j'étais invitée, je bafouillais un vague « bonjour » et attendais, inquiète, la gorge sèche, l'instant où ils sortiraient de la pièce. Alors seulement je redevenais moi-même et pouvais à nouveau respirer, réfléchir, parler. Pourquoi me taire ainsi, tel un animal apeuré, devant cet homme, qui, bien qu'il ait vingt ans de plus que sa protégée, n'est ni son père ni son mari ?

La bulle d'immobilité explose. Ma bouche se fend déjà pour parler, mais il me devance et dit à Ninouch d'une voix tendre, dangereuse, « ramasse tes habits et va m'attendre dans la voiture ».

Bien apprivoisée, notre petit animal humain se lève, si pitoyable dans son justaucorps à paillettes sous la lumière électrique, et commence à sortir. Son dos et ses membres sont rigidifiés. Elle atteint la porte lorsque Léon se penche, ramasse la valise Vuitton, la ferme sans se dépêcher et la lui tend, « tu oublies ça ».

Il ne la regarde plus. Ses yeux, cachés derrière les épais verres de ses lunettes, fouillent la pièce à la recher-che d'autres objets lui appartenant. Il essaie en même temps de deviner d'après les traces éparpillées, tel un éclaireur indien, le déroulement de ces dernières heures, de s'en faire un dessin précis, d'en affiner les lignes.

Mikhaëla et moi pouvons maintenant reprendre la direction des opérations. Elle ramasse la veste tachée sur le canapé, l'enfile et s'approche de Léon tandis que moi, décidant courageusement d'assumer ma presque nudité, je me contente de croiser les bras sur ma poitrine, ridicule dans une pose de fausse assurance.

« Écoutez, monsieur, commence-t-elle en se raclant la gorge pour évacuer un léger enrouement instinctif, je... j'imagine que vous êtes le compagnon de Ninouch. Je veux que vous compreniez que ce que vous voyez ici est une fête. C'est l'anniversaire de Lily. Une soirée entre femmes. Alors on a un peu déconné. Vous savez ce que c'est, des filles, quand elles s'amusent ensemble. Croyez-moi, vous n'avez aucune raison de lui en vouloir, ni d'être jaloux. Je vois ici encore quelques affaires à vous, ce costume — demain je le dépose au pressing et je le rapporte moi-même. Avec tout le reste, pas vrai, Lily ? »

Je continue à me taire. Aucune parole ne pourrait être plus éloquente que le désordre qui règne dans la pièce — les fleurs, les bougies, les restes du gâteau, les femmes en petite tenue.

Les conséquences sont claires et inéluctables. Ni la punition de Ninouch ni la fureur dont Léon va bientôt se décharger sur elle ne peuvent être évitées. Même Mikhaëla, qui en ces instants est surtout concentrée sur elle-même et sur sa tentative pour aplanir les angles, sent la stérilité de ses arguments et même du simple fait de parler — ce qui la révolte. Le silence de cet homme réduit dédaigneusement tous les mots à néant, elle reconnaît dans son attitude le mépris poli et attentif qui se pose parfois sur sa nuque pendant qu'elle conduit son taxi. Voilà qui lui enlève en un clin d'œil la bonne volonté avec laquelle elle a essayé de dérouler sa plaidoirie, et elle ne sait plus ce qui la pousse en avant : l'offense personnelle ou son inquiétude quant au sort de Ninouch.

« Je vous préviens, monsieur Léon », la ferveur de sa voix rend tout ce qu'elle dit plus minable encore, plus ridicule, plus désespéré, « je vous préviens que j'ai des relations. Le mari de ma sœur est commissaire divisionnaire à Petakh-Tikva, j'irai le trouver dès demain matin si j'ai vent de la moindre tentative de violence physique sur Nina. »

Léon lui lance un long regard désolé, « il y a quelque chose que vous ne comprenez pas, madame, excusez-moi, mais je ne connais pas votre nom. Nina est une grande malade. Tout au long de sa vie, elle a croisé, et croisera apparemment toujours, des gens qui comme vous seront ravis de la protéger, d'être avec elle, de la ramener dans le droit chemin, l'adopter, la sauver, l'aider, etc. Elle est belle et adorable, comme nous le savons tous ici, son handicap n'a engendré aucune déformation physique, neurologique ou mentale qui l'obligerait à vivre enfermée dans une institution ou sous la garde permanente d'une famille. Cependant, prendre la responsabilité de quelqu'un comme Nina exige un engagement total, une détermination et un renoncement à beaucoup de choses auxquelles la majorité d'entre nous ne veut pas renoncer — avoir des enfants, fonder une famille. Des amis, une vie personnelle, des loisirs.

« Mais le plus important, et c'est pourquoi je ne perdrai pas mon temps à vous écouter défendre votre détermination absolue à la prendre sous votre coupe — exactement comme Lily à une époque, pas vrai, Lily ? Je ne doute d'ailleurs pas de la sincérité de vos intentions. Le plus important, c'est que Nina veut être avec moi. Et ceci, voyez-vous, est fondamental. »

Il s'arrête un instant, comme pour laisser ses paroles imprégner l'espace. Il enlève ses lunettes, les essuie dans son pull élégant, les remet sur son nez-courgette. Entre ses sourcils clairsemés et fanés se creuse une ride tragique et sombre. Son accent américain ne fait qu'ajouter du poids aux paroles qu'il prononce avec une claire précision.

« J'admets que nous avons des problèmes, comme cela arrive à de nombreux couples. Comme eux, nous luttons pour améliorer nos relations ; comme eux, nous allons chercher le réconfort auprès de nos amis et amies, c'est pourquoi j'accorde une grande importance au rôle de Lily, que, si je comprends bien, elle partage avec vous en ce moment. Mais en retour, et afin que votre amitié soit propre et sincère, vous devez accepter la volonté de Nina de vivre avec moi. D'ailleurs à tout moment vous pouvez lui proposer de me remplacer. Je ne vous en empêcherai jamais. Vous pouvez même la kidnapper, essayer la séduction, la persuasion, tout ce que vous voudrez — je vous en prie. Tant que primera la volonté de Nina, et j'espère que c'est ainsi que vous voyez les choses, je suis au regret de vous informer que vos chances sont minimes. Or nous vivons dans un monde où l'on respecte le libre arbitre. Nina m'a choisi entre la multitude de possibilités qui se présentent à chacun d'entre nous tout au long de notre vie. Et contre ça, je crains que même votre beau-frère le commissaire divisionnaire ne puisse rien. Alors pourquoi ne pas respecter son choix, vous aussi ? Sur ce, bonne nuit. »

360

Dès qu'il est parti, je vais ouvrir la porte de la terrasse pour libérer le bébé tigre qui, depuis une bonne heure, griffe la vitre pour pouvoir entrer.

Quand je reviens, Mikhaëla est assise, elle fume.

« Ce que j'aimerais comprendre, Lily, c'est est-ce qu'ils se sont mis d'accord pour organiser ce spectacle terrifiant ? Tout ce discours sur l'engagement, etc. ?

— Je ne crois pas. Mais je pense qu'ils ressentent la même chose tous les deux. Qu'ils sont faits l'un pour l'autre et que le reste du monde n'est qu'imposture. Des profiteurs ou des indifférents. » Mon regard erre tout autour, essayant de se remplir de la nouvelle lumière qui noie la pièce.

« Comment se sont-ils rencontrés, d'ailleurs, ces deux-là ? Où ? Chaque fois que je lui pose la question, elle élude. Lily ? Lily ? »

Mais je suis dispensée de ce récit-là et j'examine comment de chaque objet, de chaque fleur, de chaque morceau de tissu dans la pièce, toute trace de la couleur rouge a disparu. Maintenant la réalité qui s'étale devant moi ne m'est pas familière mais apparaît sous un nouvel éclairage, bleu-vert, nuancé par une infinité de gris.

*

La femelle indique qu'elle est prête pour l'accouplement par des feulements. Auparavant, elle a laissé des indices odorants — urine caractérisée et sécrétions de la glande anale — qui guident le mâle pour trouver son territoire.

*

361

À cinq heures de l'après-midi, Sergueï était arrivé avec le sapin, un arbuste qui ne dépassait pas la taille du bonhomme lui-même, mais dont le branchage était si touffu, épais et parfumé que Ninouch s'était hâtée de plonger le visage dans son vert sombre, frais et piquant. Elle avait ensuite tourné vers Paulina un visage radieux, retenant difficilement une joie prête à exploser.

Paulina et les neuf enfants se regroupèrent en silence autour de l'homme de main qui fabriqua une croix en prenant deux planches dans lesquelles il fit un trou au centre et y glissa le tronc. Tous reculèrent en même temps afin d'examiner le petit sapin qui se dressait, droit et stable, au milieu du salon.

Un peu plus tard apparut Tchinguiz, tout sourires. Pressé, arborant une expression mystérieuse, visage caché derrière deux cartons remplis de décorations et un paquet d'ampoules multicolores en forme d'étoile : les restes du sapin de Noël de sa famille. En effet, Nina Magometov, qui avait particulièrement à cœur de perpétuer les traditions et éprouvait une sincère nostalgie pour les rituels magiques et pleins d'espoirs des jours de Noël, essayait de reconstituer ne serait-ce qu'un peu des merveilles de la fête chrétienne-soviétique pour Mikhaël, Raphaël, Nathanel et Tomer, eux qui n'avaient pas connu les joies du *novi god*.

Lorsque Ninouch et Paulina ouvrirent les cartons et commencèrent à accrocher sur les branches les légères boules de verre brillantes, les enfants s'approchèrent lentement, avec prudence, subjugués, pénétrés d'un émerveillement aussi religieux que celui qui se lisait certainement dans les yeux des Incas lorsqu'ils accueillirent les conquistadors de Cortés.

Tchinguiz repartit vite, non sans avoir auparavant promis de revenir le soir même avec des cadeaux — dès qu'il pourrait s'esquiver de la fête chez lui.

« Surtout essaie de ne pas louper la partie artistique ! » pépia Ninouch dans le noir de la cage d'escalier privée d'électricité. Elle entendit la réponse du boss résonner en bas comme un lointain écho, « ne t'inquiète pas, Koukla ! À neuf heures pétantes je serai là ».

Il tint parole et débarqua à bout de souffle quelques minutes après l'heure promise. Il se laissa choir sur la chaise qui l'attendait au milieu du demi-cercle formé par celles des enfants. Dans la partie du salon qui servait de « scène » une immense casserole était posée sur un tabouret avec en dessous, dans le rôle de la flamme allumée, une grande torche qui, couverte d'une gélatine orange, ressemblait vraiment à un feu de plaque chauffante. Debout à côté de la casserole, Paulina, habillée en blanc et coiffée d'une toque de cuisinier, agitait une louche dans les airs. Les joues rebondies de son visage dur et la moustache noire qui avait été dessinée au crayon à maquillage au-dessus de sa lèvre supérieure soulignaient l'air d'autosatisfaction inhérent à tout chef qui se respecte.

Dès l'arrivée de Tchinguiz, la lumière centrale de la pièce s'éteignit, Paulina appuya sur le bouton « play » de la mini-chaîne qui se mit à brailler le meilleur de la variété russe post-perestroïka. Dans un geste exagérément théâtral, elle prit sur la petite table à côté d'elle un paquet de spaghettis dont elle versa le contenu dans

363

la casserole. Elle touilla, et à l'instant où elle ressortit la louche, Ninouch commença à poindre, enveloppée dans un châle rouge qui ne laissait pas planer le moindre doute quant à son rôle de spaghetti à la sauce tomate.

Son visage, de plus en plus sérieux, s'allongea tandis qu'elle se tortillait, incarnant avec émotion la solitude du spaghetti squelettique, dont la fière rigidité originelle ramollissait au fil des minutes passées dans la casserole bouillante. Tchinguiz riait si bruyamment qu'il couvrait les voix des neuf enfants, et il n'eut pas le temps de se calmer que Paulina frappait avec sa louche sur la tête de Ninouch qui s'enfonça aussitôt dans la casserole... pour en ressortir en poulet bouilli encore vivant mais déjà tout déplumé, dont les tentatives pour échapper à la marmite et à la force cruelle du chef restaient vaines. Elle continua à réapparaître sous diverses formes, en chou blanc, en poisson, en frite brunie par l'huile bouillante, en légume pour potage, en aubergine farcie, en beignet dégoulinant de confiture rouge et finalement en triste pomme réduite en compote. À chaque personnage, l'atmosphère se détendait davantage, le public devenait de plus en plus hilare, tous se tordaient d'un rire incontrôlé qui, par moments, frisait l'hystérie. Elle fut particulièrement émue de capter celui de Rado, qu'elle entendait pour la première fois de sa vie. Le petit Roumain aux yeux enfoncés lâchait des rafales tranchantes, entrecoupées et stridentes comme les hennissements d'un petit âne, et lorsque Ninouch comprit que ces étranges sons venaient de lui, elle eut énormément de mal à retenir les larmes qui gonflaient sa poitrine telle une miche de pain dans le four, et risquaient de gâcher le spectacle.

Plus tard, pendant que les pensionnaires ouvraient leurs cadeaux multicolores — des paquets de bonbons et des tubes à bulles de savon —, Tchinguiz tira Ninouch par le coude et l'entraîna dans la cuisine. Il se servit un verre de la bouteille à étiquette noire de Paulina.

« Quand Dieu a inventé l'amour, commença la Boucle dont les beaux yeux sombres et un peu bridés rayonnaient, le plus grand des amours, celui de Roméo et Juliette, de Lénine et Nadejda Kroupskaïa, de Rabin et Clinton — eh bien, il ne savait pas encore ce qu'était le vrai grand amour, parce qu'il n'avait pas encore vu l'amour que papounet Tchinguiz éprouve envers sa Koukla. »

Ninouch eut le sourire épuisé et comblé de l'artiste un soir de première réussie.

« Demain, continua-t-il avec une douceur qui n'arriva pas à masquer son émotion, tu emballes tes affaires et tu dis gentiment au revoir à tout le monde. À Rado Dinolescu et à Shmado Kukulescu. Je t'emmène quelque part où ton talent pourra pleinement s'exprimer. Tu me connais — tu sais bien que devant le grand art je suis prêt à ramper. C'est un péché de laisser un tel talent inexploité. Parce que pour ma part, et ne rougis pas Koukla, il s'agit de génie. Bon, donc tiens-toi prête pour sept heures demain soir. »

Il arriva en Volvo noire conduite par Sergueï. Les derniers rayons du coucher de soleil donnaient à la laideur du sud de Tel-Aviv une profondeur théâtrale, la transformaient en un décor qui accompagnait ce petit événement dans la vie sans importance de Ninouch, et, à cet instant, elle se dit que voilà, elle aussi, exactement comme tous les êtres humains, pouvait se considérer comme l'actrice principale du drame inconsistant de sa vie. Cette pensée lui fit un peu honte et elle se recroquevilla tellement sur la banquette arrière tapissée de cuir noir et doux que cela conféra au siège une sorte d'existence, comme si une créature l'enserrait et veillait sur elle pendant le trajet.

Tchinguiz était d'excellente humeur et, comme chaque fois qu'il sentait qu'il avait eu une idée lumineuse, il ne pouvait s'empêcher de philosopher.

Il remonta la vitre coulissante qui les séparait du conducteur, s'étira, croisa les jambes.

« Des journées comme celle-ci, Koukla, ne m'inspirent qu'un seul sentiment : l'émerveillement pour le monde dans lequel nous vivons. Et si je n'avais pas subi cette éducation soviétique de merde, passe-moi l'expression, j'aurais même pu me laisser aller à avoir la foi en quelque chose qui nous dépasse, du genre Dieu-Shmieu. »

Ninouch farfouilla dans son sac et en tira la tablette de chocolat dont elle s'était munie pour se donner des forces.

« Où allons-nous, Tchinguiz ? demanda-t-elle en suçant un carré, les yeux tournés vers la fenêtre à vitre fumée.

— Au paradis, Koukla. Je t'emmène dans un endroit que j'ai créé et qui, à part mes enfants, tfou-tfou je touche du bois, est ma plus grande fierté. L'œuvre de ma vie. Après avoir accompli une telle chose, un homme peut vraiment mourir tranquille... non que j'en aie l'intention ! »

Il tendit la main vers la tablette de Ninouch et se rompit un morceau de chocolat mais, croisant aussitôt le regard de la jeune femme, il se hâta de fouiller dans sa poche et d'en retirer un billet de vingt shekels — pour elle, il le savait, donner quelque chose sans contrepartie était source de profonde détresse.

« Nous allons dans la banlieue d'Ashkelon, Koukla. Tous nos "frangins" comme on les appelle, les citoyens des anciennes Républiques soviétiques, les nouveaux Russes, y achètent des villas. De vrais palaces — Beverly Hills à côté, c'est la zone. Mais quand tu verras la nôtre — la tienne à partir de maintenant — tu vas crever sur place. »

Ninouch se mit à grignoter son chocolat avec une attention redoublée. Elle savait qu'il était vain de continuer à poser des questions. Tchinguiz, qui avait un goût immodéré pour la dramatisation, ne lui donnerait que le minimum de détails sur leur destination afin qu'elle puisse découvrir le miracle dont il parlait au moment où il le voudrait. Elle dut se contenter de fixer la nuque menaçante de Serguei, reliée à son dos par un épais pli de peau.

À l'extérieur, tout au long de la route noire qui glissait vers le sud, des voitures aussi rapides que des insectes futuristes les dépassaient de toutes parts : le boss, très pointilleux quant aux principes de sécurité routière, obligeait ses proches à la plus grande prudence.

*

En captivité, les tigres sont nourris avec de la viande de cheval et des vitamines — environ 5 kilos par jour.

*

La grille électrique s'ouvrit, la voiture roula doucement à l'intérieur et entra avec un doux crissement de pneus sur le gravier dans une vaste cour verdoyante entourée de palmiers. Alors se révéla à Ninouch une des plus belles demeures qu'elle ait vues de sa vie. Bien que ne possédant que deux étages, c'était, de tout ce que ses yeux avaient croisé auparavant, sans aucun doute la chose qui se rapprochait le plus d'un château.

Elle découvrit donc une villa de style néoclassique aux lignes pures, en marbre italien blanc et à la façade soutenue par une colonnade. Un large escalier, en marbre lui aussi, gardé par deux sphinx musclés aux seins nus menait jusqu'au perron.

Au centre de la cour entourée de jardinières de pensées et de dattiers, de cyprès verts, de figuiers taillés à l'anglaise, se dressait une fontaine illuminée : une danaïde grandeur nature, aux larges hanches, était allongée sur sa couche tandis qu'un Éros bien gras voletait mystérieusement au-dessus d'elle, arc tendu entre ses mains potelées. Sur le ventre et les cuisses de la femme mythologique tombait une pluie que dorait la lumière — facétie de Zeus pour pénétrer les obscurs recoins de l'anatomie de l'objet convoité.

Serguéï alla ranger la voiture au garage tandis que Tchinguiz et Ninouch empruntaient déjà le grand escalier. Les hautes portes de bois aux motifs ciselés furent ouvertes par une jeune femme dont le visage agréable dégageait une certaine méfiance — un visage de putain. Elle mena les nouveaux venus à travers le hall carrelé en damier noir et blanc. Du très haut plafond descendait un lustre tout en franges scintillantes, qui sembla si grand et si lourd à Ninouch qu'elle se demanda s'il était suffisamment bien accroché et ne risquait pas un beau jour de tomber, entraînant à sa suite toute cette somptueuse demeure, comme si le bâtiment avait été construit dans le cratère du volcan de Pompéi et non au cœur d'une banlieue nouveaux riches d'Ashkelon. Suivant toujours la fille à l'expression méfiante, ils enfilèrent un long couloir pour atteindre — après avoir descendu trois marches bordées d'une large pente inclinée en marbre, telles ces rampes d'accès pour handicapés que l'on trouve dans les salles de concert ou les musées — un immense salon.

La pièce était magnifiquement agencée. Des canapés en cuir blanc et aux lignes droites longeaient les murs, il y avait aussi des tables basses en verre trempé violacé avec armatures en inox, des bouquets de fleurs fraîches dans des vases, des tableaux abstraits et des points d'éclairages élégants d'où émanait une lumière douce et multidirectionnelle. Le tout respirait le bon goût discret.

Un des murs était couvert par un miroir sombre qui transformait la pièce en une véritable salle de bal, un espace sans limites. Ninouch s'y chercha et ne vit qu'une petite silhouette lointaine, comme si elle n'était qu'un croquis, un ersatz non incarné d'elle-même.

Une porte coulissante à moitié ouverte séparait la pièce d'un balcon illuminé qui se noyait dans la végétation, et donnait apparemment sur un grand jardin. Une odeur de floraison inconnue pénétrait dans la pièce, chatouillant les narines. Ninouch s'enfonça dans un des canapés, Tchinguiz s'approcha du bar et se servit un verre de whisky à étiquette noire.

« Alors, qu'en dis-tu, Koukla ? lança-t-il en la rejoignant et s'installant confortablement auprès d'elle. C'est beau ici, non ? »

Dans la pièce entrèrent un homme et une femme qui avaient tous les deux une cinquantaine d'années. La femme, très grande, ronde, au visage doux et aux cheveux roux, portait une tunique couleur lavande et un pantalon de même tissu. L'homme était de petite taille mais avait le torse bombé et de larges épaules. Il dégageait une puissance désagréable et agressive, son nez, très grand avec des narines allongées, semblait aussi menaçant que celui de quelque empereur d'un royaume reculé, quant à ses yeux inquiets, ils paraissaient reprocher à la Boucle un comportement trop léger qui menaçait la tranquillité du lieu.

Tchinguiz attira Ninouch contre lui et se hâta de faire les présentations.

« Voilà Lyda et Iorik. Ils sont mariés et dirigent pour moi cette petite entreprise. Ils ont sous leurs ordres un couple d'employés chargés des tâches plus pratiques, tu feras leur connaissance tout à l'heure, bien que tu aies déjà vu Ira — c'est la personne qui nous a ouvert la porte... Et elle », il attrapa le menton de sa protégée et le tourna vers le couple comme pour leur montrer la beauté de ses traits, « c'est ma Koukla mignonne, ma Nininka. Mon trésor secret. »

Lyda et Iorik s'assirent prudemment sur le canapé face à eux. La femme avait des yeux ronds et bruns, elle ressemblait à un coucou mural avec une petite bouche-bec.

« Allez-y, les amis, continua Tchinguiz — plus le couple arborait une expression sérieuse, plus il se laissait gagner par la bonne humeur —, expliquez donc à Ninette tout ce qu'il faut savoir sur ce petit business que j'ai implanté ici. Ensuite, on appellera les princesses. »

Lyda balaya la pièce de son regard de chouette aux aguets puis finit par se focaliser sur Ninouch.

« Bon. Ici, Nina, c'est la Maison de la Splendeur du Nord, *dom severnovo siania*. Une institution privée qui s'occupe de personnes souffrant de malformations congénitales. Tu comprends ? »

Le sourire aux dents pourries de Ninouch encouragea Lyda à continuer. Telle est la force éternelle de la fragilité.

« Ce que je veux que tu saches, c'est que nous ne nous occupons pas de pathologies évolutives, telles que des tumeurs dans le système digestif ou des maladies auto-immunes, mais uniquement de mutations d'ADN. »

Ninouch lança un regard interrogateur à la Boucle qui éclata d'un rire si communicatif que, sans s'en rendre compte, elle sourit aussi.

« Tu as raison, ma Koukoulka, c'est du chinois pour toi, tous ces termes. Mais Lydoutchka est tout simplement médecin, c'est une scientifique, et tu sais comment ils sont — tellement concentrés sur leur propre génie qu'ils sont incapables de communiquer avec le commun des mortels. Pour faire court et clair, nous sommes dans une institution de soins privée. Un club fermé. Réservé aux victimes des essais nucléaires dans le Kazakhstan. Un petit endroit sélect. Mon cher Iorik, explique donc toi aussi deux ou trois choses à mon bébé. »

Iorik se racla la gorge. La beauté de Ninouch commençait à faire insidieusement son effet habituel, quant à ses occupations, elles lui tenaient apparemment très à cœur. « La majorité des filles qui sont chez nous viennent de Semipalatinsk, une région du Kazakhstan où les Russes procédaient à des essais nucléaires. Cette région fait à peu près la taille de la Grande-Bretagne. Quarante et un ans d'essais nucléaires. En fait, jusqu'à la perestroïka. On a testé des bombes A et H. 124 bombes ont explosé au sol, 343 sous terre. La puissance de toutes ces explosions réunies équivaut à peu près à deux mille Hiroshima...

— En bref, les gens là-bas ont bouffé de la radioactivité pour des centaines d'années, Koukla, intervint la Boucle qui s'ennuyait dans le rôle d'auditeur passif. Et les séquelles ne cessent d'apparaître. La diversité et la quantité de cancers qui en résultent peuvent remplir une encyclopédie entière. Des gens vomissent un liquide bleu avec lequel on peut enlever le calcaire des chiottes. Alors ici, dans cette maison, nous avons tout simplement créé une serre pour recueillir les victimes irradiées. Un projet humanitaire, on peut dire. »

Le regard de Ninouch passa sur ses différents interlocuteurs. À chaque explication supplémentaire, les choses lui paraissaient un peu moins claires. Jusqu'au moment où Tchinguiz décida qu'il avait tiré le maximum de la partie théâtrale. « Quand pourra-t-elle faire connaissance avec les filles ? demanda-t-il enfin.

— Quand vous voulez, répondit Lyda, presque vexée. Elles attendent. Je pensais juste qu'il valait mieux une petite introduction. Parce que tout de même, la première fois... »

Mais Tchinguiz n'écoutait plus. De sa démarche légère, il traversa la pièce, se tourna vers la porte, lança un cri dans le couloir, « I-ra ! ! ! Venez ! », puis se hâta de regagner sa place à côté de Ninouch, comme s'il craignait de louper ne serait-ce qu'une bribe des réactions et des impressions de la jeune fille.

Et ces premiers instants ont laissé dans la mémoire de mon amie un souvenir inoubliable, plus que tout le reste, plus que les longs mois passés à partager le quotidien de ces femmes.

Pour la première fois, elle saisit le pourquoi de l'émerveillement qu'elle-même avait suscité tout au long de sa vie, ce qui, de plus, venait prouver que la première image révélait parfois une vérité profonde et claire comme de l'eau de roche, une vérité à laquelle toute donnée supplémentaire, tout rapprochement ou agrandissement de tel ou tel détail à la loupe ne feraient qu'assombrir la globalité, large et précise, que nous captons dans ce fameux premier regard, aussi limpide que le regard de quelqu'un qui émerge du brouillard.

Elles entrèrent en groupe, mais Ninouch n'arriva jamais à se détacher de la sensation qu'elles étaient entrées deux par deux, avançant dans la pièce dans une imitation ridicule du défilé des animaux de l'arche de Noé. Elles étaient comme un défi pernicieux lancé à l'ordre divin qui a séparé ses créatures en espèces différentes.

Rien n'allait avec rien. Chacun de ces êtres était ostensiblement idiosyncrasique et unique. Une mauvaise blague démoniaque, la preuve de la diversité et de la différenciation des choses les unes par rapport aux autres, mais en même temps, ces créatures proposaient un assemblage différent, déconstruit, impossible, tel que le recollement des morceaux d'une sculpture en porcelaine qu'on aurait jetée par terre.

Chaque fois que Ninouch parlait de cette rencontre, elle s'entêtait à appeler chacune des femmes par son nom, bien qu'en ces premiers instants, des instants de pur théâtre, cruel et magnifique, elle n'ait pas encore su comment elles s'appelaient. Le besoin qu'elle ressentait de leur conférer une identité humaine supplantait toute logique narrative, et d'ailleurs, c'était comme si elle regardait sa propre personne. Comme quelqu'un assis au milieu d'une clairière et qui entend sa propre voix l'appeler par son nom.

Ira les aida toutes à venir s'asseoir autour de Ninouch, qui sur le canapé, qui sur le tapis blanc couvrant les dalles de marbre du sol. Un homme blond, de grande taille mais voûté, entra un peu après, poussant une chaise roulante dans laquelle était assise une femme sans membres.

« C'est notre Boris, dit Tchinguiz en indiquant le blond. Le mari d'Ira. J'adore employer comme ça des couples qui travaillent ensemble. Tous les deux sont d'anciens drogués. Et qui, à ton avis, les a tirés de la merde, leur a sauvé la vie et trouvé du boulot ? »

Ninouch tapota du doigt sur la poitrine du boss et se hâta de ramener son regard sur le groupe qui l'entourait. Lyda et Iorik se levèrent tels des hôtes qui présentent les participants d'une soirée mondaine à un invité de marque arrivé en retard.

« Bon, eh bien, nous allons justement commencer par l'exception qui confirme la règle », lança Lyda en tendant la main vers une naine brunette au sympathique visage de bouledogue. Ses jambes étaient si courtes qu'elles n'atteignaient pas le sol malgré le canapé bas sur lequel elle avait pris place. Ses cheveux raides étaient retenus en arrière par un serre-tête rouge, et elle portait un survêtement d'enfant bleu, avec une décalcomanie de Tom et Jerry sur la poitrine.

« Je te présente Debbie », la retenue avec laquelle parlait Lyda venait masquer une sourde contrariété, « Debbie est la seule qui ne vient pas du Kazakhstan. C'est une nouvelle-immigrante des États-Unis, elle habitait dans un campement près de Miami, un terrain spécialement mis à la disposition des gens présentant des... malformations, en fait de tous ceux qui n'ont pas pu continuer à gagner honnêtement leur vie en se produisant sur scène parce que ce genre de spectacles est devenu illégal.

— Je ne parle qu'un peu hébreu », s'excusa Debbie en plissant coquettement son nez aplati, mimique qui plut aussitôt à Ninouch, toujours sensible à ce qu'elle considérait comme des manières de vraie femme.

« Passons maintenant à celle-là », Lyda fit signe à Boris de pousser un peu la chaise roulante en avant, « Milotchka Akhmadoulina de Karaoul. » La tête de Milotchka était directement posée sur son corps sans membres, comme si elle était une poupée en pâte à modeler sculptée par un gamin paresseux qui n'avait pas pris la peine de lui faire les boudins des bras et des jambes mais l'avait laissée sur sa table afin que ses parents s'en émerveillent tout de même. Son corps était enveloppé d'une espèce de sac en tissu bordeaux et au niveau de l'échancrure du cou, on avait cousu de la dentelle qui tenait lieu de col. « Milotchka est très douée, elle peint avec la bouche. »

Tchinguiz murmura dans un souffle chaud à l'oreille de Ninouch, « elle sait aussi peindre avec son tu-sais-quoi. Comme les nanas en Thaïlande qui décapsulent des bouteilles de Coca-Cola. Les clients sont dingues d'elle tellement elle est douée... ». Ninouch le fit taire par un « chuut », et fit un signe de main à Milotchka, qui avait dans les vingt ans, un visage grassouillet entouré de boucles brunes laineuses et pas très beau, mais vif, avec un regard intelligent.

« Elles, bien sûr, ce sont nos sœurs siamoises — Rosa et Rita Solimanov de Semipalatinsk. Elles sont attachées par les fesses mais très autonomes, quand on aura terminé de te présenter tout le monde, elles pourront répondre aux questions que tu te poses certainement — les gens sont toujours extrêmement intéressés par les siamois. Elles s'entendent très bien, à part que ces derniers temps, Rosa est devenue accro aux sitcoms sud-américaines alors que Rita est plus intello — elle, il lui faut des émissions culturelles, des documentaires ou un bon film français sur la chaîne cinéma. Mais comme on dit, les goûts et les couleurs... »

La dernière phrase, elle l'avait lancée à Iorik qui se tenait à l'écart, les bras croisés sur la poitrine dans une attitude qui indiquait nettement son mécontentement devant cette cérémonie de présentations superflue que leur imposait le boss. Rita ou Rosa Solimanov sortit de sa bouche le chewing-gum qu'elle mastiquait avec énergie et l'enferma dans son poing. Elles se ressemblaient beaucoup, cheveux raides, traits asiatiques aux larges joues et étaient plutôt renfermées, mélancoliques et lourdement fardées, mais l'une portait un survêtement rose, tandis que l'autre avait opté pour un jean et un chemisier aux couleurs psychédéliques et avait la narine droite percée par une boucle d'oreille aussi minuscule qu'un grain de poussière.

Leurs pantalons respectifs étaient attachés par l'arrière. Ninouch se prit à méditer sur leur garde-robe et, comme l'avait prévu Lyda, elle se posa de nombreuses questions, sur le choix des vêtements par exemple : qu'est-ce qui était cousu avec quoi ? À moins que leurs vêtements ne soient attachés par un système de velcro complexe qui permettait une grande diversité.

Ira passa entre les filles et leur servit du jus de fruits, du café et des biscuits pour celles qui pouvaient les tenir. Ninouch se focalisa sur Boris qui donnait à boire à la mignonne Milotchka Akhmadoulina avec une petite cuillère. Elle apprécia intérieurement le calme de ses gestes.

Lyda continua à parler, mais Ninouch, lassée par les

explications, commença à échanger des regards discrets — au début — avec les filles. C'était sa manière de faire connaissance avec elles, vite et plus intimement. D'ailleurs, au-delà de cette connaissance, c'était surtout pour Ninouch une reconnaissance de son semblable.

Elle échangea donc des regards avec la fille, très grande et aux cheveux ras, dont le visage n'avait pas de mâchoire inférieure mais des oreilles, collées à l'endroit où normalement aurait dû se trouver le menton. Elle examina tranquillement une autre fille dont l'épaisse chevelure longue et noire masquait la face. En fait, celle-ci avait tout le corps couvert par une pilosité sauvage et bestiale qui se devinait sous sa robe à fleurs. Mère-grand déguisée en loup, songea Ninouch.

Rapidement, elle se délesta des dernières bribes d'embarras et détailla librement les filles qui se trouvaient là, passant outre, consciemment et volontairement, aux bonnes manières et aux paupières baissées de rigueur. Elle voulait tout voir afin de tout savoir, de tout connaître et surtout de ne pas garder en elle la plus petite once de dégoût ou d'extériorité.

Ainsi, sans se cacher, elle dévisagea une petite demoiselle, presque une gamine, aux cheveux clairs, à l'étroit visage délicat, sur le front de qui s'ouvrait, fin et pâle, couleur gris laiteux, un troisième œil. Puis elle passa à la fille à la chevelure rousse. Allongée sur le tapis, celle-ci s'appliquait à manger et à boire avec des mains, qui, tout comme ses pieds, étaient directement rattachées à son corps.

« Et elle, Nina », Ninouch fut soudain tirée de son expédition personnelle par la voix de Lyda qui, ayant senti qu'elle perdait son auditoire, appelait Ninouch par son nom et décidait de terminer les présentations, « et elle, Nina, elle, c'est Bayan Ouroumbabïa de Tcheliabinsk. »

Ninouch regarda une femme qui devait avoir dans les trente-cinq ans, une blonde bien mise, au visage agréable, qui paraissait tout à fait normale si bien que Ninouch l'avait prise pour une aide-soignante qu'on ne lui aurait pas présentée. Sur un signe de main de Lyda, la femme se leva, ouvrit les boutons de sa robe de chambre violette et révéla un corps de femme bien en chair, aux seins et aux hanches lourds de cellulite et de vergetures, mais dont le bas-ventre rebondi n'était pas orné d'un pubis triangulaire plat et poilu mais d'un petit pénis dont la longueur ne dépassait pas quatre centimètres, épais comme un pouce de femme.

Une mini-bite, pensa Ninouch. Une mini-bite.

« Merci, Bayan, dit Lyda, tu peux t'asseoir. Il y a aussi Yvonna, mais elle a du mal à sortir de sa chambre alors tu feras sa connaissance plus tard, après le dîner. Ira ou Boris t'emmènera la voir. Elle pèse presque trois cents kilos et nous préférons ne pas la déranger si ce n'est pas totalement indispensable. Bon, maintenant que vous vous connaissez toutes, je propose que nous passions dans la salle à manger Ira et Boris nous ont préparé aujourd'hui un festin en ton honneur — du bœuf strogonoff, des blinis à la crème fraîche, du caviar rouge et des pirojki aux pommes — un vrai délice.

— C'est vrai, il est temps, confirma Tchinguiz qui se leva et s'étira. On finira par mourir de faim dans cette baraque ! C'est tout simplement inhumain. »

*

Le tigre choisit la morsure en fonction de la taille de sa proie : une morsure à la nuque qui paralyse la colonne vertébrale sera utilisée pour les animaux petits et moyens, tandis que les plus gros seront étouffés par morsure à la gorge.

*

« Alors ce n'est qu'un bordel de plus, Tchinguiz », grimaça Ninouch lorsqu'ils entrèrent dans sa chambre. Elle alla ouvrir la fenêtre, huma l'air du jardin frais et noir, puis resta là, épuisée, ivre de toutes les nouvelles sensations et du vin qui avait été servi au dîner.

« Comme tu y vas, Koukla ! C'est exactement le genre de remarques qui trahissent ta très mauvaise éducation. Tu as le vocabulaire d'une fille des rues. Je t'emmène dans un lieu qui est le top du top de mes activités. L'œuvre d'un visionnaire. La preuve absolue que le monde se bonifie chaque jour un peu plus. Ici, c'est un endroit qui témoigne que toute créature peut servir à quelque chose. Ici, des êtres humains dont la société se foutait peuvent avoir une existence respectable, un salaire et un toit décents. Prends Rosa et Rita, les siamoises, elles font des économies pour pouvoir se payer l'opération qui les séparera. Et elles n'auront à débourser que le quart du coût réel, parce que, dans l'hôpital de Singapour spécialisé en opérations haut de gamme où elles vont aller, ils en profiteront pour se faire de la pub. Mais toi, tu as une manière de t'exprimer... franchement, ça me donne parfois envie de te laver la bouche au savon. »

Il s'assit dans le fauteuil à côté de la fenêtre ouverte qui reflétait, dans la nuit, les branches du lilas des Indes aux fleurs violettes.

« Allez, viens ici », il tapota sur sa cuisse musclée enserrée dans son éternel jean, et Ninouch vint docilement y poser ses fesses. « Tu vas avoir l'occasion de rencontrer des gens que tu n'aurais jamais pu approcher. Parce que les gens qui s'intéressent à ce genre de créatures sont tous très particuliers. Des personnalités. Des gens qui ont le fric et l'éducation. Pas de ces ouvriers roumains puants de la gare routière, qui veulent une pipe pour cent shekels. De plus, les règles sont très strictes. Pourquoi crois-tu que j'emploie Lyda et Iorik ? Ils sont tous les deux médecins et chez eux, c'est l'éthique avant tout. Et Boris et Ira, chargés de l'intendance et du ménage ? Eux sont plus durs que durs. La majorité des clients que nous avons ne touchent quasiment pas les filles. Ce qu'ils veulent, c'est mater, se masturber et le tour est joué. Nous avons cinq « salles de soins ». Crois-moi, certains jours, Ira n'a même pas besoin de changer les draps. À mon avis, à part faire ton numéro à la Houdini en petite tenue, tu n'auras pas à lever le petit doigt. Peut-être une pipe ici ou là. Peut-être parfois aider un type à se branler. C'est tout. Mais tous nos visiteurs, quelle classe ! On en a un ici, lui, c'est notre client numéro un. Il a déjà tout essayé. Il s'est baladé dans le monde entier. L'Amérique du Sud, l'Extrême-Orient, tout. Rien ne l'émeut. Ce mec est une espèce de spécialiste international de fitness. Liposuccion ou quelque chose comme ça, je ne sais pas trop. Quelque chose de révolutionnaire. Juif, américain et milliardaire. À ce qu'il paraît, il serait lui-même une moitié de siamois. Il avait une sœur qui lui aurait poussé dans la poitrine et serait morte quand il avait vingt ans et quelque. Paraît qu'alors on la lui a coupée. Ils avaient le même cœur, le même estomac, le même système digestif. Genre, il mange des haricots blancs et c'est elle qui pète. Non, là, je plaisante. Bref, elle est morte et lui est vivant. Un jour qu'il avait un peu bu, il s'est laissé aller à raconter sa vie. Depuis, il cherche son truc, mais il ne sait pas ce que c'est. Quelque chose me dit — mon flair, l'instinct animal qui gronde dans mes tripes — que dès qu'il te verra, ce sera le coup de foudre. Et tu sais, Koukla, que je me trompe rarement, pas vrai ?

— Qu'est-ce que je ferais de son coup de foudre ? » demanda Ninouch en resserrant ses bras autour du cou de Tchinguiz et en posant la tête sur son épaule. Elle parlait d'une voix pâteuse et retint un bâillement.

« *Oïe*, ma Koukla. Tu es vraiment un talent gâché, une sacrée comédienne. Le jour où quelqu'un comme ça tombe amoureux de toi, c'est ce que te dira n'importe quelle fille qui aura traversé la rue près de moi, le jour où ça arrivera, tous tes problèmes seront résolus. Compris ? »

Ninouch ne répondit pas. Sa respiration était devenue légère et régulière. Elle dormait.

*

Le tigre dort entre 16 et 20 heures par jour.

*

Mikhaëla travaille de nuit. C'est ce qui lui convient le mieux en cette période. Les passagers s'étonnent toujours en voyant une femme au volant et ils discutent volontiers avec elle. En général, gentiment. Ça lui change les idées.

La journée elle se repose et le soir, elle vient chez moi. Nous regardons la télé ensemble. J'essaie d'éviter de parler car cet effort me fatigue rapidement. Au bout de quelques minutes, je n'arrive plus à me concentrer et me désintéresse de toute conversation. Je préfère observer le bébé tigre ou le serrer contre moi chaque fois qu'il en a envie. Il devient si indépendant que je dois presque supplier pour des câlins ou les petits jeux qui, auparavant, étaient notre lot quotidien. Mais je ne suis pas vexée. Le principal c'est qu'il soit là. Le savoir exister et en bonne santé me suffit amplement, et ne serait-ce la faim qui ne me quitte pas un instant, même quand je sombre dans le sommeil, oui, ne serait-ce cette faim qui me consume intérieurement, je pourrais dire que je suis heureuse. Un présent tellement tranquille, exactement comme il se doit d'être. Et Ninouch va revenir. Je le sais.

Mais Mikhaëla n'est pas satisfaite. Elle n'arrive pas à se calmer et évidemment — elle n'est pas heureuse. Une semaine s'est écoulée depuis mon anniversaire et nous n'avons toujours pas de nouvelles de mon amie. Elle marche de long en large dans l'appartement, Mikhaëla. Écarte les bras telle une comédienne de théâtre yiddish, incapable de comprendre ce qu'elle appelle mon « indifférence ». Elle essaie de m'attirer sur le canapé, « allez, viens, assieds-toi », et réclame toujours plus de renseignements sur le passé de Ninouch, comme si là était enfoui quelque secret qui lui permettrait de percer le mystère.

Et pourtant, il n'y a aucun secret. Tout est limpide. Connu. Organisé et formulé avec tel mot ou tel autre. Rien de nouveau. Je suis heureuse de l'absence d'événements nouveaux, mais c'est justement ce qui angoisse Mikhaëla. Elle croit que dès qu'il se passe quelque chose, c'est dans le bon sens. Mikhaëla appartient à son temps. Une femme moderne.

Parfois, elle se frotte le visage avec ses mains, tire sa peau vers l'extérieur comme pour lisser des rides de fatigue, relaxer des muscles d'inquiétude. Je me recroqueville sur le canapé, presse le bébé tigre contre moi, m'amuse à farfouiller dans sa fourrure à la recherche de tiques à enlever. Mikhaëla râle, me reproche de ne pas me comporter en être humain, moi, je me contente de secouer la tête, je n'ai aucun moyen de l'aider, ne peux que l'accueillir ici, dans mon appartement, dans mon périmètre de vie, à cet endroit où elle a passé plusieurs mois bouillonnants qui ont changé son existence, transformé l'insipide jus de raisin en champagne à joyeuses bulles picotantes.

Ninouch réapparaît au bout de huit jours. En cette superbe heure entre chien et loup qui adoucit les contours des objets et relâche les corps dans une agréable lassitude de muscles assouplis.

Mikhaëla est déjà là, elle regarde le flash info du talk-show de fin d'après-midi, un verre de nescafé à la main. Elle est venue passer ici ses heures libres jusqu'à ce qu'elle puisse se plonger dans le travail, regarder la route, se fixer des buts précis, régler des problèmes mineurs. Ninouch entre sans sonner. Elle a les clés de chez moi. Elle se dirige droit sur Mikhaëla qui, sans rien dire, lève les yeux vers elle. Ninouch lui ôte la boisson des mains, la pose sur la table.

Le bébé tigre et moi sommes à notre place, sur le canapé. Mon amie me lance un regard interrogateur auquel je réponds par un hochement de tête — c'est bon, continue. Je ne ressens aucune urgence à désamorcer la tension de son entrée. J'attends.

Mikhaëla se lève du fauteuil. La voilà maintenant plantée au milieu de la pièce — un pot dans lequel se dresse un palmier artificiel. Un grand corps, paumé, les mains qui pendouillent de chaque côté, des hanches solides, une coiffure blonde, des yeux de kiwi soulignés de cernes foncés. Elle est désemparée. Désorientée. C'est étrange et agréable de la voir dans sa faiblesse. Ninouch s'approche d'elle. Elle claudique légèrement de la jambe gauche. Marques de doigts jaune-violet sur le cou, plaie en train de cicatriser au bord de sa lèvre inférieure. Œil droit à moitié fermé, blanc veiné de rouge. Elle attrape le visage de Mikhaëla, perce le regard vert de son regard gris et se plaque contre la bouche de la conductrice en un long baiser qui aspire tout. Un baiser intense et déterminé.

Il m'est déjà arrivé dans le passé de voir Ninouch exécuter une parade érotique devant des passants occasionnels ou même Léon, elle a des manières vulgaires qui sortent tout droit, jusqu'à la dernière d'entre elles, de la tradition des strip-teaseuses de night-club et de scènes de films porno. Sourires et demi-sourires suggestifs, ondulations du corps, battements de paupières, yeux fermés. Mais maintenant, elle fait son possible pour se montrer sérieuse et adulte. Son dos est tranquille, droit. Elle ne veut plus que Mikhaëla l'aime comme ses enfants, et elle exprime ses intentions avec une rigueur et une délicatesse qui ne laissent aucune ambiguïté. La langue, les lèvres, les dents. Elle exige du tangible.

Dans un premier temps, Mikhaëla se raidit puis elle s'adoucit lentement, se plie à la détermination de l'assaut. Elles s'enlacent. De ses doigts hésitants, Ninouch ouvre les boutons de la chemise en jean de son amoureuse, pose une main sur un sein rebondi, la glisse sous l'aisselle, descend vers la hanche soyeuse.

Là, ma patience atteint ses limites et je leur lance le coussin que je viens d'extraire de sous les fesses du bébé tigre qui, lui aussi, observe ce qui se passe, troublé par le peu de cas que l'on fait de sa présence — tout, toujours, ne s'organise-t-il pas autour de lui, en fonction de lui, pour lui ?

Le coussin fait l'effet escompté. Ninouch passe un bras autour des épaules de Mikhaëla, la guide dans la chambre à coucher puis referme la porte sur elles. Je m'étire et me lève pour prendre la télécommande de la télévision.

Elles ressortent au bout de deux heures, peut-être

plus. Dehors, il fait déjà noir. S'installent à côté de moi sur le tapis. Mikhaëla semble gauche et vaincue. Ninouch s'est jetée sur le bébé tigre pour compenser les huit jours d'absence. Moi, j'attends. J'attends la nuit.

Mais la soirée s'étire, s'enroule doucement autour d'elle-même. Nous préparons à manger, nous zappons. Creusons dans le plat de fruits mouillés — raisins, pommes mouchetées, et il y a aussi une grenade explosée, sanguinolente. Nous nous sommes installées sur le tapis autour du bébé tigre (qui en profite), comme autour d'un feu de camp. Nous parlons ou nous nous taisons. J'attends.

*

Les tigres sont des animaux solitaires qui ne vivent pas en groupe, à l'exception de la période où la femelle s'occupe de ses petits.

*

J'ai l'intention de ne faire qu'une bouchée de cette nuit. Dans un geste rapide et précis, comme on tire la nappe d'une table couverte d'assiettes. Comme ça, avec témérité, dans un parfum de scandale.

Cette nuit, j'ai vraiment envie d'en profiter. Oui. Moi aussi je veux profiter. Aimer, me goinfrer jusqu'à l'écœurement, pour finir en laissant mon corps s'enfoncer dans les douceurs du matelas de mon lit avec un « je n'en peux plus » fourbu, somnolent et satisfait.

Je sais, bien sûr, que même le plus débutant des

joueurs ne changerait pas un cheval gagnant, or moi je ne suis pas une débutante. Mon parcours habituel est là devant moi, splendide invite, rai de lumière lunaire sur l'ondulation de la mer. La rue Lilienblum, avec ses multiples antres de bonheur, trace ma voie familière, certaine.

Exactement comme j'aime, j'entre dans le premier endroit qui m'interpelle et examine, au hasard, la corne d'abondance foisonnante d'où fleuriront mes plaisirs. Je balaie du regard le choix proposé. Retenu. Charmant. Sérieux. C'est bien ainsi. Je suis contente. Je n'ai plus la force d'assumer chavirements ou surprises. Des hommes absolument normaux. Aucun d'eux n'est Apollon. Des soldats. Des agents d'assurance. Des petits chefs d'entreprise. Peut-être un ou deux flics. Des rescapés de la haute technologie. Ce n'est pas une boutique de luxe, non, mais assurément le Monoprix. Ne suis-je pas moi-même une fille simple ?

Je m'approche de celui qui a l'air le plus esseulé, le plus probable. Presque machinalement, je m'introduis dans le périmètre de son haleine. Lui fais ma proposition, évitant les préliminaires — pourquoi gâcher des mots et du temps par une si belle nuit ? Mais il me regarde, effrayé. Dans la lumière feutrée, je discerne le dégoût qui envahit ses yeux, oui, le dégoût. Un rejet total, sans aucune hésitation, doute ou même étonnement.

Je ne vais pas insister. Le calife Haroun al-Rachid doit vite se décider et choisir lequel, parmi les trésors de son royaume, il mettra dans la poche de sa robe brodée d'arabesques. Je laboure la nuit, dans tous les sens, j'écume les bars, l'enchevêtrement des rues au nord et au sud d'Allenby, Ehad-haAm, Dizengoff, mes pieds épuisés me font mal, ils me portent plus loin encore dans une recherche désespérée, haletante, mais aucun homme, aucun de ceux que je croise, de ceux à qui je m'adresse, et Dieu m'est témoin qu'en ces heures je ne fais pas la fine bouche, aucun homme n'est prêt à m'accorder ses faveurs.

Et si ce n'était que ses faveurs ! Mais pas le moindre mot gentil, pas un sourire, pas un geste de « non merci ». Ils me fuient comme si j'étais un monstre, une créature démoniaque remontée des profondeurs infernales pour déranger leur repos. J'ai un visage de méduse et des cheveux en nœuds de serpents qui se tortillent et crachent de toutes parts leur terrible venin. Cette nuit restera privée de la moindre rencontre ou de la plus légère main secourable. Sans un éclair, simple et inoffensif, pour marquer ne serait-ce que la reconnaissance de mon existence.

Je suis finie. Un léger tremblement, crispé, me traverse, comme si tout mon corps n'était fait que d'un seul muscle tendu au-delà de ses capacités. Je laisse les premiers gris indiquant le lever du soleil me ramener à la maison, auprès du bébé tigre, oh, mon Dieu, mon Dieu, le bébé tigre. Terminées les sept années d'abondance, où aller maintenant ?

Traversée par une terrible douleur, secouée de sanglots incontrôlables, je m'endors le visage enfoui dans la fourrure orange, zébrée de noir, qui sent bon les taches de soleil sur le plancher, le pain frais, les espaces pous-

siéreux inondés de liberté des jours d'avant que tout
soit.

*

Une fois que le tigre a marqué son territoire, il passe la
majorité de son temps installé en son centre.

*

Le désir de la femme est un puits sans fond. Là se
cache notre essence la plus obscure. Afin d'échapper à
cette composante animale, les êtres humains ont inventé
tout ce qu'ils ont pu, mais la nature, qui a plus d'un
tour dans son sac et sait passer entre les gouttes, est toujours là, en nous et hors de nous, à se divertir à nos
dépens.

Le manque de relations physiques avec un homme
peut pousser une femme aux actes les plus étranges,
sinon, je ne vois pas comment je pourrais trouver une
explication à ce que tout à coup, à la fin de ma journée
de travail, au lieu de rentrer chez moi, me voilà assise
sur la table du docteur Rickliss à lui déclarer, « je dois
souligner, Israël, que tu as gagné le gros lot avec tes
implants capillaires. Ça te donne facilement dix ans de
moins ».

Ce compliment douteux obtient l'effet escompté, car
en quelques minutes je me retrouve à moitié allongée
sur le fauteuil de soins tandis qu'à côté de moi Israël
Rickliss farfouille dans sa braguette avec la ferme inten-

tion de remplir son devoir d'employeur envers son employée.

« Sache que ce n'est pas uniquement la greffe, précise-t-il pour essayer de détourner mon attention de son érection qui tarde, mais un stage auquel je participe avec Adina. Pour consolider les liens du couple par la spiritualité. Si tu voyais ce qui arrive aux gens là-bas... Hier, un couple, lui, c'est une pointure de la finance, et elle, avec des seins gros comme ça, eh bien, ils sont tombés dans les bras l'un de l'autre, en larmes ! D'ailleurs, moi aussi, ils m'ont fait pleurer. Allez, viens, soulève-moi un peu ce petit cul. »

Ses efforts commencent à être récompensés et je sens qu'il presse un membre à moitié dur contre la chair de ma cuisse droite, essayant de trouver une position stable.

Mais voilà qu'étrangement ce contact mollasson allume en moi un feu mauvais, « tu sais, Israël, dis-je, à mes yeux, c'est une erreur de pleurer. Une erreur philosophique. Je pense que ce n'est pas la solution mais le problème.

— Qu'est-ce que tu entends par là, Lily ? halète le dentiste, qui tente, sans succès, d'enlever ma culotte.

— Je veux dire qu'il faut arrêter de pleurer et commencer à rire. Les gens ne rient pas assez. »

Je dégage une de mes mains, attrape sur la tablette à instruments le vaporisateur de chloroéthane, et au moment précis où il commence sa pénétration, j'en asperge son visage. Il bondit en arrière, fait tomber d'un coup de tête un récipient en inox rempli de toutes sortes de matériel, ses mains essaient d'un côté de protéger ses yeux, de l'autre de remettre son trésor dans son pantalon. Quant à moi, je me glisse avec souplesse hors du fauteuil et à la seconde où il dégage son visage, je l'asperge encore et encore.

« Oui ! Oui ! Il faut rire, docteur Rickliss, seul le rire est salutaire ! »

Et j'éclate moi-même de rire, tandis que lui, ahuri et aveuglé, recule, se cogne contre le mur et s'affaisse sur le sol. Je continue à lui vaporiser le visage tout en bloquant ma respiration autant que je peux pour éviter d'inhaler les vapeurs étourdissantes, je m'en donne à cœur joie jusqu'à ce que le spray soit vide et que je le balance à la poubelle, attrape mon sac et me rue dehors, sans pouvoir m'arrêter de rire, telle Lilith devant une synagogue dévastée.

La joyeuse violence qui a jailli de moi m'étonne toujours tandis que je dévale les marches. J'ai apparemment dû respirer pas mal de produit moi aussi, si j'en crois la nausée qui me prend à la gorge et mon ventre qui se retourne. Comme mue par une espèce de révolte existentielle contre les faits, les sensations et la nature elle-même, je me précipite dans le restaurant roumain où je prends habituellement mon modeste déjeuner. Le vieux serveur m'accueille avec un clin d'œil familier.

« On a des aubergines imitation foie haché, un délice, Lily.

— Non, non, Paul. Aujourd'hui, je veux un steak. Une entrecôte pour deux. Sept cents grammes. Voilà ce dont j'ai envie », et, afin de renforcer mes paroles, j'indique du doigt le mot sur le menu, évitant toute marque de convivialité qui m'obligerait à donner de plus amples explications.

« Pas trop cuite, Paul. Avec beaucoup de sang. »

*

La période de reproduction, durant laquelle la tigresse se trouve en chaleur, est généralement saisonnière, mais dans les régions plus chaudes, la femelle est en chaleur toute l'année.

*

Ce n'est que très difficilement que mon corps végétarien accepte le drame carnivore que je lui ai imposé. Toute la nuit ainsi que les deux jours qui suivent, mes muscles sont crispés par de terribles crampes et je suis secouée de frissons. Par chance c'est le week-end, si bien que l'incontournable explication avec Rickliss sur mon coup de folie n'aura pas lieu immédiatement.

Ninouch n'est pas là — Léon exige une présence assidue à ses côtés. Mikhaëla dîne avec Morann le soldat qui est en permission, je suis donc à la maison, seule avec le bébé tigre. Allongée. Chair martyrisée, à implorer un soulagement. Je me force, de temps en temps, à sortir du lit pour remettre de l'eau dans son bol et ouvrir quelques boîtes de Whiskas, puis je replonge dans mes draps défaits, m'y noie, en proie à des souffrances inconnues, terrifiantes.

On dirait que même l'écoulement du sang dans mes veines est douloureux. Mes muscles se durcissent sauvagement, mes yeux me brûlent et suppurent, mes dents claquent, et dans la nuit du vendredi au samedi, ce sont les grattements qui commencent. Insupportables, incontrôlables, qui m'obligent presque à m'arracher la peau avec les ongles.

Le bébé tigre, en boule dans son coin, me suit du regard, comprenant que le moment n'est pas au jeu.

Le samedi soir, mon corps, vidé de ses forces, commence enfin à se calmer et je sombre dans un sommeil agité jusqu'à l'arrivée de Ninouch qui m'oblige à me doucher pendant qu'elle change mes draps humides et puants transformés en bouillie.

« Ninouch ! »

J'ai lancé un cri, mais l'épuisement de ma voix atténue la terreur qui m'a envahie. Elle passe une tête dans la salle de bains, et moi je me tourne et me retourne devant elle afin qu'elle puisse voir elle-même sur mon corps nu le duvet doré qui le recouvre. Il y en a partout, sur les hanches, le dos, les bras.

Mais comme elle ne lit la réalité que selon un ordre bien à elle, elle m'attrape les joues de ses deux mains :

« Mon Dieu, Lily, tes yeux... ils sont devenus jaunes ! »

*

Les tigres sont les animaux qui possèdent les canines les plus longues. Ils sont dotés de puissantes mâchoires pouvant exercer une force égale à celle de dix humains.

*

394

Au début, Mikhaëla assure qu'il s'agit d'un problème hormonal.

« Peut-être es-tu en préménopause ? Ma mère, bénie soit sa mémoire, à la fin de sa vie, elle s'est retrouvée avec une de ces barbes ! Fidel Castro, c'était de la rigolade à côté. »

Elle a le don de m'énerver et je réplique, « ménopause toi-même, j'ai à peine trente ans ! ».

Ninouch veut tenter le traitement cosmétique et elle convoque la sourde-muette pour un triple rendez-vous d'épilation à la cire chaude. Mais cette torture prolongée se révèle inefficace, dès le lendemain, à mon lever, je découvre que le duvet est revenu sur tout mon corps. Plus dense, plus dru.

« Alors ça doit être nerveux. La preuve, tu as vu ce que tu as fait à ton pauvre dentiste ! Crois-moi, tout peut arriver à cause d'un problème nerveux. On dit que même le cancer, c'est les nerfs. Alors *a fortiori* des poils sur le corps. Qu'en dis-tu, Nina ? »

Mikhaëla ne renonce pas et fait tout ce qu'elle peut pour arriver à un diagnostic digne de ce nom. Par moments, je me rangerais presque à ses avis. Je suis avide d'une explication logique, simple, d'une idée fulgurante qui éclairera mes pensées et me ramènera dans les bras puissants et protecteurs de la normalité. Mais rien dans la vie n'arrive par surprise. Nous nous laissons aller simplement, emportés par de lents processus.

Peut-être qu'effectivement un boulon, petit mais important, s'est dévissé dans ma tête et serait à l'origine de tout cet étrange chambardement, aurait engendré un mélange chimique inconnu entre synapses. Car de quel crime s'est rendu coupable ce cher Rickliss, pour se retrouver victime de ma tentative de séduction malsaine ? Sans compter que franchement, à part mon plaisir, ma détermination et mes étonnants succès, il n'y avait rien de normal ni d'humain dans mes errances nocturnes qui ne se sont arrêtées qu'à cause du dégoût soudain qui a ligué toute la population masculine de ma ville contre mes charmes.

Le système nerveux est un organe mystérieux, auquel on peut imputer un grand nombre de nos souffrances et de nos erreurs. N'était-ce pas une dépression nerveuse qui a poussé maman d'abord dans les bras de Poldy Rosenthalis, ensuite à prendre cet aller simple pour l'Amérique du Sud, n'emportant qu'une seule valise ?

Et c'est ainsi, en tentatives pour me réconforter, pour calmer l'angoisse qui pèse comme une pierre froide sur mon plexus solaire, que je passe le plus clair de mon temps. Parfois, je suis tellement paniquée que je vais me recroqueviller dans un coin de l'appartement et essaie de réduire ma présence physique à un minimum symbolique, un concept, dans l'espoir que cela diminuera aussi l'agitation incessante et mystérieuse que je sens en dedans de moi. Sur laquelle je n'ai aucune prise.

Ninouch insiste pour que je prenne l'air, que je me balade un peu le soir, me dégourdisse les jambes. Alors, quand le soleil se couche, que l'obscurité commence à envahir les rues, je sors enveloppée d'une longue djellaba, les cheveux pendouillant et la tête penchée, pour ma promenade journalière et obligatoire.

« Regarde les gens, les voitures, le mouvement autour

de toi. Attrape des bribes de conversation, tu sais que nous avons toujours aimé faire ça. Ne perds pas le contact », m'adjure mon amie en m'accompagnant jusqu'à la porte.

Mais je ne suis pleine que d'un vide terrifiant, creux, qui me rend indifférente aux visages des gens que je croise. Souvent, j'ai même du mal à déterminer si c'est une femme ou un homme qui a attiré mon regard avant de s'évanouir à nouveau dans le flot incessant de la réalité — cette réalité qui m'est devenue étrangère et aussi lointaine que si elle n'avait jamais été mienne.

Mon corps change de plus en plus, il devient méconnaissable. Chaque matin, je découvre de nouvelles modifications. Les poils s'allongent et se multiplient. La moindre parcelle de rondeurs féminines a fondu sans laisser de trace, mais je n'ai pas maigri du tout, au contraire. À vrai dire, je deviens l'opposé de ce que j'étais : je grandis, mes membres s'épaississent et s'allongent, se gonflent de puissance virile et menaçante tandis que ma poitrine s'élargit, se bombe. Des bosses et des creux, de nouveaux renflements resculptent mon corps, et, comble d'horreur, il arrive que je regarde ce mouvement intradermique avec un plaisir qui me fait penser que ce quelque chose de nouveau n'est pas totalement disproportionné ou immodéré, qu'il contient en dedans de lui une beauté — étrangère mais bien à lui. Cependant, je me secoue de cet émerveillement fugace pour m'agripper de mes dernières forces à une pensée consciente, raisonnée.

Parfois aussi, je m'étonne de la force physique qui meut ce corps inconnu qui est le mien. J'essaie de faire attention, mais les accidents se multiplient, des verres se brisent quand ma main les prend, des objets sont écrasés, se cassent dès que je les touche, une chaise de cuisine s'est écroulée dans un grincement strident quand je m'y suis assise, les ressorts du canapé et du matelas gémissent sous mon poids.

J'ai été obligée d'arrêter de me peser sur la balance de ma salle de bains — un beau matin, les chiffres rouges ont marqué 160, se sont mis à clignoter puis se sont éteints. Ninouch s'est hâtée de changer les piles mais la balance n'a pas réagi, apparemment le système s'est détraqué sous la masse de muscles que je suis en train de devenir.

Par chance, au lendemain de mon terrible week-end, le docteur Rickliss a téléphoné et m'a proposé un congé sans solde d'un mois, au terme duquel, a-t-il dit, il espérait me voir revenir travailler en pleine forme et avec un comportement normal, car, a-t-il déclaré, il savait qu'au fond de moi, j'étais une fille bien.

« J'ai parlé de ta situation avec Adina, a-t-il continué d'une voix polie mais dans laquelle, même à travers le combiné, perçaient les restes de l'affront qu'il essayait de dissimuler. À mon avis, ça ressemble aux effets secondaires d'une infection virale. Comme la psychose organique qui se développe chez les malades du sida. Quelque chose de très fort et de soudain. Car tu as toujours été une fille parfaitement équilibrée. Adina pour sa part est persuadée que c'est une réaction allergique. D'après elle, il serait temps que tu approfondisses ta spiritualité. Et si tu profitais de ces vacances pour faire de la méditation Vipassana ? Ou pour te concentrer sur le silence et l'introspection ? À notre époque, il faut être ouvert à tout. »

Chaque personne y va de son propre diagnostic sur mon état, seule Ninouch se tait, fidèle à son stoïcisme fondamental qui lui fait voir n'importe quel événement dans la vie, aussi terrible soit-il, comme participant du flux cosmique. Elle résout les problèmes émergeants, prend des décisions, apaise les angoisses, donne des instructions sur ce qu'il faut acheter, jeter, préparer. Elle enlève la litière sale du bébé tigre et la remplace par de la propre, lui fait faire de l'exercice avec son ballon, l'oblige à bondir, à courir entre les murs de l'appartement, maintenant ce n'est plus par plaisir mais par sentiment de responsabilité qui lui vieillit le visage et lui donne un aspect plus proche de son âge réel. Elle passe de la chaise au canapé, se cache, appelle le fauve pour qu'il la cherche, s'arrête haletante, puis recommence, sérieuse, à bout de souffle.

Elle ramène de lourds sacs de viande de chez le boucher. Du cheval, du porc, des parties internes et des restes de poulet pour le bébé tigre, du bœuf bien rouge pour moi. C'est elle qui donne des consignes à Mikhaëla — tu cuis ça, tu coupes ça, tu haches, tu jettes. Aussi déterminée et efficace qu'une infirmière pragmatique, elle reste calme devant ma terreur paralysante autant que devant la logorrhée paniquée de notre conductrice de taxi.

Je suppose que c'est d'ailleurs ce calme affiché par Ninouch face aux étranges symptômes de ma maladie qui empêche Mikhaëla de me traîner de force à l'hôpital. Elle n'essaie même plus de me convaincre de convoquer un médecin à domicile. Elle obéit aux ordres de Ninouch, cuisine, soulève, jette. Son éternelle et bruyante volubilité, servie par l'assurance qu'elle a toujours eue dans sa capacité à comprendre l'ordre du monde, a été remplacée par une attention soumise et si pleine de bonne volonté que parfois elle me fait penser à mes parents lorsqu'ils écoutaient, concentrés, les médecins, les experts ou les fonctionnaires.

Cette fragilité nouvelle chez son amoureuse, Ninouch la prend comme allant de soi, et ce n'est que de temps en temps, lorsqu'elles discutent d'un aspect concret de la journée du lendemain, qu'elle tend une main pour essuyer une couche de sueur imaginaire sur le front de Mikhaëla, lui redresser une mèche, ou passer le pouce entre ses sourcils — « relaxe le front, Mishka » — et l'autre se met à tordre son visage en grimaces ridicules. Douce, presque molle, pleine de cette admiration féminine aux cils baissés, voilà comment se révèle cette femme rude devant l'amour qui se concrétise.

Elles se touchent beaucoup. Profitent de toute situation, furtivement, comme par inadvertance, chaque fois que l'une passe à côté de l'autre dans l'agitation de l'organisation que requiert la nouvelle situation instaurée par ma maladie. Des baisers volés, une joue effleurée, de petits sourires de connivence et de compréhension mutuelle lancés d'un coin à l'autre de la pièce.

Mais je ne trouve plus aucun intérêt à suivre en voyeur l'évolution de leurs amours. J'ai arrêté de passer mon temps de réflexion à m'interroger sur leur sort, leur avenir, à calculer la nature ou les probabilités de leur échec. J'ai trop peur, je suis trop concentrée sur moi-même. Tout entière prise par le spectacle du drame qui se joue à l'intérieur et à l'extérieur de moi, un drame dans lequel il n'y a pas d'autre héros que ces particules d'énergie et de matière en perpétuelle mutation.

La peur régit mon existence, m'empêche de remarquer tout ce qui n'est pas — en dehors de l'ensemble des choses, petites ou grandes, que je perds et qui s'éloignent de moi chaque jour et chaque heure davantage pour s'enfoncer dans le passé.

*

Le tigre ne distingue pas la couleur rouge. Il évolue principalement dans un monde qui va du bleu au vert et contient surtout différentes nuances de gris.

*

« Lily. Lily, lève-toi. Réveille-toi. Ouvre les yeux. »

C'est Ninouch. Elle dégage une odeur de marché. De légumes inconnus. Peut-être de céleri. De sang et de viande achetée chez le boucher. De sueur, de shampooing, de fleurs. Elle me secoue à plusieurs reprises, « lève-toi, Lily », mais moi, qu'est-ce que je veux dormir ! Dormir et dormir tous les jours, toutes les heures du jour, toutes les minutes, jusqu'à ce que cet épisode soit passé et que les choses reviennent au familier et au sensé, au comme avant. Aux livres, pensées, travail, mode, nous, Taro, souvenir de Taro, souvenir d'autres hommes, espoir, amour, attente, plats cuisinés, conversations, oh oui, toutes ces conversations dont je savais tant tirer du plaisir, la vie.

— Et ranger, arranger quelque chose ? Annuler ou convenir ?

— Rien. Toi, tu restes assise comme ça.

— C'est tout ? Tu es sûre ? »

Elle ne répond pas.

J'obéis. Prends le bébé tigre, lourd, sur mes genoux. Assise au milieu de la cuisine sur une vieille chaise. Un tas de viande sur la table. Ninouch. Bébé tigre. *Tigris*.

Et à cette seconde précise, je me sens envahie par une profonde sensation d'ordre. Un ordre pur, précis, d'une beauté à faire peur. Comme si, par l'absurde justement, les parties du puzzle commençaient à s'organiser en une image dont le contenu n'est pas encore évident mais qui, pour devenir entière, ne serait qu'une question de patience.

Maintenant, de toutes mes antennes, de toutes mes cellules, je sens comment l'angoisse entêtée qui m'a harcelée pendant de si longues semaines est remplacée par une satisfaction hermétique, incompréhensible.

*

La morsure du tigre ne cause pas d'hémorragie chez sa victime. Si les dents se sont plantées là où il faut, la mort survient au bout de 30 à 90 secondes. En général, la proie n'émet aucun son à l'exception d'un bref grognement étranglé.

*

Le soir où elle découvre que toutes mes dents, toutes, sans exception, sont tombées, Mikhaëla me hurle dessus, elle explose, bizarrement, méchamment.

« Parce que tu crois que c'est une solution, de rester à te vautrer dans ta merde pendant que nous nous occupons de toi ! »

Ninouch, qui était plongée dans son *National Geographic*, lève vers elle un regard étonné. Comment réussitelle encore à débusquer dans ce magazine la moindre information nouvelle ?

« Et toi, Nina, ne me regarde pas comme ça, poursuit Mikhaëla sur sa lancée agressive. Tu sais bien que j'ai raison. Combien de temps penses-tu que ça peut durer ? Et tu crois que tout le monde va continuer à faire comme si de rien n'était ?

— Ça durera le temps qu'il faudra.

— Combien ? Un mois ? Un an ? Combien ? Comment peut-on vivre comme ça, sans la moindre préoccupation pour l'avenir, sans projet, sans rien ? Tu vois bien que ça ne passera pas tout seul. Et toi », elle se tourne vers moi, « qu'est-ce que tu en penses ? As-tu d'ailleurs une opinion ? As-tu la moindre idée de l'allure que tu as ? Et lui ! », elle indique la chambre à coucher où, à ce moment-là, dort le bébé tigre, « il atteindra bientôt ce qui s'appelle sa taille normale, peux-tu me dire où on le fourrera ? À la SPA ? Je vous annonce que moi, j'en ai marre. Oui, Nina. Il faut bien que quelqu'un dise la vérité. Si tu ne peux pas, parce que tu es trop gentille, pas de problèmes — je me chargerai de la sale besogne. »

Ninouch me sourit. Je lui rends son sourire. Du coup,

Mikhaëla s'énerve encore plus et lance un nouvel assaut, dirigé cette fois contre moi.

« Toi, Lily, tu décides toute seule, ou tu viens avec moi maintenant voir un médecin, ou je me casse. Parce que c'est super que tu t'en battes les couilles, mais as-tu au moins fait l'effort d'obliger ta tête à réfléchir ? Et si c'était contagieux, ton truc ? Peut-être que c'est quelque chose que tu as chopé avec ton travesti chinois, va savoir où ils traînent, ces gens-là ! Et pourquoi il s'est suicidé comme ça, tout à coup ? Avec tout le fric et la gloire qu'il avait ? Parce qu'il souffrait d'une maladie incurable, voilà pourquoi ! Mais réfléchir logiquement, pour vous, y a pas urgence ! Vous pensez que si on fait comme si quelque chose n'existait pas, eh ben, ce quelque chose disparaîtra tout seul ! J'ai une mauvaise nouvelle pour vous deux. Peut-être que je ne comprends pas grand-chose à un tas de conneries philosophiques, mais je peux vous en dire long sur la vie, et la vie, ce n'est pas comme une bite, madame Lily — elle est toujours dure ! »

Ninouch et moi retenons difficilement un éclat de rire, ce qui achève Mikhaëla. Pendant une ou deux secondes, elle remue les lèvres sans rien dire, agite une main pour concrétiser un sentiment informulable, mais soudain son visage se déforme, ses lèvres tremblent indépendamment de sa volonté et elle éclate en sanglots hachés et crispés.

Ninouch se précipite vers elle. La serre dans ses bras, la console, lui tapote le dos, « quoi, quoi, qu'est-ce qui s'est passé », nous n'avons jamais vu Mikhaëla dans un tel état. Une chose est claire : ce ne sont pas les problèmes qu'elle a soulevés qui la tracassent.

Effectivement, elle se calme au bout de quelques minutes, après avoir avalé le verre d'eau que Ninouch s'est empressée d'aller lui chercher dans la cuisine. Des hoquets à fendre l'âme lui secouent les épaules. Mon amie approche une chaise, Mikhaëla s'y affale, prend quelques profondes inspirations et raconte que Méïr, son ex-mari maudit soit-il, a téléphoné pour lui annoncer que les gosses avaient décidé à l'unanimité de rester à New York.

« Il leur a acheté un ordinateur à chacun. Des rollers, des jeux vidéo. Il a une maison avec piscine. Chacun a sa chambre, avec des cabinets et une douche. Il a même promis une bagnole à la grande pour ses seize ans. Dans deux semaines. »

Elle nous décrit tous les détails de cette opération de corruption avec une expression écœurée qui dissimule le tremblement de sa voix.

« Vous le savez bien, vous. Vous connaissez toute l'histoire. Jusqu'à aujourd'hui, il n'en avait rien à cirer. Il a quitté la maison quand Morann avait treize ans. M'a laissée seule avec cinq petits. Maintenant évidemment — c'est super d'être avec eux. Faut plus leur torcher le cul, leur faire des inhalations, s'occuper d'eux. Alors tout à coup, monsieur est preneur. Il téléphonait à peine pour les fêtes et tout à coup, une voiture comme cadeau d'anniversaire. Il ne se souvient même pas de la date de leur anniversaire. Il l'a sûrement sue par hasard, pour la grande. Mais ce que je ne comprends pas, c'est eux ! Pourquoi eux... »

Et là ses vannes s'ouvrent toutes grandes, et elle pleure sans retenue, des sanglots blessés, mélange de morve et de larmes. Ninouch s'assied sur ses genoux, lui prend la tête, lui caresse les cheveux jusqu'à ce qu'elle se calme enfin et entre dans la salle de bains. De là où nous sommes, nous entendons l'eau couler dans le lavabo pendant de longues minutes puis de forts bruits de mouchage.

Elle nous revient les yeux rouges, mais les cheveux mouillés et coiffés. Elle s'est reprise. Juste autour de la bouche s'attarde un poids amer, déprimé.

« Et maintenant, sérieusement, je vous le demande, les filles. Qu'est-ce qu'on va faire avec la maladie de Lily, et puisqu'on aborde ce sujet, le moment est peut-être aussi venu de penser un peu plus sérieusement à ce qu'on va faire de notre monstre avant qu'il n'atteigne ses proportions adultes. »

Sa voix est apaisée. Son ton raisonnable.

« Tu sais, Nina, je te jure que je t'aime comme je n'ai jamais aimé personne à part mes salopards de gosses — que Dieu les garde ! Mais sans vouloir te vexer, tu n'es pas quelqu'un de pratique. Pour l'instant, tu fais ce qu'il faut, mais après ? Alors, je ne me vante pas mais dans l'état actuel des choses, je pense que je suis la personne la plus normale ici. C'est d'ailleurs pour cela que je suis prête à assumer la plus grande part des responsabilités, mais avec la meilleure volonté du monde, je n'ai pas la moindre idée de ce qu'on va bien pouvoir faire ! »

Sur son visage se répand le désarroi sincère de quelqu'un qui n'a vraiment pas l'habitude de ne pas savoir comment agir.

« Arrête de te ronger, Mikhaëla », répond Ninouch qui, chose rare et déplacée, allume une cigarette puis tire dessus avec une grande concentration. « Il arrive parfois que l'on ne puisse rien faire. »

Ce qui ne console en rien Mikhaëla.

« Parfait, génial, réplique celle-ci en écartant les bras comme si elle acceptait le verdict. Si au moins je savais ce que c'est. Mais comment voulez-vous qu'on sache sans l'avis d'un médecin ?

— Moi, je sais. » Ninouch recrache la fumée puis examine sa cigarette avec grand intérêt, comme si elle essayait d'en mesurer les changements depuis qu'elle l'a allumée. « Lily aussi d'ailleurs.

— Alors peut-être auriez-vous l'amabilité de partager avec moi cette intéressante information. »

Mon amie, qui a terminé l'examen de sa cigarette, l'écrase dans le cendrier. « Toi aussi, tu le sais très bien, Mikhaëla. C'est extrêmement simple. Il suffit de regarder. »

Leurs voix ont apparemment réveillé le bébé tigre qui entre à pas feutrés dans le salon. Il avance sur ses pattes puissantes, plisse les yeux devant la lumière.

Il s'arrête au milieu de la pièce, indifférent à nos regards, tombe sur les fesses. Dans une torsion acrobatique, il lève une patte arrière et commence à chercher avec ses dents une tique invisible quelque part dans la fourrure étincelante de son bas-ventre. L'opération une fois terminée, il s'étire et va se mettre en boule aux pieds de Ninouch — abricot géant. Nous l'observons toutes les trois en silence, comme s'il était porteur de la Vérité révélée dans toute sa splendeur.

« Si ce qu'il me semble comprendre de ce que tu es

en train de me dire est vrai », Mikhaëla se mord la lèvre inférieure, « qu'est-ce qu'on fait pour arrêter ça ?

— Eh bien, la question est là. Rien. On ne fait rien. On attend que le processus s'accomplisse intégralement, répond Ninouch dont le visage exprime déjà la détresse de devoir expliquer l'évidence avec beaucoup trop de mots.

— *Oïe*, ma Nina, ma tendre, ma bénédiction, et que se passera-t-il à la fin du processus dont tu parles ? Des ambulanciers et la police viendront, nous ramasseront, ils en enverront une à l'hôpital psychiatrique, une autre en prison, et la troisième au zoo.

— À la fin du processus, Lily l'emmènera au Bengale. C'est pour ça que maintenant je rassemble des tas de choses. Je prépare tout. Ils partiront au Bengale. Et là-bas, ils seront heureux. »

Elle se baisse, et comme pour illustrer ce bonheur qui nous attend, elle effleure des doigts la gorge blanche du bébé tigre.

« Vous déraillez complètement, lâche Mikhaëla dont les yeux se mouillent à nouveau de larmes. Et moi avec, comme une débile. On se croirait dans *Chipopo en Afrique*. »

*

Originaire de Chine, le tigre vit maintenant sur un vaste territoire, qui s'étend de la Sibérie au nord jusqu'à la mer Caspienne, Sumatra et Bali au sud.

*

410

J'ai arrêté de me regarder dans le miroir pour mesurer les changements. Je me laisse guider par ma sensation intérieure entre ces murs qui chaque jour semblent se refermer sur moi. Des odeurs qui m'étaient familières commencent à devenir étrangères. Désagréables.

J'ai demandé à Ninouch de débarrasser la salle de bains de tous les parfums, crèmes et huiles essentielles. Je parle peu. J'ai perdu mes cheveux. Mes anciennes dents, les petites, ont été remplacées par une série de piques d'ivoire puissantes qui remplissent ma bouche. Ce sont les canines qui me procurent le plus de plaisir. J'adore les planter dans la viande qu'on m'apporte chaque jour, la déchirer, sentir les gros morceaux gorgés de sang me descendre dans le gosier.

La plus grande partie de la journée, je dors. Le bébé tigre, en revanche, est de plus en plus agité, il a un comportement sauvage et violent. Il y a quelques jours, il a griffé si profondément Mikhaëla qu'elle a dû aller se faire soigner aux urgences. Il ne se laisse même plus trop approcher par Ninouch, mais de toute façon il est devenu tellement lourd qu'elle ne peut plus le porter. Quand il mange ou joue, il ne faut pas le toucher. Et si elle essaie tout de même de retrouver quelque chose de sa douce affection juvénile, il montre les crocs. Son grognement, qui s'est épaissi et affirmé, roule entre les murs de l'appartement comme un corps étranger, déplacé.

Je suis la seule qu'il considère avec respect et admiration. On dirait même que, face à moi, il reste sur ses gardes. Se hâte de s'éloigner de la viande ou de l'eau si je m'approche du balcon de la cuisine. Nous nous regar-

411

dons, parfois avec distance, parfois dans une profonde communion. Mais maintenant qu'il a été privé de son statut d'unique, il se venge : il pisse et chie dans tous les coins. Refuse de dormir sur son coussin. Se rebelle. Je le toise. Il va être obligé d'accepter les changements qui s'opèrent dans l'appartement — exactement comme nous. Je veux l'aider, mais il doit d'abord renoncer, se résigner à sa baisse de statut. Il va devoir apprendre ça, et mon rôle est de le lui enseigner.

Mikhaëla ne vient que la nuit. Elle travaille maintenant sur deux postes, roule seize heures par jour. Elle a décidé de récupérer ses enfants. Elle veut déménager dans un grand appartement. Pour que chacun ait sa chambre. Et son ordinateur. Peut-être que ça les fera revenir.

Dans la cache arrangée dans la buanderie de son appartement, Ninouch a ajouté une boîte à chaussures pour les enfants de Mikhaëla. Pour les rollers. Les vélos. Les Nike.

Parfois, nous allons au parc haYarkon. Les nuits sont plus fraîches. La lourde chaleur, qui ralentissait le mouvement, est passée. Je bondis sur les pelouses, entre les dattiers, viens défier le bébé tigre, plus gauche et moins rapide que moi. Ce n'est que là, dans les grands espaces, qu'il accepte de briser la distance entre nous, qu'il est moins nerveux. Son corps, comme le mien, se laisse griser par la liberté que nous permettent ces nuits-là. Je ne me prélasse plus sur la couverture avec Ninouch et Mikhaëla. Je n'ai pas de temps à perdre, je me sens entièrement aspirée par le mouvement, je m'y consacre toute, j'obéis totalement aux exigences de mon corps. Je le laisse chanter sa chanson.

Mais maintenant, le risque est accru. Les distances dont j'ai besoin dépassent depuis longtemps la pelouse de la colline, ce carré d'herbe qui a été le terrain de jeu du bébé tigre depuis le début, et il arrive que je le laisse derrière moi pour pousser plus loin, courir entre les arbres, en trois grands bonds j'ai avalé la clairière d'eucalyptus et je fais le tour du lac.

D'ailleurs une nuit, j'ai imprudemment traversé un chemin éclairé par des réverbères et me suis fait remarquer par un couple assis sur un banc. J'avais déjà disparu dans la pénombre depuis quelques minutes qu'on entendait encore leurs hurlements résonner dans le noir.

« On va devoir arrêter. Ça devient trop dangereux », a dit Ninouch, ce à quoi Mikhaëla a répondu, « c'est maintenant que tu te réveilles ! Tout est depuis longtemps trop dangereux ».

Nous ne sommes plus retournés au parc, mais Mikhaëla cherche une vraie solution. Draconienne. Ninouch lui répond longuement, mais j'ai déjà perdu ma capacité à écouter le langage humain, à chercher des significations et des nuances autres que la communication immédiate, pratique, concrète.

La tâche de mon amie devient de plus en plus lourde et exigeante. S'occuper de moi et du bébé tigre repose quasiment totalement sur ses épaules. Et tout son quotidien tourne autour des sacs qu'elle doit porter. Elle traîne les kilos de viande du marché. Les litières. Les achats du supermarché. La poubelle. Elle m'a construit un immense coin W.-C. avec plusieurs cartons attachés ensemble et peints d'un même jaune vif. Parfois, elle doit descendre et remonter les trois étages huit fois par

jour — jeter les excréments, jeter les ordures ménagères, faire les courses indispensables pour la maison —
surtout des produits d'entretien.

Il est indéniable que mon appartement est petit. Trop
petit. Et pourtant, par ses nombreux efforts, elle arrive à
le garder en ordre et dans une impeccable propreté. Par
chance, Léon continue à être occupé — il n'a pas encore
terminé le tournage de son film documentaire et a commencé les répétitions pour le concours des Miss. Mais la
paix qu'il nous laisse est artificielle et éphémère. Je sais
que bientôt, très bientôt, la fluidité du temps se dur-
cira, qu'alors ce temps se fissurera et par ses fissures
suintera la trahison de Ninouch — ses larcins, sa relation avec Mikhaëla, ses mensonges et ses secrets. Ainsi
va le monde.

*

La femelle doit tuer à peu près tous les cinq jours.

*

C'est une matinée toute d'éclats de lumière. Des
grains de poussière tournoient dans le rayon du soleil
qui se brise contre la vitre de la fenêtre. Drapée dans
une somnolence épuisée, je suis affalée sur le tapis au
pied du canapé. Le tour de clé dans la porte ne me fait
pas lever la tête. C'est certainement Ninouch avec les
provisions journalières.

Elle entre, mais même avant de l'avoir regardée, je
sais qu'elle a les mains vides.

Elle s'arrête mécaniquement, sans l'avoir décidé. Plus transparente que d'habitude, ses cheveux couleur fumée sont maintenus derrière les oreilles. Sous sa narine gauche, il y a une rigole de sang à moitié coagulé.

Elle parle d'une petite voix, anodine.

« Il a trouvé. Léon. Il a trouvé mes boîtes. Mais il n'a rien fait. Parce qu'il était pressé. Dans son cœur, tout au fond de son cœur, il sait que de toute façon je n'irai nulle part. Jamais. Nous sommes liés l'un à l'autre. Pour toujours. Il m'a juste un peu poussée et je suis tombée. Sur le coin de la table basse en marbre, celle qui vient de Milan. Et j'ai reçu un coup ici. »

Sa main ondule comme une algue, touche le bas de sa nuque puis retombe, sans force.

« Il y a eu un bruit comme ça. Comme un melon qui explose. Ou une petite pastèque. Après, il est parti, je me suis allongée un peu et je suis venue. Je n'ai rien acheté. J'irai tout à l'heure. Maintenant, je veux juste me recoucher. »

Elle entre dans la chambre. Le bébé tigre se soulève, dans l'expectative, mais elle passe devant lui et s'allonge sur le lit sans enlever ses baskets. Replie les genoux contre son ventre. Dans le décolleté de son tee-shirt, sa poitrine monte et descend doucement, marque la respiration. Je m'assieds non loin. Le bébé tigre reprend sa place sur son coussin. Il attend qu'elle le repère.

La poitrine monte et descend dans un mouvement presque imperceptible, peut-être n'est-ce qu'un léger vent qui souffle en elle et oblige le corps à fonctionner. J'attends.

*

Ne pas gaspiller son énergie est une nécessité pour le tigre et il vit selon un cycle perpétuel : se nourrir et se reposer.

*

Elle meurt à la tombée de la nuit. Le soleil est déjà couché mais la pénombre reste grise, hésitante. Rien ne change, à part le mouvement de sa poitrine qui cesse. Le bébé tigre essaie de grimper sur le lit, glisse, plante ses griffes dans le couvre-lit, finit par arriver à se hisser. Il lui renifle le visage.

Maintenant il comprend. Il se presse dans le repli de ce corps, se colle au creux du ventre.

Je la regarde. L'obscurité ne me dérange plus. Je vois chaque détail. Les ongles rongés jusqu'au sang dans la main lâche. Les chevilles squelettiques comme celles d'un petit enfant. L'arc bombé de la lèvre supérieure.

Un souvenir comme l'auréole qui entoure une éclipse de conscience. Peut-être mon dernier souvenir. Assurément mon dernier souvenir.

À peu près deux ans, un peu moins ou un peu plus de deux ans avant qu'elle n'apparaisse au cabinet dentaire pour la première fois. Entre chien et loup. Une femme, grosse et en sueur, sort du bureau de son expert-comptable, quelque part au sud de la ville. Elle regarde à droite et à gauche, elle crève d'envie de faire pipi. Un immeuble classé, en pleine restauration, attire son regard. Elle claudique vers le chantier, enjambe les gravats jusqu'à l'arrière-cour. Fouille dans son sac pour trouver un

416

paquet de doux Kleenex à l'aloe vera. S'arrête entre deux piliers de béton brut. Sur des morceaux de carton qui servent apparemment aux ouvriers de coin déjeuner, elle voit une femme allongée sur le ventre. Avec un homme penché sur elle, pantalon baissé, on peut voir la fente sombre de ses fesses qui bougent dans un mouvement régulier, précis. Les jambes écartées de la malheureuse sont horriblement maigres. Un de ses pieds est glissé dans une mule à la mode, rouge avec un talon biseauté, la seconde mule a atterri non loin de là. La grosse se fige. Elle comprend la signification de ce qu'elle voit. Ne sait pas si elle doit partir, crier, attirer l'attention. Elle remue légèrement. Le violeur lève la tête et croise son regard. Un instant, long, ou peut-être court. Ils se mesurent. Lui aussi se fige. Lui aussi doit décider quoi faire. Quelque chose dans l'expression de la grosse résout son dilemme. Sans la quitter des yeux, il reprend son va-et-vient. Elle ne fera rien. Elle ne bougera pas tant que le signal n'aura pas été donné. Parce qu'elle n'est rien, cette femme. Elle n'a pas de volonté, pas de force. Elle n'est qu'un tas de chair humaine. Faible. Il a les yeux braqués sur elle, tels les yeux du cobra qui fixe le lapin paralysé d'horreur. Sentir la peur de la grosse l'excite. Il sourit presque tandis que ses mouvements s'accélèrent. Il jouit. Ensuite il se relève et, presque sans précipitation, referme sa braguette. S'en va. Pendant tout l'acte, la tête de la victime est restée couverte par un carton identique à ceux sur lesquels elle est allongée. Elle ne bouge pas. Au bout d'un certain temps, peut-être court, peut-être long, elle se soulève et se met debout. Son visage est inondé de larmes de rimmel

417

noires. Elle tire d'entre ses cuisses une culotte déchirée et salie de poussière, la contemple un instant, presque étonnée, puis la fourre dans le sac à main dont elle avait gardé la bride enfermée dans son poing. Elle réajuste une courte robe à imprimé psychédélique, sautille sur un pied tel un flamant blessé pour atteindre sa mule abandonnée et y glisse un pied si pâle qu'il est presque violet. Son regard inexpressif s'attarde sur la grosse qui remue les lèvres sans voix, puis elle s'en va. Après un court, ou peut-être long, laps de temps, la grosse s'en va aussi.

Le temps jamais
Le temps tout de suite
Ma conscience sombre dans le néant de l'attente.
J'attends.

La voix de Mikhaëla se fait entendre du seuil. Elle est de bonne humeur.

« C'est quoi, cette obscurité ? Et qu'est-ce que ça pue ! Qu'est-ce qui se passe, Nina fait grève aujourd'hui ? Bon, tant pis, je vais tout ranger moi-même. Allez, Lily, viens ! J'ai terminé tôt exprès pour qu'on regarde ensemble son Hitler présenter le concours des Miss en direct. Ça ne nous fera pas de mal de rire un peu. Et où est le bébé tigre, maudit soit-il ? Viens, viens ici, sale peste, je t'ai apporté des escalopes presque fraîches de chez mon boucher. »

J'écoute son pas rapide qui passe du salon à la cuisine. La porte du réfrigérateur s'ouvre et se claque. La chasse d'eau est tirée dans les toilettes.

« Lily ! Allez, levez-vous ! Aujourd'hui Nina doit absolument m'épiler les sourcils, parce que là, je ressemble à Amir Peretz ! À part ça, tu m'entends, je suis super-contente ! Morann a appelé de sa base, il a dit qu'il avait parlé à sa sœur et aux plus petits. Eh ben, à ce qu'il paraît, ils ne sont pas si contents que ça. Des problèmes avec l'anglais, et aussi, ils lui ont dit que je leur manquais. Alors apparemment ils vont revenir pour Pâque, genre en visite, mais d'après ce qu'il a compris — ils veulent rentrer chez maman. Je le savais ! Moi, on me laisse pas tomber si facilement ! »

La dernière phrase est lancée au moment où elle presse l'interrupteur dans la chambre à coucher. Une réalité blanche nous inonde tous. Le bébé tigre lève la tête.

*

La tigresse met bas tous les trois ou quatre ans.

*

Le taxi roule lentement puis s'arrête devant le luxueux immeuble d'une petite rue tranquille non loin de la place haMédina. Des rosiers blancs sur la pelouse devant une entrée bien entretenue. Des lampes de jardin rondes qui diffusent une lumière douce, brumeuse. En trois grands bonds j'atteins les buissons qui se trouvent à l'extérieur de la zone éclairée. Mikhaëla va se placer devant la porte d'entrée fermée et appuie au hasard sur un bouton d'interphone, n'importe lequel. Comment quelqu'un croirait-il la fausse légèreté de cette voix si tendue, au bord de l'hystérie.

« C'est la voisine. Je suis désolée. Vous pouvez m'ouvrir, s'il vous plaît ? Je suis descendue jeter la poubelle et la porte a claqué. »

Apparemment, l'appareil masque la folie latente de la conductrice. Un bourdonnement électronique satisfait à sa demande. Elle pousse la porte. Me fait un signe de la main et je me faufile à l'intérieur, me plaque contre le mur, sous les boîtes aux lettres.

« Allez, à toi de jouer. Je vais juste déplacer la voiture pour qu'elle ne soit pas dans la lumière. Une fois qu'il sera monté, je me planquerai ici, à côté de la porte. »

Elle chuchote, bien qu'il n'y ait personne alentour. Sa main me flatte l'échine. Je grimpe à toute vitesse jusqu'au huitième étage. Difficile d'ignorer ce plaisir frétillant d'étirer des membres figés pendant de longs moments dans une immobilité forcée. Derrière les portes closes, des téléviseurs retransmettent les derniers instants de la cérémonie. Peut-être le diadème incrusté de perles de verre scintillantes comme des flashs est-il déjà posé sur la tête de la gagnante.

Comme les escaliers se terminent vite !

Me voilà au dernier étage, devant le penthouse. Sur le palier, ces mêmes lampes rondes, de part et d'autre du seuil, qui diffusent la même lumière douce. Des plantes décorent la volée d'escaliers. Je me faufile jusqu'à la zone la moins éclairée, derrière un palmier nain. Me colle aux grandes dalles de marbre. J'imprègne mon ventre de leur fraîcheur. J'attends.

Beaucoup de temps ou peu de temps. Beaucoup ou peu. Cela n'a aucune importance. Ma conscience est vide.

Il n'y a que le but, comme le tic-tac d'une bombe à retardement.

Tic et tac, tic et tac
Un temps liquide et un temps solide
Un temps rond, un temps sinusoïde
Un temps pour respirer, un temps pour arrêter
Un temps pour la naissance et un temps pour tomber
Et un temps pour le tigre, un temps pour la belette
Un temps pour trois sous et pour des clopinettes
Un temps pour mettre en plein dans le mille
Un temps pour le sang rouge, un temps pour la fée
    verte,
Un temps pour l'homme et un temps pour la bête,
A commencé le compte à rebours —
C'est le temps du départ sans retour

Doux souffle de l'ascenseur qui s'arrête. Les portes s'ouvrent. Il sort. Le costume sur mesure enveloppe comme une peau de requin ce corps tassé. Il fredonne un vieux tube de Madonna. Sa main fouille dans la poche de sa veste pour trouver sa clé.

Mes yeux — vrillés sur sa nuque aplatie.

L'élan primaire est trop simple, pas assez satisfaisant. Un bond par-derrière et la nuque se briscra entre mes mâchoires qui serreront. Mais je sais que non. Pas comme ça.

Il doit me voir. Je veux qu'il me voie.

Je m'approche du cercle de lumière. Ma queue heurte le marbre. Mes oreilles se tendent vers l'arrière, se plaquent presque au crâne, mes canines se dévoilent jusqu'à la racine. Il se retourne. Dans ses yeux se reflète la grimace de mon terrible sourire. Je prends mon temps. Peut-être que son cœur s'arrêtera de peur. Mais l'heure n'est pas aux paris. Mes épaules se contractent, mes pattes arrière repoussent sauvagement le sol. Un bond. Il tombe à la renverse et je me jette sur son cou, lui arrache la trachée et ce qui vient avec. La carotide rompue éclabousse le mur d'un jet de sang brunâtre. Du sang coule aussi de sa bouche, ses yeux se révulsent. Des lambeaux de peau et de cartilage invisibles maintiennent encore la tête au corps qui se déforme.

Je sais que c'est tout. Ça suffit. Ma tâche est terminée, mais un besoin plus profond me pousse à rester encore auprès de cet homme traversé de spasmes. Je plante mes griffes dans son ventre, mes dents déchirent le tissu chic, la peau malsaine, je fourre mon visage dans sa chair, lui retourne les entrailles. Une vague de nausée manque de me projeter en arrière — son sang a une odeur putride de vitamines et de médicaments, mais l'énergie qui me pousse supplante le dégoût et je secoue la tête, je tire avec mes dents et extrais l'intestin du ventre déchiqueté. Violet, glissant, il se répand sur le sol, long tuyau sinueux rempli de matières fécales humaines, mes yeux sont éblouis par le sang et par autre chose encore, quelque chose qui est force, qui est destruction, qu'on ne peut ni décrire ni nommer.

Le bruit de l'ascenseur qui descend met fin au carnage. Je me fige. Ça s'arrête un étage en dessous. Je guette le grincement des portes qui se referment.

À pas élastiques, prudents, j'entame mon chemin vers le bas. M'arrête de temps en temps. Mes oreilles trient les sons qui emplissent l'espace obscur. Des bruits domestiques feutrés venant d'appartements qui se préparent à la nuit. Voix d'enfants, discussions fatiguées sur des sujets quotidiens, heurts de vaisselle dans les éviers.

Quand j'arrive au rez-de-chaussée, Mikhaëla attend déjà. Elle m'ouvre la porte. Je me glisse dans la pénombre du dehors. Elle m'examine. Essaie de dire quelque chose, mais renonce et court vers les rosiers. Se penche. Son dos frissonne. Elle vomit.

Quand elle entre dans le taxi, je suis déjà allongée à ma place sur le siège arrière et lèche mes pattes avant. souillées.

« Je suis passée à la station-service », dit-elle en essuyant sa bouche dans sa manche. Elle est blême. Son front et sa lèvre supérieure luisent de sueur. « Tout est prêt. »

*

Le domaine d'un tigre peut s'étendre sur des dizaines, parfois des centaines de kilomètres.

*

Dans une paresse féline, la nuit se coule à l'intérieur par les fenêtres ouvertes. Fraîcheur. Est-ce déjà l'automne ? Mikhaëla s'affaire le long des murs dans l'appartement. Munie du jerrican, elle verse l'essence par à-coups mesurés. S'attarde sur certains objets — l'armoire, le canapé.

Le bébé tigre descend du lit et se couche tranquillement à ses pieds.

Ninouch est toujours dans la même position, mais après plusieurs heures de non-vie, elle est devenue complètement transparente. Maintenant, non seulement sa peau est transparente, mais aussi ses organes internes. Le cœur, les poumons, les os du crâne. On peut voir l'imprimé fleuri du couvre-lit à travers sa main. Je fais signe au bébé tigre de me suivre dans le couloir, mais il reste collé au pied du lit.

Mikhaëla a terminé. Elle pose le jerrican sur la table.

« Bon, je pense que c'est tout. Ça suffira. Un petit appartement en fin de compte. »

Elle tire de l'armoire un drap blanc et en recouvre Ninouch.

« Maintenant, sortez. Descendez et attendez-moi derrière les poubelles. »

Je regarde le bébé tigre. Il rampe sous le lit. Ses yeux brillent vers moi dans le noir, brouillés de refus.

Mikhaëla essaie de le prendre dans ses bras, mais il lutte, se tortille sauvagement, atterrit par terre dans un grand heurt et se faufile dans son coin. Ses oreilles se tirent vers l'arrière. Sa courte queue de fourrure frappe à droite et à gauche.

« Eh bien, qu'est-ce qu'on va faire de lui ? On n'a pas de temps à perdre avec ses caprices ! » Pauvre Mikhaëla. Son amour et la vulnérabilité qui en a découlé lui ont coûté très cher. La voilà encore et encore obligée de lutter contre son impuissance, la voilà encore et encore poussée dans ses retranchements tandis que le bébé tigre plonge encore et encore son museau dans la flaque d'urine qu'il a laissée au milieu du salon.

Je m'approche de lui. Il a le poil hérissé. Montre les

dents. Je passe outre à cette démonstration de virilité. En un quart de seconde il est en l'air, l'épais pli de sa nuque entre mes dents prudentes. Comme par magie il se calme, sa tête tombe sur le côté, ses épaules et sa queue se replient vers son ventre blanc, et je l'emporte dehors, sentant son poids peser de plus en plus sur mon cou tandis que nous descendons, toujours plus bas, dans les escaliers sombres. Peut-être est-il déjà trop grand. Impossible de savoir. Une excitation presque sexuelle me gagne au contact de sa fourrure sur mon palais, passe à travers mon gosier jusqu'à mes hanches, et je m'emplis d'une profonde fierté, inconnue.

*

La tigresse a mauvaise réputation en ce qui concerne la manière dont elle s'occupe de ses petits — il est fréquent qu'elle les abandonne ou les dévore.

*

Nous voilà assis, tête levée, dans l'obscurité de la courette, comme si nous étions de simples toutous et non l'incarnation des animaux de la jungle dans toute leur splendeur. Nous surveillons les fenêtres ouvertes qui commencent à s'illuminer dans un ballet d'ombres. Les flammes sont encore masquées.

« Vous êtes là ? Et moi qui vous attendais comme une conne à côté de la voiture ! » lance Mikhaëla, encore à bout de souffle à cause de sa course pour fuir l'appartement en feu. Elle a des mèches de cheveux blonds collées à son front, les joues et le nez noirs de suie. Ses yeux rougis coulent à cause de la fumée. Elle essuie ses mains sur ses cuisses, passe une langue rigide sur ses lèvres couvertes de croûtes brunes et s'efforce de maîtriser le claquement de ses dents.

« Bon, maintenant — allez, les cocos, on y va, courez. Les portières arrière sont ouvertes, et toi, Lily, veille à ce qu'il s'allonge sans bruits, notre génie de Vilna. Tu m'as comprise ? En silence. »

Là, dans l'exiguïté de la banquette, le corps obligé de se comprimer, de se recroqueviller, je m'abandonne à ce voyage dont je fais partie, bien que mes membres, ankylosés par la position tordue qui m'est imposée, picotent. Le monde s'étend à l'extérieur de moi, je suis là confinée sur le siège, le bébé tigre allongé à mes pieds, on dirait des cosmonautes coincés dans une fusée qui ne peut pas transporter un milligramme de plus que prévu. Le moindre centimètre au sol, le moindre cube d'air ont été calculés pour chaque respiration. Exactement ce qu'il faut pour atteindre notre but, pas un gramme de plus. Le compte à rebours des réserves précises a commencé.

Le temps fond, s'étire. Toute chose a une fin, même ce voyage aura une fin, je ne sais pas où et je ne ressens aucun besoin de savoir. La soif de certitudes est restée derrière moi, telles les lumières d'un grand carrefour. J'écoute le ronflement uniforme du moteur du taxi, m'y abandonne, m'en drape, ne garde que lui comme unique réalité. Mes yeux sont fermés mais je reste éveillée.

Un kilomètre avant l'embranchement pour Sodome, Mikhaëla s'arrête sur le bas-côté. Quelque part, par-delà l'horizon suggéré, le ciel commence à rosir. La chaleur qui s'infiltre dans l'air matinal trahit la présence du désert qui se cache encore. Bientôt apparaîtra à nos yeux hagards le bleu clair fané du sud de la mer Morte. Mon corps se tend, se prépare à bondir par la portière arrière qui s'est ouverte, mais Mikhaëla agite la main, me fait signe de rester à ma place. Le bébé tigre coincé entre les sièges avant et arrière lève une tête somnolente, ouvre des yeux de chouette jaunes dans la lumière de l'aube — le roulis de la voiture a réussi à le faire dormir pendant des heures où il a l'habitude d'être éveillé. Notre conductrice ouvre le coffre, en tire une couverture et nous dissimule en dessous, moi et lui.

La distance jusqu'au point d'observation panoramique, cinq cents mètres avant la route de la Araba, elle la parcourt prudemment, rien à voir avec ses excès de vitesse sur l'autoroute depuis Tel-Aviv. Elle s'arrête à nouveau. Sort de voiture. Pauvre Mikhaëla, qui s'est enfilé des centaines de kilomètres sans une seule pause, pas même pour pisser ou boire.

J'attends. Mais apparemment, elle n'a aucune intention de nous permettre de sortir pour nous délier les jambes nous aussi. Au bout de quelques instants, je comprends pourquoi — j'entends des voix, la sienne et celles d'autres personnes. Peut-être des promeneurs qui veulent contempler la magnificence de la faille géologique syro-africaine, cicatrice entre deux continents, la dépression la plus profonde, le nombril du monde.

Je m'efforce d'écouter, de décrypter ses paroles, celles de ses interlocuteurs aussi. Bien que chaque son soit parfaitement audible, les mots planent à l'extérieur de la voiture, à l'extérieur de moi. Cela dure quelques minutes, peut-être une éternité.

Mikhaëla réintègre la voiture. Claque la portière côté conducteur. Nous roulons à nouveau. D'après la pression dans mes oreilles, qui se libère comme si une membrane se rompait, d'abord dans une oreille et une minute plus tard dans l'autre, je devine qu'on est descendus très bas, tout en bas, bien en dessous du niveau de la mer, le plus près possible du centre vivant, bouillonnant, de la terre.

Le taxi s'arrête. Mikhaëla ouvre enfin et nous nous déroulons lourdement à l'extérieur, éblouis par la luminosité de plus en plus forte du lever de soleil.

Des moucherons volettent dans l'air sec. L'endroit où elle a choisi de s'arrêter est fortuit, rien de remarquable. L'étroite route est vide, elle coule de nulle part vers nulle part. À droite, des rochers de granit et à gauche s'étend une surface aride, grise, qui atteint la chaîne de hauteurs aux doux contours de la rive orientale du Jourdain.

« Bon, voilà, c'est tout. » Mikhaëla ferme les yeux, se masse la racine du nez. Elle aussi a l'air desséchée, épuisée, autant que le désert lui-même. Son visage est gris. Malade.

Elle tire de la poche de son pantalon un papier plié, l'étend sous mes yeux. Un vague souvenir griffe le fond de ma conscience. Elle dit des mots. Je n'entends que la fréquence d'une voix humaine, vide de sens. Elle dit, « c'est la carte de Nina. Voilà, ici. Tu vois, c'est le Bengale. Et les cercles verts sont les réserves. Photographie bien ça dans ta tête ».

Le soleil blanchit d'instant en instant. Mes yeux se plissent malgré eux, jusqu'à n'être qu'une fente. Mikhaëla regagne la voiture, fait demi-tour et repart dans la direction d'où nous sommes venus. Je ne la vois déjà plus. D'une démarche lente, hésitante, je me tourne vers le désert. À chaque pas, mes mouvements deviennent plus assurés, je trouve le rythme de la progression, et je ne m'arrête que pour attendre le bébé tigre, toujours debout au bord de la route, les yeux rivés sur la voiture qui s'éloigne et rapetisse, d'abord une tache, ensuite un point argenté, et à la fin elle disparaît totalement.

Il s'attarde encore un instant puis se secoue de l'étonnement permanent qu'il ressent et qui capte toute son attention. Le voilà qui bondit vers moi. Lorsque la distance entre nous s'est suffisamment réduite pour que je puisse voir les pièces d'or de ses pupilles, je reprends la route.

*

Le tigre peut courir très vite mais sur une petite distance. Il se fatigue rapidement.

(Et rappeler à Lily d'acheter du dentifrice et de téléphoner à Léon pour lui dire que je serai en retard.)

*

La terre sur laquelle je marche est dévastée, imprégnée de lumière et de mort. Ma progression est plus lente que je ne l'aurais voulu. Le bébé tigre s'est blessé une patte antérieure sur un caillou pointu. Nous avançons de nuit. La journée, nous nous cachons dans des trous, des grottes ou à l'ombre des rochers. Je chasse les lapins et les petits rongeurs. Parfois, surtout à l'aube, il nous semble voir une source d'eau, mais en général lorsque nous nous en approchons, nous découvrons que ce n'est qu'une hallucination de soleil levant. Le temps coule, le temps se fissure. Temps creux, qui n'est qu'un présent étiré. Sans passé, sans avenir, sans espoir et sans peur. Le périple qui nous attend est long, j'ignore si nous atteindrons notre but. Le cerveau est vide de souvenirs, et seulement parfois, lorsque la fraîcheur de la nuit emplit nos poumons et que nous sommes couchés à côté d'une source d'eau trouvée au hasard, je ferme les yeux. À l'intérieur de mes paupières apparaît alors une carte géographique avec des montagnes, des plaines et des déserts. Une région se différencie des autres par un trait plus épais et à l'intérieur sont répartis, sans ordre ni logique, des cercles vert foncé.

Janvier 2004

Composition Graphic Hainaut.
Achevé d'imprimer
par la Société Nouvelle Firmin-Didot
à Mesnil-sur-l'Estrée, le 8 février 2006.
Dépôt légal : février 2006.
1er dépôt légal : décembre 2005.
Numéro d'imprimeur : 78166.

ISBN 2-07-077285-3/Imprimé en France.

143502